日本の歴史　十三

文明国をめざして

牧原憲夫

Makihara Norio

小学館

日本の歴史

文明国をめざして

第十三巻

アートディレクション　原研哉
デザイン　竹尾香世子
美馬英二

凡例

- 年代表示は原則として和暦を用い、適宜、西暦を補いました。
- 本文は原則として常用漢字および現代仮名遣いを用いました。また、人名および固有名詞は、原則として慣用の呼称で統一しました。なお、敬称は略させていただきました。
- 歴史地名は、適宜、（ ）内に現在地名を補いました。
- 引用文については、短歌・俳句なども含めて、読みやすさ、わかりやすさを考えて、句読点を補ったり、漢字を仮名にあらためたりした場合があります。
- 中国の地名・人名については、原則として漢音の読みに従いました。ただし慣習の表記に従ったものもあります。
- 朝鮮・韓国の地名・人名は、原則的に現地音をカタカナ表記しました。ただし、歴史的事柄にかかわる地名・人名などは漢音読みにした場合があります。
- この巻が扱っている時代の年表を巻末に掲載しました。
- 図版には章ごとに通し番号をつけ、それぞれの掲載図版所蔵者、提供先は巻末にまとめて記しました。
- おもな参考文献は巻末に掲げました。
- 五十音順による索引を巻末につけました。
- 本書のなかには、現代の人権意識からみて不適切な表現を用いた場合がありますが、歴史的事実をそのまま伝えるために当時の表記どおりに掲載しています。

1

開化の風景

生活と精神の「文明化」

◉新式小学体操双六
学童生徒の体位向上と集団意識の育成を目的とする体操教育や運動会は、学校生活をテーマにした双六《すごろく》にも、数多く取り上げられている。（明治一九年、横山良八《よこやまりょうはち》画・版）
↓307ページ

2

●染付《そめつけ》時《と》計図《けいず》八角皿《はっかくざら》

開化の象徴だった舶来品の柱時計を、大胆に図案化した伊万里焼《いまりやき》の皿。当時の時計には八角形の意匠が多かった。日本人の時間感覚は、時計の普及とともに大きく変わる。 ↓182ページ

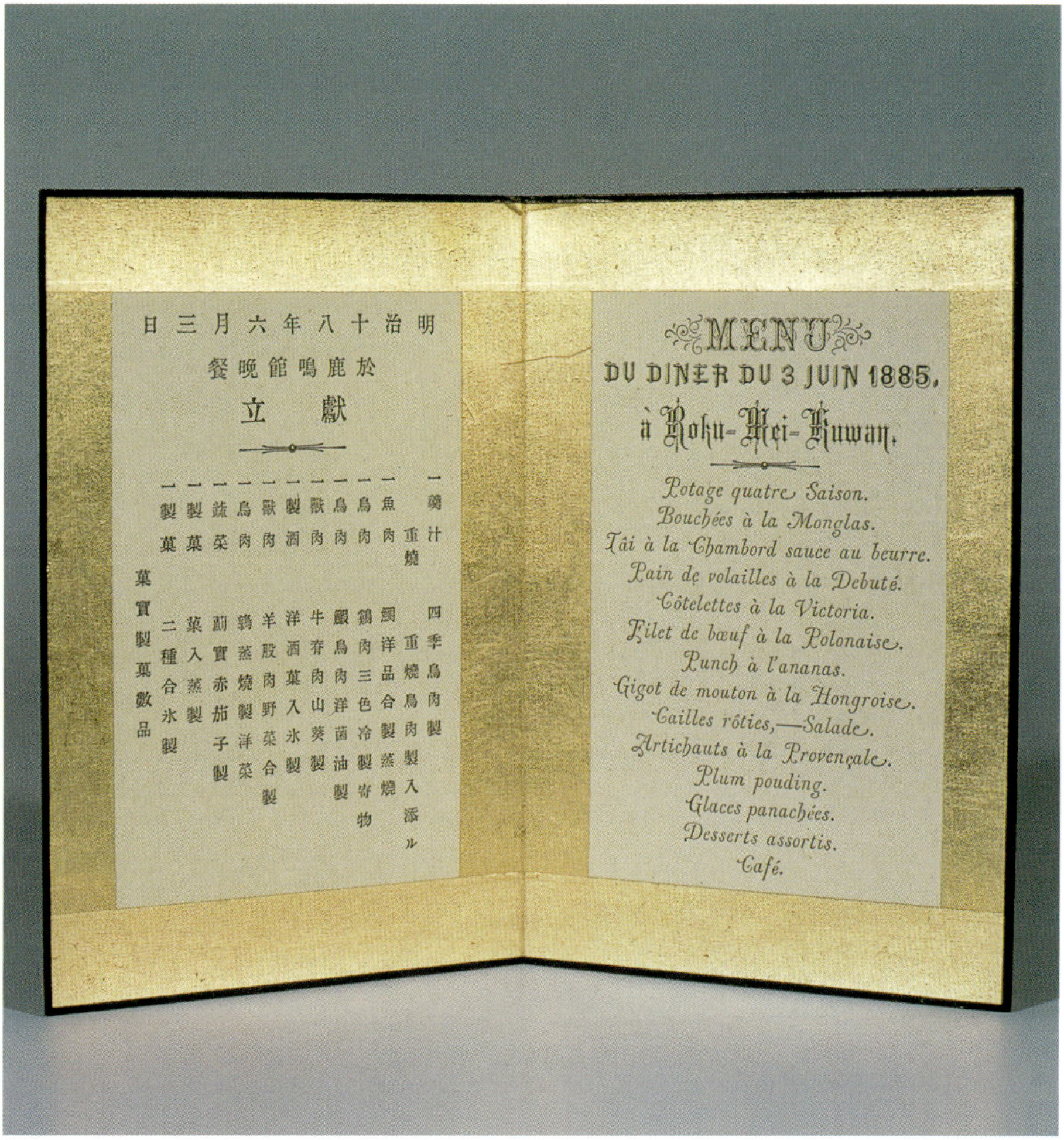

3

●鹿鳴館《ろくめいかん》のメニュー
明治一八年六月三日の晩餐会での献立。焼鶏肉のポタージュ、鯛の蒸焼き、牛肉ワサビ、デザートはケーキとアイスクリーム。夜会と軍隊は、食の西洋化にひと役買った。 ↓293ページ

●西郷従道《さいごうつぐみち》の邸宅

明治一〇年代、東京上目黒《かみめぐろ》の「西郷山」と呼ばれたほど広大な敷地内に建てられた洋館で、重要文化財。当時は銀座の煉瓦《れんが》街も、表通りから一筋入れば昔ながらの長屋だった。↓219ページ

洋犬《カメ》

英米人が犬を呼び寄せる「Come here」を「カメや」と聞き違え、洋犬をカメと呼んだとされる。

「黒塗《くろぬり》柱《はしら》 箱《ばこ》」と呼ばれた郵便ポスト

明治五年に設置され、木製で角柱状。鉄製の赤色円柱型ポストが登場するのは、三四年のこと。

理髪店の目印「アルヘイ棒」

紅白の棒が有平糖《あるへいとう》に似ているところから呼ばれた。明治二〇年頃にはほとんどが散切りとなる。

牛乳の宅配

明治一〇年頃まではブリキ缶に入れた牛乳を量り売りしていた。二〇年頃にはガラス瓶が登場。

オーディナリー型自転車

明治一〇年代に輸入された、前輪の大きな自転車。自転車は三〇年代なかばから急速に普及。

食い詰めものの士族

明治一〇年代後半までは、新時代に乗り遅れた士族が、わずかに残った家財を売る姿もあった。

●屯田兵人形

明治三〇年に北海道北見《きたみ》市に入植した屯田兵《とんでんへい》の労苦をしのび、大正一一年、信善光寺《しんぜんこうじ》庵主が人形師につくらせた。屯田兵は明治七年に設置され、三七年廃止までの総移住戸数は七三三七戸。

開化風景寄集圖

5

◉大勲位菊花章頸飾《だいくんいきつかしょうけいしょく》

金と七宝《しっぽう》の連環で飾られた最高位の勲章で、明治二一年制定。叙勲体系は明治八年以降、順次整備されていった。国民に忠節と精勤を呼びかける、新たな装置の登場である。

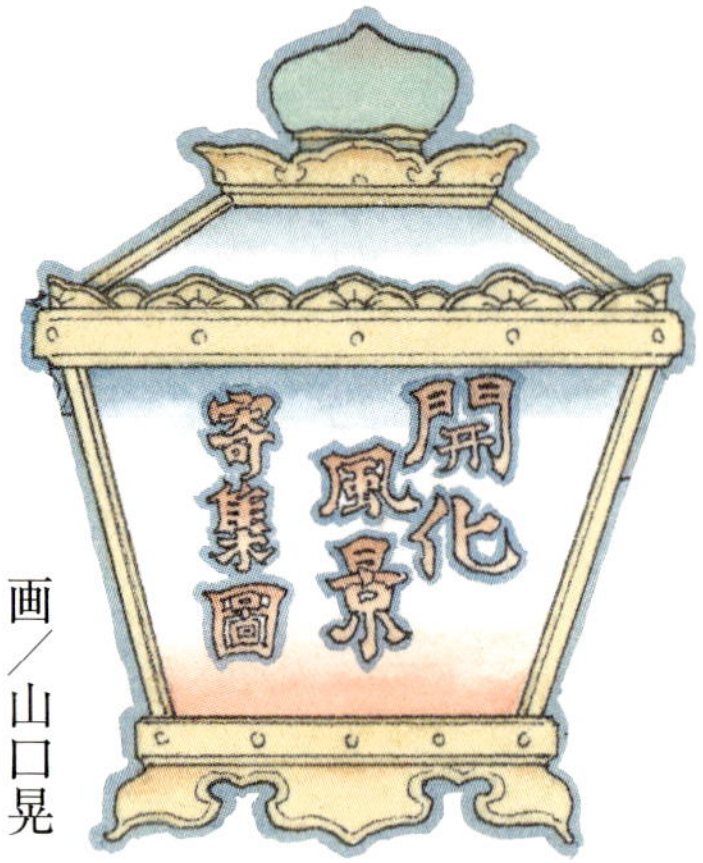

画／山口晃

「河川や堀割へのゴミ投棄の禁止」

「立小便禁止」「蓋《ふた》のない肥桶《こえおけ》の運搬禁止」など、違式詿違《いしきかいい》条例は五〇数条に及ぶ軽犯罪法である。

ウサギ飼育がブームに

明治五年に続き、一二年にもブームが再燃。希少な毛色は高値を呼び、投機による殺人事件も。

軽気球が大人気

明治二三年、イギリス人飛行家による興行が評判を呼び、歌舞伎《かぶき》『風船乗評判高閣《ふうせんのりうわさのたかどの》』にもなる。

ラムネ

明治初年に販売されはじめ、四〇年代にサイダーに取って代わられるまで、好んで飲まれた。

街角の新聞売り

新聞社お仕着せの法被《はっぴ》をまとい、チリンチリンと鈴を鳴らしながら売り歩いた。

目次

日本の歴史 第十三巻 文明国をめざして

第二章 「御一新」の現実

第五章 近代天皇制への助走

第六章 「帝国」に向かって 203

第八章　帝国憲法体制の成立

文明国をめざして

はじめに

文明は野蛮、開化は復古

「ハチミツを食べて遊ぶだけの毎日に飽きてしまった小熊のテッドは、にんげんになりたいと魔法の使える年寄り熊に頼みました。フーン。人間の子どもになると、ボタンのたくさんついた服を着て、ヒモでしばった靴をはいて、朝ごはんをフォークとスプーンで食べて、それから学校に行っていろんなことを覚えて、帰ってからも宿題をするんだよ。そう年寄り熊にいわれたテッドはしょんぼりして、思いました。にんげんってたいへんだね」（絵本『にんげんって　たいへんだね』）

たしかに人間の子どもは大変だ。しかし、ここでイメージされた「にんげん」の姿は、いつの時代、どこの地域にも当てはまるわけではない。たとえば、フォークが西欧の宮廷で日常的に使われるのは一七世紀に入ってからで、やがて中央の貴族から地方貴族、富裕者、中流層へと広がり、「礼儀作法」のひとつになった。そうした過程を当時のマナー本を通して描き出したノルベルト・エリアスは、フォークなどを使うことが当たり前になるにつれて、かつてはなんともなかった「肉を手でつまむ」「スープを指でなめる」といった行為が不快感を呼び起こすとともに、それが歴史的に形成されたものではなく、あたかも人間本来の感性であるかのように思われはじめると指摘している。

しかも、西欧、とくにフランス・イギリスでは、近代的な政治制度や経済・産業の発展、進歩思想の定着などと相まって、こうした「洗練された生活スタイル」こそが文明的な国民・国家の証《あかし》であると見なされ、上昇志向の強い中流階級の人びとが、「手で食べる下品な人びと」と自分たちとの差異をきわだたせる根拠ともなっていった。さらに、イギリスによる香港島《ホンコン》の領有（一八四二年）やインドの直接支配（一八五八年）、ロシアによるウスリー川以東（沿海州）の領有（一八六〇年）、フランスによるベトナム南部の領有（一八六二年）など、西欧列強による植民地支配が加速されるなかで、野蛮な風俗習慣にとらわれている未開の人びとを文明化させることが、「歴史の進歩」を体現しているわれわれ西欧国民の使命なのだと主張されはじめる。エリアスのいうように、文明意識は何よりも〈自分たちの風俗が優れている〉という〈ヨーロッパの自意識〉であり、世界のなかで〈一種の上流階級になっていった国民〉が植民地支配を正当化するための観念ともなったのである。

◉『にんげんって　たいへんだね』
ボタンのついた服、ヒモでしばった靴、フォークで食べるって、どういうこと？（フィリップ・レスナー文、クロスビー・ボンサル絵、べっく・さだのり訳、アリス牧新社）

国民ゆえの風俗統制

そのような時代に日本は開国したわけだが、日本の文明度は、アジア・アフリカなどの「野蛮国」と、欧米「文明国」との中間である「半開国」と位置づけられていた。これは中国・トルコなどと同じで、独立した国家ではあるが制度・風俗などが文明的でないという状態であり、だから不平等条約も当然だというのが欧米の論理だった。福沢諭吉《ふくざわゆきち》『文明論之概略《ぶんめいろんのがいりやく》』もまた、この三段階は人類の発展段階であり、〈世界の通論にして世界人民の許すところ〉、つまり世界の常識であると説いている。アジア諸国がこの〈通論〉に甘んじたわけではない。清国《しんこく》の李鴻章《りこうしょう》らは洋務運動に取り組み、タイではラーマ五世が近代的な諸改革を推進し、オスマン帝国やエジプトでも憲法制定運動が高揚した。

ところが、来日した外国人はまず、〈裸体者の多きには実に驚けり、遠方より一見すればほとんど亜非利加《アフリカ》の黒奴に異ならず〉と〈不快の感〉をもった（『郵便報知新聞』）。西欧では人前で肌を露出することが極端に嫌われた時期であり、裸は野蛮の証明でしかなかった。そのうえ日本では、人足・人力車夫といった労働者ばかりか、若い女性までが庭先や路地で昼間から行水をしたり、外国人を見ようと湯屋《ゆや》から裸のまま飛び出した。明治五年の西国巡幸で長崎を訪れた天皇も、〈見よ、自身その背を洗う、怜悧《れいり》ならずや〉と行水の女性に目を丸くしている（『明治天皇紀《めいじてんのうき》』）。

文明国への仲間入りを悲願とする日本政府は、当然、手を打たざるをえない。たとえば東京府は、明治四年、半裸で働いたり湯屋へ行くのは〈一般の風習〉だが、〈見苦しき風習〉をこのままにしておくと〈御国体〉（国家の体面）にかかわるので〈銘々大なる恥辱と心得《こころえ》〉よと布告した。いわば世間体の国際版である。そして、いまの軽犯罪法にあたる違式詿違条例《いしきかいいじょうれい》をもとに、各府県は裸体や立ち小便・春画などを厳しく取り締まり、東京府だけでも「裸体」で毎年一〇〇〇人が処罰された。

それにしても、江戸時代はなぜ裸が許容されたのか。すぐ思いつくのは、蒸し暑い気候とか、裸や性に関するおおらかさだろう。何しろ、慶応《けいおう》二年（一八六六）には、パリ万国博覧会に出品するため細工物・織物・錦絵《にしきえ》はもちろん、〈極彩色女絵〉や〈まくらと唱え候類《そうろうたぐい》〉（枕絵）も高価で買い上げるから、早々に申し出よというお達しが江戸市中に出たくらいである（『藤岡屋《ふじおかや》日記《にっき》』）。ただし、庶民といえども、闇雲《やみくも》に裸になったわけではない。

（日本女性が裸になるのは）風呂を浴びるとか化粧をするとかの自然な行為をするときに限って人の目をはばからないだけなのである。それだけでもはなはだしく慎《つつし》み深さを欠いているのかもしれない。けれども私見では、慎みを欠いているという非難はむしろ、それら裸体の光景を避けるかわりにしげしげと見に通って行き、野卑《やひ》な視線で眺めては、これはみだらだ、叱責《しっせき》すべきだと恥知らずにも非難している外国人の方に向けられるべきであると思う。

（エドゥアルド・スエンソン『江戸《えど》幕末滞在記《ばくまつたいざいき》』）

日本には、混浴などでも「ぶしつけに見つめない」という作法があったと文化人類学者デュルも指摘している。しかし、そうだとしても、中・上流階級の男女がやたらに肌を露出したとは思えない。裸が放置された最大の理由は、身分制国家の支配

1

◉みんなで行水
湯屋の混浴はもちろん、炊事や化粧の肌脱ぎも、家の中をのぞき込んだ外国人から非難された。（レガメ画。ギメ『日本素描紀行』）

者が被治者のぜいたくは許せなくとも、半裸で働く姿に痛痒《つうよう》を感じなかったからではなかったか。裸は下賤《げせん》なる者のしるしでもあったのだ。

これに対して、明治の為政者が民衆の風体に〈大なる恥辱〉を感じるのは、民衆もまた国家の本来的な構成員だと考えたからにほかならない。芸能民を蔑視《べっし》し〈制外者《ニンガイ》などと唱え候《そうろう》従来の弊風〉を否定したうえで、〈歌舞音曲《かぶおんぎょく》の類は、人心・風俗に関係する〉から〈今よりは身分相応、行儀相《あい》慎み営業〉せよと命じた明治五年の教部省《きょうぶしょう》の布告は、問題の核心を明確に示している。民衆を国民として国家の内部に取り込む、いいかえれば、制外の存在を認めないがゆえに、四民平等と風俗統制が同時に必要だったのであり、同じ風俗規制でも江戸時代とは性格を異にしていたのである。

一般に、文明開化とは「人知が開け、世の中が進歩すること。とくに明治初年の近代化や欧化主義の風潮」とされることが多い。だが、実際にはたんなる風潮ではなく、近代的な国家・社会制度の導入とともに、民衆の日常的な生活スタイルを西洋文明の基準に適合するように改変して、「近代国家の国民」としての自覚をもたせること、それが文明開化

2

◉文明だけが大好き
チョンマゲにズボンと靴の「ヤング・ジャパン」を、西洋人が見下ろしている。ワーグマンが描いた横浜ユナイテッド・クラブの光景。
(『ザ・ジャパン・パンチ』一八六六年)

政策の歴史的課題であった。だからこそ福沢は、〈日本にはただ政府ありて未だ国民あらず〉（『学問のすゝめ』）と嘆きつつ、〈文明の精神とは…一国の人心風俗と云うも可なり〉（『文明論之概略』）と述べたのであり、〈大は政事、法律より、小は個人の起居に至るまで、ことごとく風俗なる母より産み出されざるはなし〉（土《ど》肥《ひ》正孝《まさたか》『日《に》本《ほん》風《ふう》俗《ぞく》改《かい》良《りょう》論《ろん》』）と力説されたのである。

文明と文化

ところで、西川長夫《にしかわながお》によれば、「文明」「文化」の語は一八世紀後半のヨーロッパに登場した新語であり、古代の四大文明といった表現も近代になって生まれたものである。そして、文明というフランス語 civilisation や英語 civilization は、ラテン語の civis（市民）、civitas（都市）に由来する civil（市民の、礼儀正しい）から生まれた言葉で、「〜ise」「〜ize」の接尾辞が示すように、行為や過程を含意している。実際、あるべき国民と国家の姿を示す語として、フランス啓蒙《けいもう》思想家によって使われはじめた「文明」は、結果としてフランス革命を推進する理念となり、革命後は人間の尊厳と繁栄のための諸制度を実現したというフランス国民の自負を込めた語として定着し、さらには、諸国民にも波及させるべき普遍的な目標として、ナポレオン戦争を正当化するものとなった。文明は文明化の衝動と不可分なのである。

これに対して、文化 culture は土地の耕作から精神の修養といった意味が派生したもので、ドイツでは当初、Kultur を文明と同義に使っていた（フランスではもっぱら文明が使われた）。だが、ナポレオンによるベルリン占領という衝撃のなかで、普遍性を主張する文明に対して、ドイツの独自性を表わす対抗概念として文化が使われはじめ、先進資本主義国であるイギリス・フランスとの対立が深まるにつれて、両国を物質文明の国と批判し、ドイツの精神文化を称揚するようになったと西川は指摘している。文化は固有性・不変性に価値を見いだす概念といえるだろう。

他方、日本語の文明・文化は中国の古典に由来し、文明は「人知が明らかになり世の中が開けること」、文化は「文治教化。武力によらずに導くこと」といった意味で、ともに日本の年号にもなっている。civilization の訳語としての文明は、福沢諭吉《ふくざわゆきち》『西洋事情《せいようじじょう》外篇二』（慶応《けいおう》三年（一八六七））のなかの、〈歴史を察するに、人生の始めは蒙昧《もうまい》にして次第に文明開化に赴くものなり〉が初出とされる。ただし佐藤亨《さとうとおる》によれば、福沢は前年の幕閣宛《あて》建白で、攘夷《じょうい》派の〈大名同盟〉を排除した〈大君のモナルキ（monarchy ＝ 専制君主制）〉でなければ〈我国の文明開化は進み申さず〉と主張しており、またその前年の『日本新聞』には、〈大君と外国政府と取り結びたる条約に、ミカドの保証を為《な》したる…この一挙に由《よ》りて、日本は世界万国の尊敬を受け、国民一般の開化文明に進むべし〉という一節がある。『日本新聞』は横浜の英字新聞の記事を幕府開成所《かいせいじょ》の柳河春三《やながわしゅんさん》らが翻訳紹介したものだが、いずれにせよ、福沢ら幕府の洋学者がすでに文明、開化の語を使いはじめていたのだ。用語だけではない。明治政府の文明開化政策の多くは幕府の改革派が着手したり構想していたものであり、開成所などで学んだ幕府系の知識人・技術者・官僚を抜きにして、日本の文明化は実現できなかった。文明化の直接の起点は幕末にあった。

これに対して文化という語は、明治初年に文明と同義に扱われた程度でほとんど使用されず、ドイツ哲学が盛んになった明治後期にKulturの訳語として定着した。ただし、社会的な事象でいえば、文明化の過程が一段落した明治二〇年代前半が転換点になっている。憲法が制定され議会政治が始まるこの時期に、日本は中国・朝鮮と異なり基本的に文明国に移行したという自意識が多くの人びとに共有されるとともに、鹿鳴館《ろくめいかん》に代表される軽薄な西欧化への批判が高まり、日本主義や国粋《こくすい》主義・国民主義がとなえられはじめる。ここでいう国粋はnationalityの訳語だから、まさに西欧の物質文明に対する日本の精神文化という対抗図式の成立である。実際、国民主義は〈自国特有の文化〉と不可分だと陸羯南《くがかつなん》は述べている（「日本文明進歩の岐路」）。日本語の文明と文化はcivilizationとcultureにみごとに対応していたのであり、しかも、日本文化論の根底には、しだいに「天皇」が置かれていくことになる（ただし、大正時代には「文化的」がハイカラ・西欧風を意味することもあった）。

◉鹿鳴館の淑女たち
鹿鳴館の舞踏会では女性の踊り手が足りずに芸者が動員された。特訓の休憩時間。（ビゴー「コントルダンスの合い間」『トバエ』六号）

復古と開化

とはいえ、文明開化は順調に進展したわけではない。明治維新は幕府の開化政策を非難し、攘《じょう》夷《い》・復古を大義名分に掲げた革命だったからだ。それゆえ、慶応《けいおう》四年（一八六八）一月、王政復古後の新政府が外国との和親《わしん》を宣言したときは、〈大勢《たいせい》誠に止《や》むを得ず〉と弁解しなければならなかった。だが、こうした「転向」は、攘夷断行を本気で信じていた尊攘《そんじょうは》派志士や国学者らの憤激を招き、たとえば、命をかけて維新を実現したわれわれ攘夷家が排除され、皇室を中興するのにかえって外国の力を借りるとは何事か、〈事理顚倒《じりてんとう》〉（事実と理念の乖離《かいり》）もはなはだしい（蠣崎多浪の建白）といった非難を繰り返し受けねばならなかった。

権力を奪取した新しい支配者が安定した統治を行なうには、武力だけでなく、政権の正統性が被治者によって認知されねばならない。にもかかわらず、天皇にいまだ権威がなく、文明化を「世界の大勢」とか「列強との武力の差」といった外在的要因からしか説明できないところに、明治政府のアキレス腱《けん》があった。開化と復古の対立は、ある意味では文明と文化の対抗であったが、明治維新の性格がその対立を激化させるとともに、政府の内部にもさまざまな勢力を混在させ、錯雑《さくざつ》した政治闘争を続けさせることになったのである。

しかも、四民平等が裸体禁止を伴ったように、〈封建束縛の弊を解き、人に与うるに自由の権を以《もっ》てす。而《しか》して、民の束縛に苦しみ自由を失う、かえって封建の時より甚《はなは》だし〉（蠣崎多浪）、という〈事理顚倒〉まで生じたから、庶民の根強い反発・抵抗が続いた。むろん、開化政策を積極的に支持する地域の指導者層も少なくなかったが、やがて、そのなかからも議会開設を要求し政府を批判する人びとが登場してくる。

しかしその一方で、日本政府は西欧の慣習的国際法である万国公法の論理を武器に、蝦夷地《えぞち》・琉《りゅう》球《きゅう》の植民地化を推し進め、朝鮮・中国に対する優位を確保しようと企図しつづけた。尊攘派はもちろん民権派も、国益確保・国威発揚といったナショナリズムの面では政府以上に強硬であり、反文明的、反政府的な意識が濃厚だった民衆のあいだにも、しだいに「文明国日本の一員」としての優越意識が生まれはじめる。

同時に、王政復古なしには領主制の早期廃棄は不可能であったし、開化（西欧化）政策のなかで、復古すなわち近代天皇制の形成も進行していった。また、〈ヨーロッパのさまざまな教説を受け容《い》れるに、日本では孔子《こうし》の追随者たちに優る者はいない〉とロシア正教のニコライが述べたように、天や理を重視する儒学がキリスト教や西洋合理主義を受容する思想的基盤となった。復古と開化は単純に敵対していたのではなく、むしろ相互補完的な関係にあったとみるべきだろう。

4

◉台湾先住民の少女「オタイ」
明治七年の台湾出兵で「保護」され、教育のため日本へ。美談と称《たた》えられたが、「おたえ」と名付けられた少女は心を開かず、台湾に帰された。（『東京日日《にちにち》新聞』錦絵《にしきえ》版）

本書では、こうした錯綜した状況のただなかに置かれた民衆（被治者である生活者）の実感を大切にするとともに、一六世紀のポルトガル・スペインによるアメリカ大陸侵略を批判したモンテーニュのソバージュ sauvage に関する発言を念頭におきながら、明治維新と文明開化の時代の特徴を描いていくことにしたい。

この新大陸の住民たちには、おのおのが自分の習慣にないものを野蛮と呼ぶのでないとすれば、野蛮で未開《ソバージュ》なところは何もないと思う。本当のところ、われわれは、われわれの住んでいる国のさまざまな意見や慣習についての実例と概念以外には、真実と道理の基準を持っていないようだ。その土地にもやはり完全な宗教があり、完全な政治体制があり、すべての事柄についての完璧《かんぺき》な完成された習慣がある。われわれが、自然がおのずからその通常の進行によって生みだした果実を野生《ソバージュ》と呼んでいるのと同じように、彼らは野生なのだ。本当に、われわれが人工によって変化させ、一般の秩序からそらせてしまったものをこそ野蛮《ソバージュ》と呼んで当然なのではないか。

（モンテーニュ『エセー』）

第一章

幕末の激動と民衆

開化と攘夷

戦死者追弔法会

慶応《けいおう》二年（一八六六）一一月二五日、江戸の増上寺《ぞうじょうじ》。大砲一六門と、陸軍歩兵隊・砲兵隊・騎兵など約一万人が整列するなか、西《にし》の丸《まる》歩兵屯所《とんしょ》から一五、六人がかりで運ばれた大位牌《だいいはい》が、五色の小旗や供え物で飾られた本堂正面の朱壇《しゅだん》に安置された。陸軍奉行《ぶぎょう》ら軍幹部が列座し、大僧正《だいそうじょう》以下三〇〇人ほどの僧侶による読経《どきょう》が始まる。第二次長州戦争《ちょうしゅうせんそう》戦死者の追弔法会《ついちょうほうえ》である。位牌には士分一七人、歩兵三〇数人の名が刻まれ、遺族は百姓・町人でも麻上下《あさがみしも》を着用し、老人・少女の昇堂も許された。焼香、読経は夕方まで続いた。

増上寺は徳川《とくがわ》将軍家菩提寺《ぼだいじ》のひとつである。〈恐れ多くも大君かつ御親族ならでは、増上寺本堂にて大僧正の回向《えこう》を受《う》くる事有間敷《あるまじき》に〉〈大君政府より斯《か》くの如《ごと》く重礼を以《もっ》て追葬〉されるとは、〈死しての後の栄花《えいが》〉というほかない。どうせ〈一度は死す〉身なれば、〈空《むな》しく病床に死す〉より〈飽くまで戦い、快く戦死を遂げ、名を後世の亀鑑《きかん》に止《とど》め〉たいと誰もが思うだろうと称《たた》えられた（志茂多《しもた》梅彦《うめひこ》「長防戦死送葬之式《ちょうぼうせんしそうそうのしき》、見分之覚《けんぶんのおぼえ》」）。

アヘン戦争やペリー来航で軍備の近代化が必要だと痛感した幕府は、安政《あんせい》三年（一八五六）、講武所《こうぶしょ》を開設して剣術・槍術《そうじゅつ》のほかに砲術の訓練をはじめ、文久《ぶんきゅう》二年（一八六二）にはオランダを手本に洋式軍隊（歩兵・騎兵・砲兵）を創設した。しかし、集団戦法で鉄砲を使いこなす歩兵は、旧来の武士にはつとまらない。そこで、旗本《はたもと》の軍役《ぐんやく》を半減するかわりに知行地《ちぎょうち》の百姓を徴発し、その給金などを旗本に負担させた。これを兵賦《へいふ》といい、やがて幕府領（代官所支配地）にまで拡大された。各地の剣術道場が繁盛したように「武士」に憧れる若者は増えていたが、歩兵隊は個人の腕前を発揮する場ではない。兵役中は武家奉公人の扱いとはいえ、五年間も拘束《こうそく》されるうえ、いつ列強との戦争になるかもわからない。希望者はわずかで、割増金を与えてあぶれ者を送り込む村も少なくなかった。このため兵賦を金納化し、兵賦以外の兵卒も含めて人宿《ひとやど》（奉公人などの周旋業者）が集めた者を幕府が直接雇用する割合が増えていった。

要するに傭兵《ようへい》である。命知らずの人足《にんそく》や博徒《ばくと》が大半で、給金も安い。武力と集団を笠にきた乱暴が絶えず、庶民からも嫌われたが、訓練を重ねるなかで力をつけていた。第二次長州戦争は、攘夷断行《じょういだんこう》を要求し反幕府の姿勢を明確にした萩藩（長州藩）を「懲罰」するものだった。しかし、鎧兜《よろいかぶと》に槍《やり》、法螺貝《ほらがい》といったいでたちで出陣した彦根《ひこね》藩兵などが長州の銃隊に惨敗し、一〇月末までに撤退した。それでも、歩兵隊だけは長州軍と互角に戦ったのである。

島原《しまばら》・天草一揆《あまくさいっき》（寛永《かんえい》一四年（一六三七））以来二百数十年ぶりの本格的な戦争だった。しかも、緒

◉増上寺三解脱門《さんげだつもん》
元和《げんな》八年（一六二二）建立。増上寺には六人の将軍霊廟があったが、東京大空襲で大半の建造物が焼失した。

戦の総崩れをかろうじて食い止めたのは、直接の家臣でもない「民」の捨て身の戦いだった。いまや「歩兵と銃」の時代であり、旧来の「武士」が無用であることをこの戦争は暴露した。それだけに戦死者をいかに扱うか、幕閣も悩んだことだろう。

萩藩はいち早く奇兵隊《きへいたい》など諸隊の招魂場をつくり、孝明《こうめい》天皇も文久二年に非業の死を遂げた志士の祭祀《さいし》を命じていた。しかし、幕府歩兵隊は郷土防衛隊でも志操堅固な志士でもなく、まして負け戦である。幕府は旗本や足軽《あしがる》・同心《どうしん》もすべて銃隊に再編成しており、兵士の志気と忠誠心を高めねばならない。それゆえ、貧民・足軽でも戦死すれば武将と同じように将軍家の菩提寺で弔ってもらえるという、「死後の栄花」の演出がどうしても必要だった。のちの靖国《やすくに》神社につながる国家的な「顕彰」を、幕府も自覚的に実行したのである。

異国人は至って深切

だが、政治的には歩兵隊は幕府のアキレス腱《けん》だった。慶応《けいおう》元年（一八六五）五月、幕府は示威のため約一万の兵を大坂に進駐させたものの、萩藩（長州藩）は頑として「謝罪」せず、振り上げた拳《こぶし》を下ろせなくなった。商人の買い占めなどで米価が急上昇したうえ、大軍がずるずると一年以上も駐

1

◉幕府歩兵隊
元治《げんじ》元年（一八六四）、水戸《みと》天狗《てんぐ》党《とう》の鎮圧に出動した歩兵隊。白と黒の洋風制服、剣付銃が人目をひいた。（『水門合戦聞取書《みとかっせんききとりがき》』）

屯したのだから迷惑このうえない。浪花《なにわ》っ子の気分をよく表わす歌がある。

一ツトエイ　人のいやがる交易を　済ました掃部《かもん》（井伊《いい》直弼《なおすけ》）は首がなし　コノ心よさ
六ツトエイ　むやみに町にて宿をかり　あれのこれのといぢめ喰い　コノどこじきめ
八ツトエイ　やたらに長州征伐と　いうと神罰あたるぞえ　コノ神知らず
九ツトエイ　こんな分からぬ事はない　四文の銭が十二文　又諸色《しょしき》上げ　コノ馬鹿役人
（『連城紀聞《れんじょうきぶん》』）

とはいえ、幕末の庶民が根っから排外的だったわけではない。大津波で破損・沈没したロシア船ディアナ号の乗組員と伊豆国下田村《いずのくにしもだ》・宮嶋村《みやじま》・戸田《へた》村の人びとの交流は有名だが、これ以前にも各地で漂流した外国人を住民が助けていた。とくに、文政《ぶんせい》五年（一八二二）頃から陸奥《むつ》・常陸《ひたち》沖に姿を見せたイギリスの捕鯨船とのあいだでは、食糧や酒・菓子などの交換が日常的に行なわれていたらしい。高橋裕文《たかはしひろふみ》によれば、異国の品々が領内に流れているのに気づいた水戸藩は、約三〇〇人の住民を捕らえ、銀貨・服・帽子・フラスコ・ナイフ・腕輪・コップ・新聞などを押収した。その際、漁民たちは、仲よく助け合っているのになぜ異国人を敵視するのかと藩吏に問うたという。

異国人は至って深（親）切なるもの故《ゆえ》、吾々沖合《おきあい》にて風雨にあい難儀の節は彼《か》の船にて相凌《あいしの》ぎ、炎天の節は冷水をあたえ、病気の節は薬をあたえ、大いに力を得候《えそうろう》事多く、吾等の力に及び兼ね候鯨魚を捕るのみにて、漁撈《ぎょろう》の妨げに少しも相成《あいな》らず候を、何故《なにゆえ》に公儀《こうぎ》（水戸藩）にては異国人を讎敵《しゅうてき》の如く御扱い成され候や。

（『通航一覧《つうこういちらん》』）

文政七年（一八二四）には、上陸したイギリス人船員を水戸藩士会沢《あいざわ》安《やすし》（正志斎《せいしさい》）が尋問したが、住民の身ぶりを交えた会話に頼るしかなかった。こうした外国人と民衆の友好的な関係や、諸大名の安逸な姿勢に危機感をもった会沢が『新論《しんろん》』を書いたのはその翌年である。このなかで会沢は、西洋の夷狄《いてき》らはキリスト教や通商によって愚昧《ぐまい》な人民を惑わし、わが神国を奪おうとしている。断固たる攘夷によって〈天下を死地に置〉く、つまり危機的状況をつくりだして人心を糾合し、挙国一致、国家の富強に努めねばならないと主張した。『新論』は吉田松陰《よしだしょういん》ら幕末の志士に大きな影響を与え、尊王攘夷《そんのうじょうい》運動の聖典となった。

一方、庶民はその後もおおむね好意的で、嘉永《かえい》七年（一八五四）年九月、沈没前のディアナ号が天保山《てんぽうざん》沖に突然現われた大坂でも、大混乱の役人を尻目《しりめ》に見物人が押しかけ、船に乗り移って〈持ち合わせの多葉粉入《タバコいれ》などと交易〉したり、角力《すもう》をとったり、〈菓子など貰《もら》

2

◉黒船見物の庶民
嘉永《かえい》七年（一八五四）のペリー再来航時には、「黒船見物無用」の立て札を無視して大勢の見物人がやってきた。（『黒船来航図《くろふねらいこうず》巻《かん》』）

い、船中見物致し候《そうろう》者数多《あまた》〉といった光景がみられた（『大和国高瀬《やまとのくにたかせ》道常年代記《みちつねねんだいき》』）。

攘夷派への共感

転機は安政《あんせい》五年（一八五八）のアメリカ・オランダ・ロシア・イギリス・フランス五か国との通商条約調印と、翌年五月の交易開始だった。鎖国体制からの離脱という大変革を、天皇の勅許によって正当化しようとした幕府の思惑《おもわく》に反して、孝明《こうめい》天皇は条約をすぐには認めなかった。このため、幕府は大老《たいろう》井伊《いい》直弼《なおすけ》が条約調印を強行するとともに、反対派を弾圧した。安政の大獄《たいごく》である。しかし、強権政治と開港後の経済的混乱は安政七年三月の桜田門外《さくらだもんがい》の変《へん》を呼び起こし、幕府の権威は一気に低下した。

しかも、来日した商人・船員のなかには、治外法権をいいことに荒稼ぎをする悪徳商人や、狩猟と称して人家の近くで発砲する乱暴者が少なくなかった。安政四年に幕府の招きで来日したオランダ人医師ポンペは、日本人はいつも気持ちよく応対してくれたが、一八五九年の終わりに日本に流れ込んだ教養のない連中のせいですっかり変わったと憤慨している。神奈川の寺院を借りてアメリカ人宣教師の夫と新婚生活を始めたマーガレット・バラも、〈宣教師の評判は異教徒（だということ）よりも（来日した）商人のためにずっと悪くなっているのです〉と郷里への手紙で嘆いた。

実際、〈かねて面《つら》はる横浜の　いじんのしわざを見るならば　因循人《いんじゅんびと》も腰ぬけも　攘夷の心になりぬべし〉などとうたわれ、万延《まんえん》元年（一八六〇）末のヒュースケン暗殺をはじめ、過激攘夷《じょうい》派による外国人襲撃事件が続発した。外国人に投石したり、二階から水をかけるといった嫌がらせも目立った。しかし、一八五九年以来、約五〇人の外国人が日本で殺されたが、〈暗殺のための暗殺、理由のない襲撃はなかった〉と、のちに大著『皇国《こうこく》』を著わしたアメリカ人教師グリフィスは書いている。

　通商の開始はまた、国内経済に大きな変動をもたらした。通商条約は開港場（長崎・箱館・横浜）での自由貿易を原則としており、身分・出身地に関係なく取り引きができた。最大の輸出品は生糸《きいと》で、開港からわずか二か月後の安政六年七月には、「生糸が横浜に流れて品薄・高値になり操業できない、生糸輸出の禁止を」と、関東の織物業の中心地桐生《きりゅう》の三五か村総代が幕府に訴えている。翌年には京都西陣《にしじん》の織物業も経営難に陥った。生糸のほかには茶・銅などがおもな輸出品で、これらの価格も上昇した。また輸入では、金巾《かなきん》（薄手の綿織物）や毛織物などが大量に流入し、関西や足利《あしかが》・真岡《もおか》など各地の綿業や棉作《わたさく》が大きな打撃を受けた。そのうえ、米価をはじめ日用品の価格も上がったから、職人や日雇い層の生活は急速に苦しくなった。

3

◉両替に押しかけた外国人
幕末から明治前期に日本で活動したイギリス人画家・ジャーナリスト、ワーグマンのイラスト。「一ドルで三分《ぶ》を、さもなくば死を！　これが勇士のモットーだ」という書き込みがある。

そのため、交易で巨利を得ている富商を非難し、公武《こうぶ》合体《がったい》派へのテロを繰り返す攘夷派への共感が高まり、尊攘派志士の墓を拝むと病気が治るという「残念《ざんねん》さん」参りまで生まれた。イギリス・アメリカ・フランス・オランダ四か国の連合艦隊が下関を砲撃したときは、あれは幕府から洋銀五〇万枚で頼まれたのだといった風聞も流れた。

だが、開港直後の最大の「輸出」品は小判（金貨）だった。金と銀の交換比率は西洋が一対一六、日本が一対一一だったうえに、当時もっとも流通していた天保一分《てんぽういちぶ》銀《ぎん》は、本来の半分しか銀を含有しないのに四枚一両《りょう》で通用していた。財政難の幕府がひそかに銀を減らしていたのだ。そのため、メキシコ銀貨一ドルを一分銀三枚と等価交換し、それを天保《てんぽう》小判に替えて外国に持ち出し両替する

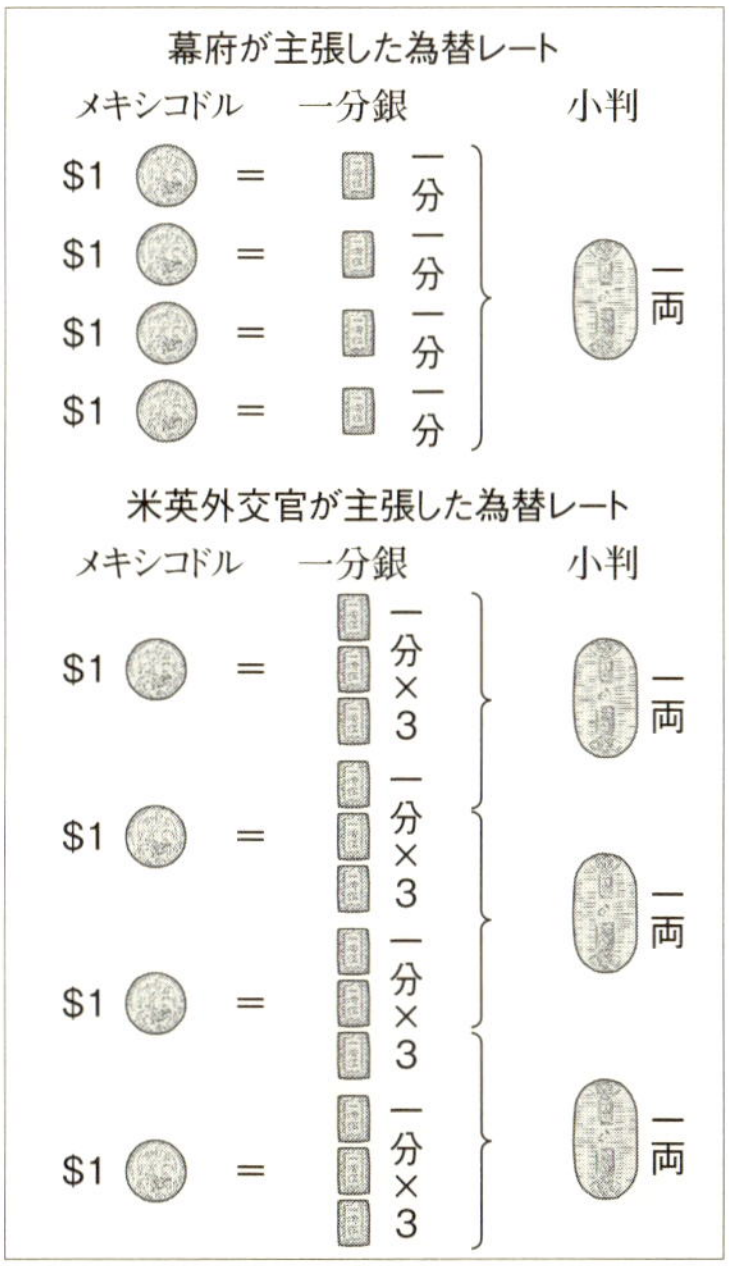

●両替の仕組み
貨幣の交換比率は金銀の含有量で決まる。西洋の交換率で計算するとメキシコ銀貨四枚で小判一両に相当したから、メキシコ銀貨と一分銀（四分の一両）は等価のはずだった。だが、天保一分銀の銀含有量は八・六gで、メキシコ銀貨（銀二七g）の約三分の一だった。にもかかわらず、幕府は日米修好通商条約で通貨の同種同量交換と海外持ち出しを認めたために、小判（金）の大量流出を招いたのである。

と、三倍の銀貨を手に入れることができた。これに気づいたアメリカ公使ハリスやアメリカ人船員などが、大量の小判を持ち出したのである。

貨幣の等価交換という条文を盾にしたハリスの強硬な抗議で両替の制限ができなかった幕府は、金・銀貨を改鋳《かいちゅう》し、従来の小判との交換比率も切り替えた。その結果、たとえば天保小判一枚が新しい万延《まんえん》小判で三両一分二朱《しゅ》の価値をもつことになり、両替屋は大混乱になった。また、鉄銭が大量につくられ、真鍮《しんちゅう》四文銭《もんせん》は鉄銭一二文に相当することになった。差益ねらいの貨幣流出はこれで一応止まったが、貨幣の名目的総額が突然大膨張し、しかもメキシコ銀貨を鋳直した万延二分判（二枚で一両だが金はわずかだった）などが大量につくられたから、大インフレになるのは当然だった。〈四文の銭が十二文…コノ馬鹿役人〉とうたわれても、ほかに方法はなかった。

仁政と徳義

もちろん、諸物価の値上がりを放置すれば、士民の怨《うら》みを招く。とくに江戸では、日雇いや棒手《ぼて》振《ふ》り（店を持たずに売り歩く）など「其日稼《そのひかせぎ》」と呼ばれる貧民層が、町方《まちかた》五〇万人の半数を超えていた。そこで、地代・店賃《たなちん》の一部を拠出した基金（七分《しちぶ》積金《つみきん》）が設置され、日ごろから独居老人や病気の貧窮人に米・銭を与えていた。だが、直接的な経済統制は天保《てんぽう》の改革でもできなかった。幕府としては、江戸の消費生活に必要な雑穀・水油《みずあぶら》・蠟《ろう》・

●江戸の打ちこわし
打ちこわしにあったのは、買い占めで暴利を得た米商人や、施しを拒否した富裕商人が多かった。（『幕末江戸《ばくまつえど》市中騒動記《しちゅうそうどうき》』）

呉服・糸だけは横浜に直送せず江戸の問屋を通せという、五品《ごひん》江戸廻令《えどまわしれい》を出すのが精いっぱいだった。

しかし、江戸時代は身分制国家である。統治責任は治者が負うほかない。幕藩体制の公定イデオロギーとなった儒教《じゅきょう》も、それぞれの身分が社会的役割を誠実に引き受けること、とりわけ治者や富者が政治的・経済的強者としての責務を果たすことを求めた。〈士は万民を養い助けむための司《つかさ》なり…しわきは仁義の道に乖《そむ》きて悪事なり…財を惜しんで人を救わざるは不仁の人なり〉、つまり武士は人民が安穏に生活できるように配慮するのが役目であり、富者が貧者を助けないのは悪だと、寺子屋《てらこや》教本『庭訓要語《ていきんようご》』にさえ書かれていた。「経済」とは「経世済民《けいせいさいみん》」、すなわち「世の中を治め、人民の苦しみを救うこと」なのだ。それゆえ、一揆《いっき》・打ちこわしは、「飢え死にするくらいなら……」といった絶望からではなく、仁政・徳義を無視して私欲をむさぼる者を糾弾する自分たちの行為こそ「御政事《ごせいじ》」の趣旨に合致しているとの確信に基づいていた。

とはいえ、「仁政は武家のつとめ、年貢は百姓のつとめ」と

4

いわれたように、人民はあくまでも被治者でしかない。こうした存在を福沢諭吉《ふくざわゆきち》は「客分《きゃくぶん》」と名付けたが（『学問のすゝめ』）、一揆・打ちこわしは「客分としての異議申し立て」であって、武士にかわって治者になろうとするものではなかった。

ところが、開港前は銭一〇〇文《もん》で八合《ごう》は買えた米が、慶応《けいおう》二年（一八六六）五月には一・五合しか買えなくなった。このため、江戸では五月末から米屋・酒屋・両替商・唐物《からもの》（輸入品）問屋など約二〇〇軒が打ちこわされ、六月には飯能《はんのう》・熊谷《くまがや》・本庄《ほんじょう》など現在の埼玉県・群馬県南部から東京多摩地域に及ぶ大一揆《だいいっき》が起きた。「平均世直《へいきんよなおし》将軍」という旗や「世直し大明神《だいみょうじん》」を名のる火《ひ》札《ふだ》（放火予告の張り紙）もあった。江戸の後背地で一〇万人ともいわれる民衆が一週間にわたって波状的に蜂起《ほうき》したことは、幕府・諸藩に大きな衝撃を与えた。

関西でも西宮《にしのみや》から打ちこわしが始まり、兵庫では丸岡《まるおか》藩兵が鉄砲《てっぽう》で威嚇《いかく》すると群衆が投石で対抗し、死者一三人を出した。大坂では一升《しょう》二〇〇文での販売を要求した人びとが、勝手に二〇〇文を置いて米を持ち出したほか、約九〇〇軒が襲撃された。第二次長州戦争《ちょうしゅうせんそう》の直前である。そのほか陸奥《むつ》から越後《えちご》・信濃《しなの》・飛騨《ひだ》・近江《おうみ》・石見《いわみ》・伊予《いよ》・豊後《ぶんご》など全国で一揆・打ちこわしが頻発し、この年は江戸時代を通して最大の件数に達した。

打ちこわしの前に、民衆は安売りを米屋に要求することが多かった。大坂の一升二〇〇文（一〇〇文で五合）はその典型だが、これは無茶な要求ではなく、文久《ぶんきゅう》三年（一八六三）頃の価格だった。こうした発想は近代初期ヨーロッパの食糧暴動にもみられるもので、経済活動に「徳義」の制約を課す観念は「モラル・エコノミー」、パンや小麦粉の安売り要求は「民衆的価格設定」と名付けられており、日本だけの特殊なものではなかった。

御政事売り切れ

にもかかわらず、幕府は米価を統制できない。もはや幕府はないに等しい。〈御政事売切申候《ごせいじうりきれもうしそうろう》〉〈御威光売切申候〉といった落書《らくしょ》が町奉行所《まちぶぎょうしょ》などに張り付けられ、打ちこわし勢は「江戸の天下も今年かぎり、米の高いのも今年かぎり」などと叫んだ。いつの時代、どこの国でも、米やパンを適正な価格で安定供給できないと、その政権は民衆から見放される。王政復古の一年半ほど前に、幕藩体制は根底からゆらぎはじめていた。

そのうえ、大打ちこわし後の慶応《けいおう》二年（一八六六）九月、幕府役人の「暴言」が飛び出した。

町奉行《まちぶぎょう》有馬《ありま》阿《あ》波守《わのかみ》、御廻《おまわ》りの節、筋違御門《すじかいごもん》内にて御諭《おさと》しの節、米高直《こうじき》は天性成りと申せしに付、評判悪《あ》しければ、

高価《たかね》にて　阿波ぬといえば　天性で　有馬すなどと　奉行言い

（『藤岡屋《ふじおかや》日記《にっき》』）

町奉行の有馬阿波守則篤《のりあつ》が、米の値上がりは〈天性〉、つまり自然なことだなどと筋違いの暴言を吐いたので評判が悪いというわけだ。諸物価を下げる必要はないと勘定《かんじょう》奉行小栗忠順《おぐりただまさ》が公言したと

いう張り紙も出された。

ただし、小栗忠順や有馬則篤は私欲にとらわれた悪徳役人ではなかった。文久三年、横浜《よこはま》鎖港《さこう》談判のため欧米に派遣された外国奉行《がいこくぶぎょう》池田《いけだ》長発《ながおき》らは、鎖港の不可能を悟って早々に帰国し、つぎのように上申していた。

・日本品が売れたのは安いからで、欧州と同程度まで価格が上がるのは〈自然の勢〉である。また、貿易で利益があれば産出が増えるのは〈人情自然の勢〉で、蚕糸《さんし》・茶葉などの増大が〈何寄《なによ》の現証〉である。

・物価が高くなれば〈日々の活計《たつき》に差支《さしつか》〉えるから、各自家業に勉励して〈無頼の遊民〉も跡を絶ち、お上が世話をしなくても〈富国の御基礎〉が立つ。（「横浜《よこはま》鎖港談判使節上申書《さこうだんぱんしせつじょうしんしょ》」）

池田らはまた、イギリス、フランスなどはわが国をねらっており、ロシアは北地の独占を意図していると現状を認識したうえで、多くの国と信義の交際をして独立を堅持している〈瑞西《スイス》・白耳義《ベルギー》等の如《ごと》き微弱の小邦〉に学ぶべきであり、物産の多い支那《しな》・朝鮮・安南《あんなん》（ベトナム）・緬甸《ビルマ》などとも交易すべきだと提言した。新聞が〈パブリック・オヒニオン（公論の儀）〉の形成に果たす役割や、〈国民議院〉についても明晰《めいせき》な見識を示した。勝手に帰国した廉《かど》で彼らは処罰され、パリで結んだ約定（下関砲撃事件の賠償金支払いなど）も破棄された。しかし、自由貿易・自由経済こそ〈人情自然〉にかなっているという経済観が、幕府の中堅実務官僚のあいだで一定の力を得ていたからこそ、小栗や有馬の「暴言」も生まれたとみてよいだろう。

開化進歩をめざす

それだけではなかった。冒頭に記した追弔法会《ついちょうほうえ》の一〇日後（慶応《けいおう》二年〔一八六六〕一二月五日）、ついに一五代征夷大将軍《せいいたいしょうぐん》兼内大臣《ないだいじん》に就いた徳川慶喜《とくがわよしのぶ》は、翌年三月、大坂城でイギリス・フランス・オランダ公使と会見した。その際、とくにフランス公使ロッシュに向かって慶喜は、〈其許《そこもと》と我と照応して当今《とうこん》の開化進歩の多少を計り見ん…互いに力を尽くして我が国民を開化せしめ、併《あわ》せて外国交際を厚うせば、確然と我が望みに達せん〉と語った（『徳川慶喜公伝』）。

これまで不信の目を向けていたイギリス公使パークスも、この会見で慶喜を見直したといわれる。すでに、フランスからの借款で横須賀《よこすか》製鉄所の建設に着手し、フランス軍士官による幕府軍の訓練も始まってはいたが、わが国はフランスと協力しながら日本国民の開化を推進すると将軍が公式に宣言したのだから、大事件といっていい。しかも、『藤岡屋《ふじおかや》日記《にっき》』がこれを記載したように、慶喜の発言はすぐ世間に知れわたった。

〈開化〉の内実は定かでないが、将軍は蒸気機関・海軍・電信・炭鉱や科学の必要性を理解しており、とくに横須賀製鉄所や西洋式軍隊の推進者だった小《お》栗忠順《ぐりただまさ》は、ガス灯から兵庫商社

5

●本由《ほんよし》は人の噂で飯を食い
江戸の古本商藤岡屋由蔵《ふじおかやよしぞう》はさまざまな情報・風聞を記録していたが、しだいにその情報を買う客が増えた。図は露店時代の由蔵。（『江戸《えど》府内《ふない》絵《え》本風俗往来《ほんふうぞくおうらい》』）

（株式会社）、諸色会所《しょしきかいしょ》（商工会議所）、中央銀行、新聞、郵便、鉄道、郡県制度まで、さまざまな構想をもっていたといわれる。万延《まんえん》元年（一八六〇）に日米修好通商条約《にちべいしゅうこうつうしょうじょうやく》批准の遣米使節に加わり、ヨーロッパをまわって帰国した小栗は改革派の代表格となり、保守派の圧力で辞任・罷免を繰り返しながらも、慶応二年には勘定奉行《かんじょうぶぎょう》・海軍奉行・陸軍奉行を一手に兼任していた。ただし、あくまで幕府による改革をめざした小栗らは、朝廷を取り込んで権力を確保しようとした慶喜とも対立していたといわれる。

しかし、横須賀製鉄所がその後の海軍工廠《こうしょう》の基礎となったように、実務能力のある幕府の外交・技術官僚をはじめ、蕃書調所《ばんしょしらべしょ》・開成所《かいせいじょ》、長崎海軍伝習所など幕府諸機関で学問・技術・技能を修得した幕臣・諸藩士を抜きに、明治政府の文明開化政策は実現できなかった。

とはいえ、当時の多くの庶民からすれば、「開化」に金をかけるより現実の生活をなんとかしてほしかっただろう。実際、フランス公使との会談が世に知られたころ、関西では「大樹公《たいじゅこう》（慶喜）がヤソ教をお用いになる」といった風聞が流れ、〈神国を　異国

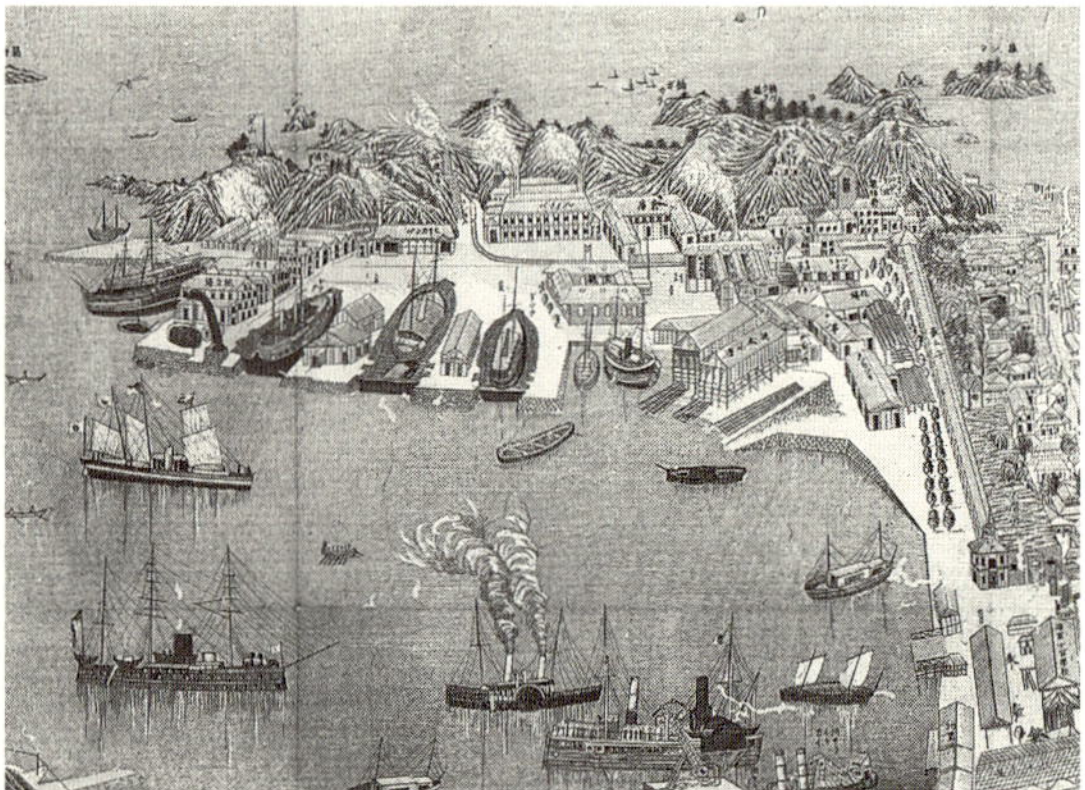

6

◉『横須賀港一覧絵図』
幕府が着工した横須賀製鉄所（造船所）は明治政府が引き継ぎ、海軍の造船・重機工場として発展した。図は見学者に販売した銅版画。

に渡す　ひとつばし　きよきながれを　たやすとくがわ〉と、御三卿《ごさんきょう》（一橋《ひとつばし》・清水《しみず》・田安《たやす》家）を織り込んだ落書《らくしょ》が話題になった。お膝元《ひざもと》の江戸でさえ、六月の大火で焼けた本丸は、御普請《ごふしん》で異国の城になるといううわさが流れた。散切《ざんぎ》りに洋服といった慶喜の異人姿と重ねあわせて、幕府は日本を異国化しようとしていると、庶民も感じはじめたのである。

朝鮮服従策略

幕府の開化政策は、内政にとどまらなかった。慶応《けいおう》二年（一八六六）一二月、清国《しんこく》の新聞に、近年武備を増強した日本は〈火輪《かりん》軍艦八十艘《そう》余〉を所有し、朝貢（通信使）を中断した無礼を理由に朝鮮に出兵する考えがあるという記事が載った。〈日本名儒八戸順叔〉なる者の投書とされたが、まったくの虚言ともいえなかった。

発端は、万延《まんえん》二年（一八六一）にロシアの軍艦ポサドニック号が対馬《つしま》に停泊し、芋崎《いもざき》付近の永久租借を要求した事件だった。ロシアは前年の北京《ペキン》条約で清国から沿海州《えんかいしゅう》を手に入れ、ウラジオストク（「東方を征服せよ」の意）港の建設を始めており、対馬は日本海と東シナ海をつなぐ要衝だった。幕府は小栗忠順《おぐりただまさ》らを派遣したが相手にされず、イギリス軍艦の圧力でようやく退去させたが、ポサドニック号艦長はこれから朝鮮に行くと明言した。

これに衝撃を受けた対馬藩の大島友之允《おおしまとものじょう》は、列強に先んじて日本が朝鮮に通商を要求し、信義に基づく交渉が拒絶されたら出兵すべきだと幕府に進言した。老中板倉勝静《ろうじゅういたくらかつきよ》も〈外夷《がいい》〉が朝鮮を〈蚕《さん》噬《ぜい》〉（食い尽くす）する兆候がある以上、〈朝鮮を服従致させ候《そうろう》策略〉が必要だと認め、海軍操練所《そうれんじょ》の勝海舟《かつかいしゅう》に軍艦の対馬派遣を命じた（『続通信全覧《ぞくつうしんぜんらん》』）。勝が動いたのは日本・朝鮮・中国の三国が連合して欧米に対処するとの持論に基づくとされるが、朝鮮に対して開国を交渉し、拒否されれば武力を行使するという外交戦略を幕府は採用したのである。

この政略は政治抗争の激化で立ち消えになった。ところが、慶応二年に朝鮮では、宣教師九名の処刑に抗議するフランスの軍艦が江華島《カンファド》を一時占領し、またアメリカ商船シャーマン号が大同江《テドンガン》に侵入し、乗組員全員が殺される事件が起こった。これを知った幕府は、紛争を調停し、朝鮮政府に開港・交易を説得するための使節派遣を計画した。アメリカは一応容認したが、フランスはよけいなお世話と断わり、朝鮮政府は使節拒否を二度も通告した。それでも徳川慶喜《とくがわよしのぶ》は〈彼《かの》国滅亡に至り候わば、皇国の大患〉であると朝廷を説得し、正使〈外国総奉行〉の派遣を強行したのである。軍艦が大坂に着いたところで王政復古になったものの、徳川慶喜が推進しようとした〈開化進歩〉のなかに征韓論《せいかんろん》的外交政略が含まれていたことは見過ごせない。ここでも江戸幕府と明治政府のあいだに断絶はなかった。

◉**小栗忠順終焉の地**
烏川《からすがわ》の河原（群馬県高崎市）にある慰霊顕彰碑。慶応四年（一八六八）、幕府の役職を解任された小栗は上野国権田《ごんだ》村に居住したが、朝廷軍に捕縛され、この地で斬首された。

相次ぐ厄災にもめげず

地震・大水・コレラ・麻疹

幕末の民衆生活を脅かしたのは「諸色値上《しよしきねあ》げ」だけではなかった。

ひとつはマグニチュード7～8級の巨大地震である。ペリー来航の嘉永《かえい》六年（一八五三）に小田原《おだわら》大地震があり、アメリカ・イギリス・ロシアと和親条約を結んだ翌七年（安政《あんせい》元年）には、六月に伊賀上野《いがうえの》大地震、一一月四日に遠州灘《えんしゅうなだ》から相模湾《さがみわん》を震源とする東海《とうかい》大地震が起きた。津波は房総から土佐《とさ》まで広がり、倒壊・流失家屋八三〇〇戸、死者一万人といわれる。翌日は南海《なんかい》大地震で中部・近畿・四国・九州の各地で家屋が倒壊し、室戸岬《むろとみさき》付近・串本《くしもと》付近は一メートルも隆起した。大坂は二日続けて激流が川を逆行し、多数の死者を出した。翌年の安政二年（一八五五）は江戸が安政大地震に、同四年は安芸《あき》・伊予《いよ》、五年には飛騨《ひだ》・越中《えっちゅう》、浜田《はまだ》・出雲《いずも》などが大地震に見舞われた。

暴風雨も多かった。南和男《みなみかずお》によれば、たとえば東海道三島宿《みしましゅく》近くの村役人森彦左衛門《もりひこざえもん》は、〈満水にて田畑共大荒れ〉（嘉永五年）、〈近来稀《まれ》なる〉大風雨（安政三年）、〈覚えなき大水〉（同五年）、〈百年以前覚えなき大水〉（同六年）と慨嘆《がいたん》し困惑している。

安政《あんせい》の大獄《たいごく》があった五年はコレラが襲った。コレラはガンジス川下流の風土病だったが、一九世紀の海運の発達で世界中に広まった。最初の世界的大流行は一八一七年から二三年で、日本にも文《ぶん》政《せい》五年（一八二二）に到来したが、江戸までは来なかった。しかし安政五年は、五月下旬に長崎のアメリカ船ミシシッピ号から九州・西日本に広がり、東海道を伝って七月下旬には江戸に達した。あまりに死者が多くて、小塚原《こづかっぱら》の火葬場には、順番待ちの棺桶《かんおけ》が一〇日以上も山積みになったという。

つぎは麻疹《はしか》だった。とくに文久《ぶんきゅう》二年（一八六二）夏はこれまでにない大流行となり、江戸では小流行のコレラなどと合わせて三万人近い死者を出した。京都では島津久光《しまづひさみつ》が率いてきた鹿児島（薩摩《さつま》）藩兵が感染源となり、近畿一帯に波及した。政治の激動が人の移動を活発化させ、それが伝染病の拡散をもたらしたのだ。失火・放火・戦乱と原因はさまざまながら、大火事も各所に起きた。

ペリー来航以来ろくなことがないではないか、ひっきりなしの天変地異と流行病《はやりやまい》は開国・開港に対する「天罰」だといわれれば、多くの庶民が納得したくなっただろう。

7

◉茶毘室《ヤキバ》混雑の図
仮名垣魯文《かながきろぶん》編『項痢《ころり》流行記』の挿絵。安政五年のコレラでは、江戸だけで一万数千人から三万人の死者を出したといわれる。

安穏の平均

とはいえ、コレラや大災害、物価高に苦しめられた幕末の庶民が、長く打ちひしがれたり絶望的になっていたかといえば、そうともいえなかった。

地震はその好例である。安政《あんせい》二年（一八五五）一〇月の江戸直下型大地震は、軟弱な地盤の下町にたいへんな被害をもたらし、家族を失った者の悲しみは深かった。それでも、商店や家々の普請がすぐに始まった。もともと大火や地震はめずらしくなかったから、大店《おおだな》は日ごろから隅田川《すみだがわ》河口の木場《きば》に材木を保管していた。大工・鳶《とび》・左官《さかん》などは引っぱりだこで、手間賃も急上昇した。職人の羽ぶりがよくなれば小商人の儲《もう》けも増える。〈職人が　なまずでうまく　酒を呑《の》み〉。

長屋や仕事場を失った貧窮民のための炊き出しもあった。その資金は幕府、町会所《まちかいしょ》や富裕な商人が出した。〈貧福を　ひっかきまぜて　鯰《なまず》らが　世を太平の　建てまえぞする〉とうたわれたように、富裕層にとって地震や火事は、自家の建て直し以上の出費を覚悟しなければならない出来事だった。

こうした庶民の気分をよく表わすのが、いわゆる鯰絵《なまずえ》だった。地震直後に出された通常の錦絵《にしきえ》は、地震をリアルに描いたり、鎮魂のためのものが多かったが、鯰絵の場合は、地震を起

●持丸たからの出船
鯰が「貧乏人をいじめるから苦しい目に会うのだ」といいながら、持丸《もちまる》（金持ち）から小判を吐き出させている。

こした鯰が神仏に諌《いさ》められるなど、駄洒落《だじゃれ》や滑稽《こっけい》さに満ちていた。恐怖や悲しみが大きいからこそ洒落のめすことで気を取り直し、励まし合ったのだろう。また、地震は「世界太平せよ」という天の厳命だ、「金持ちども、みな自業自得なるぞ、これぞ下々《しもじも》安穏の平均だぁ」（「世は安政民之賑《あんせいたみのにぎわい》」）と庶民が喜んでいるような図柄も少なくなかった。前ページの図版もそのひとつだが、鯰絵からは世直しへの強い願望や、庶民の心意気ともいえるエネルギーを感じとることができる。

アメリカ狐

地震で鯰《なまず》を連想したように、当時の人びとは重い病を疫病神《やくびょうがみ》のしわざだとなかば信じていた。疱《ほう》瘡《そう》（天然痘《てんねんとう》）については、安政《あんせい》五年（一八五八）に蘭方医《らんぽうい》の努力で江戸にも種痘所《しゅとうじょ》が開設され、京都御所の睦仁《むつひと》親王（のちの明治天皇）も種痘をしていた。しかし、ヨーロッパでも細菌の研究が本格化するのは一九世紀なかばであり、コレラ菌の発見は一八八三年（明治一六）である。だから、麻疹《はしか》や疱瘡が流行しはじめると、効き目のある薬を求めつつ、家の前に御符《ごふ》や注連縄《しめなわ》を張り、あるいは太《たい》鼓《こ》・鍋《なべ》をたたきながら村中をめぐり歩いて疫病神を追い出す「疫病神送り」に真剣に取り組んだ。

しかし、コレラの病状は尋常ではなかった。激しい下痢《げり》や嘔吐《おうと》、痙攣《けいれん》に襲われ、手足に瘤《こぶ》ができたうえ、一日から三日のうちに黒く干からびて死んだ。各地の医者・薬屋も処方を工夫し、幕府は芳香散《ほうこうさん》や芥子《からし》泥《ねり》を勧める触《ふれ》を出したが、効き目はわからなかった。京都では「コロリ踊り」と称して、縮緬《ちりめん》の襦袢《じゅばん》や浴衣・半纏《はんてん》姿で踊りながら祇園社《ぎおんしゃ》に参詣《さんけい》した。江戸ではヤツデの葉、ニンニクの黒焼き、各種守札の三点セットを軒につるした。

しかし、〈病死の様、あまり不思議に付《つき》、狐のわざにてはこれなきや〉と考えた人びとは、その病源を「管狐《くだぎつね》」「アメリカ狐」「千年モグラ」などと呼んだ。江戸西郊の多摩地域では〈亜米利加《アメリカ》国の尾裂狐《おさきぎつね》〉といわれた。管狐（人体に潜り込むほどの小さな狐）、尾裂狐（尾崎狐とも書く）などはこれまでも狐憑《きつねつ》きをもたらす怪異だったが、コレラはやはりアメリカ生まれなのだった。

狐となれば山犬（狼《おおかみ》）である。高橋敏《たかはしさとし》によれば、武蔵国三峯山《むさしのくにみつみねさん》・甲斐《かい》国御嶽山《みたけさん》などに「神犬」の御札《おふだ》を求める町村惣代が殺到した。ヤマトタケルを祭神とする神社は「東征」の道案内をした狼を祀《まつ》っており、ふだんから狐の天敵の山犬は狐憑きや盗難除《よ》けに効験があるとされていた。

それでもコレラには太刀打ちできなかったようだが、一方では、裏口からイタチのような獣が飛び出したので皮をむいて食べたら〈味わい宜《よろ》敷《しき》〉とのことだ（武蔵国多摩《たま》郡）、三峯山の御札をもらってくると藪《やぶ》から怪しき物が飛び出し、喰《く》うと美味だった、異国の狐らしい（遠江《とおとうみ》国志太《しだ》郡）といった類《たぐい》の話が各地に残っている。これもまた、恐怖と悲嘆を乗り越えようとする、庶民の気力を示すものといえよう。

9

◉コレラ獣の図

「アメリカ国の尾裂狐」についての奉行所あて報告に添えられた図。〈毛並狐色より余程濃く、目丸く、手足猿の如《ごと》し。爪、猫の形〉で、長さ一尺一寸五分というから、決して小さくはない。（『藤岡屋日記』）

ええじゃないか

しかし、庶民のエネルギーをいちばんよく示すのは「ええじゃないか」だろう。慶応《けいおう》三年（一八六七）七月、三河国《みかわのくに》牟《む》呂《ろ》村で伊勢外宮《いせげくう》の御《お》札《ふだ》が見つかり、これを人間のしわざだといった男の家族が急死した。翌日は伊勢内宮《ないくう》と伊雑宮《いざわのみや》の御札も見つかった。宮崎《みやざき》ふみ子によれば、「御札降《ふ》り」を神の意思と見なすのは、神様は望むところに宮居《みやい》（鎮座の場）を定めるという「飛神明《とびしんめい》」の観念に基づくとされる。村人はあわてて祭礼を行なったが、近隣の吉田宿《よしだじゅく》や岡崎《おかざき》城下でも御札が降り出し、やがて「ええじゃないか」の乱舞は、三河・美濃《みの》から北は松本《まつもと》、東は江戸近辺、西は尾道《おのみち》・徳島あたりにまで広がった。

なぜ爆発的に拡大したのか。地域的には、幕府・諸藩の要人や兵士らの通行のたびに宿泊や助郷《すけごう》に駆り出されたり、争乱に悩まされた地方が大半だった。しかし、五月に兵庫開港と長州戦争の中止が勅許されると物価が下がりはじめ、三河国挙母《ころも》藩の郡奉行《こおりぶぎょう》が雨乞《あまご》いで山ごもりするほどの日照りつづきも、八月の雨でひと息ついた。庶民の生活を脅かしてきた戦乱や物価高がひとまずおさまり、流行病《はやりやまい》もなく豊作が見込まれるという、近来にない事態になったのだ。〈世の中陽気がようなって、五

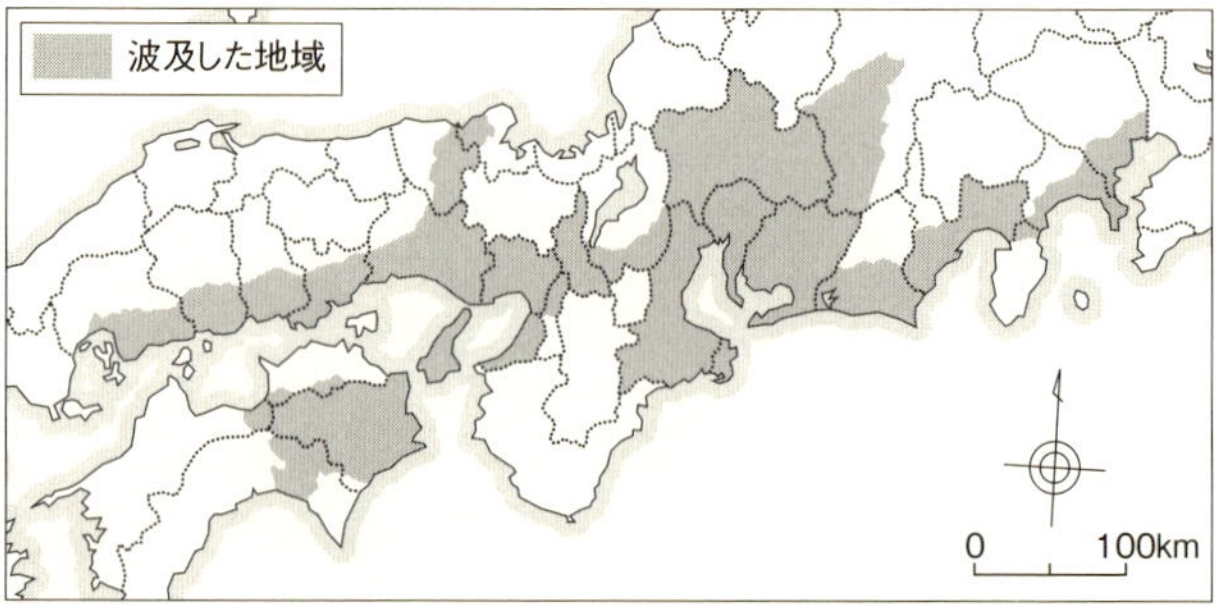

●御札降りと「ええじゃないか」
御札の種類は秋葉大権現《あきばだいごんげん》・天照大神《あまてらすおおみかみ》・牛頭《ごず》天王・大黒天《だいこくてん》など一〇〇種を超えた。また近年の研究で、上野《こうずけ》国大間々《おおまま》町、越前《えちぜん》国武生《たけふ》町、博多《はかた》湾能古島《のこのしま》などの御札降りが確認されている。

穀成就でおめでたい〉〈安くなるのも今のこと、世なおしおかげにゃ、相違ない〉という気分が一気に広まった。「世直り」とは安穏で豊かな生活が戻ることで、権力交替を直接に望んだものではないが、一二月に長州の倒幕軍が安芸《あき》国尾道《おのみち》に上陸すると、群衆は〈長州さんの御登り、エジャナイカ、長と薩とエジャナイカ〉と歌い踊った。

「ええじゃないか」では異様な身なりや富裕者への酒食の強要など、秩序無視の言動が目立った。奉公人男女が羽織袴《はおりはかま》や上下《かみしも》姿で踊り歩いたところもある。ただし、男装・女装、寄付の強要、無礼講《ぶれいこう》、強欲な富家への嫌がらせなどは、ふだんの祭礼にもつきものだった。群衆の乱舞も以前から繰り返されており、とくに天保《てんぽう》の大飢饉《だいききん》からようやく立ち直った天保一〇年（一八三九）の京都・豊年踊《ほうねんおど》りは激しかった。川浚《かわざら》えや寺社の建立などで「清めの砂」を運ぶ砂持神事《すなもちしんじ》でも、町・組ごとに揃《そろ》いの衣装をまとい、何日も踊りまわった。慶応元年にも稲荷《いなり》踊り・砂持・豊年踊りが上方《かみがた》や美濃《みの》国で流行し、「ええじゃないか」のはやし文句が御札降りと関係なく出現した。また、王政復古後の明治四年（一八七一）にも、〈米作十弐分、その外《ほか》諸品豊作、国々無難。これにより例の躍り流行〉となった（『高瀬道常年代記《たかせみちつねねんだいき》』）。この時代の、とくに尾張《おわり》以西の民衆

10

◉東照宮の葬式
相模《さがみ》国藤沢宿《ふじさわしゅく》の「ええじゃないか」では、異人が投石される姿や、東照宮《とうしょうぐう》、つまり幕府の葬列を模した仮装行列まで行なわれた。（『神仏《しんぶつ》御影降臨之景況《おかげこうりんのけいきょう》』）

は、何かきっかけさえあれば踊りまわる、そうした心性やエネルギーに満ちあふれていたようだ。

むろん、熱狂を冷静にみていた人もいる。たとえば、京都に唐物《からもの》（輸入雑貨）店をもつ近江《おうみ》商人の小杉元蔵《こすぎもとぞう》は、御札が降って戦争話も逃げた、〈ヨイジャナイカ〉と最初は歓迎したが、あまりの大騒ぎで、〈町々に残るは質の御札さん　思いやられる季《きわ》の御払《おはらい》〉と、踊ってばかりでは暮れの支払いに苦しむだろうと冷ややかになり、御札も知人にあげてしまった。そのせいか病気になって、崇《たた》りだと仲間の商人にいわれたが、〈落としてある物を拾って神慮に叶《かな》うということはない、拾わぬが神の正直なり〉という東本願寺《ひがしほんがんじ》の教誡《きょうかい》を受けて得心している。

元蔵は小杉屋の使用人だったが、開港後は江戸の大問屋から金巾《かなきん》（綿布）や毛織物などを仕入れて事業を拡大し、主人の養子になった働き者である。だが、〈財宝は菩《ぼ》提《だい》の障《さわ》り、ただ今世一世《こんじょういっせ》を育《はぐ》むだけ〉というほどの熱心な浄土真宗《じょうどしんしゅう》の門徒で、しかも、国学の講釈や『古事記伝《こじきでん》』『神皇正統記《じんのうしょうとうき》』を読んで、唐物渡世にもかかわらず〈結構な神国聖道の御国へ、悪《あ》しき外夷《ムシ》が附《つ》きたる事なり〉と攘《じょう》夷《い》派に共感しつつ、文久《ぶんきゅう》三年（一八六三）の薩英《さつえい》戦争後は英語の勉強にも手をつけた。わが好物は第一が書見《しょけん》、第二に酒、第三は女子《おなご》なりと告白してもいる。元蔵はこのように、商人・生活者・信心家・知識人というくつもの面をもつ、柔軟で好奇心に満ちた三〇歳前後の男性だった。その克明な日記をていねいに紹介した佐藤誠朗《さとうしげろう》の著作に依りながら、彼にはこれからもときどき登場してもらうことになる。

餓死するほどの者は見えず

幕末に民衆の乱舞が続いた要因のひとつは、おおむね経済が順調で、生活水準も少しずつ上昇したことにある。たとえば、弘前《ひろさき》藩でも安政《あんせい》のころから一般の百姓も羽織《はおり》や紺染めの衣類を身に着け、ハレの日に〈本酒《ほんざけ》〉を飲むようになり、箱館《はこだて》の開港後は〈仏蘭西《フランス》毛（毛布）・こうもり傘・靴・唐縮緬《とうちりめん》（毛織物）などの異風〉を禁じる布告が出されるほどになる（内藤官八郎《ないとうかんくろう》『弘藩明治一統誌《こうはんめいじいっとうし》』）。

大規模な打ちこわしが起きた慶応《けいおう》二年（一八六六）の江戸でさえ、〈明日にも餓死致すべき程の者は先《ま》ずは相見得《あいみえ》ず〉というのが実状だった。しかも、〈西国御討入《さいごくおうちいり》〉（長州戦争）で余裕がないからお救いは極貧者に限ると町奉行所《まちぶぎょうしょ》が触《ふれ》を出すと、人びとはこう反論した――極貧にも上中下があり、下は何でも喰《く》うしかない者、中は薩摩芋《さつまいも》と粥《かゆ》の二食だけ、上は三度のうち一度しか米が喰えない者で、これら二九万人余がすべてお救いの対象であるべきだ（『藤岡屋日記《ふじおかやにっき》』）。

つまり、江戸では日に二度は米の飯を食えるのが「当たり前」だったのだ。もちろん江戸は例外であり、飢饉になればどこも悲惨な状況に追い込まれた。それでも、当時の人びとのいう困窮・極貧を餓死寸前といったイメージでとらえると、実態にあわないだろう。

インフレも農民・商人の収入を増やした。三都で「天誅《てんちゅう》」のテロが横行していた文久《ぶんきゅう》二年（一八六二）、上野国《こうずけのくに》・武蔵《むさし》国では繭《まゆ》や大豆・米穀の出来がよく生糸《きいと》の価格も高いので、〈在方《ざいかた》一時に富貴に相成《あいな》り候義《そうろうぎ》、古来未聞〉のことだと伊勢崎《いせさき》藩医の栗原順庵《くりはらじゅんあん》は驚き、慶応三年にも、〈前代未聞の物価奔騰《ほんとう》〉で庶民は〈悉《ことごと》く繁昌〉し、〈ただ武家・出家・医家等は難渋〉と嘆いている（『栗原順庵私家編年録』)。同様に、開港以来金銭が潤沢ゆえ〈百姓追々奢侈《しゃし》超過、実に法外千万〉で、貧民・奉公人まで〈日々米を多分に交え喰〉っていると、江戸近郊の小野路《おのじ》村名主《なぬし》も憤慨している。

ここで開港後の経済状況を簡単にみておけば、貿易収支は日本側の黒字で、慶応元年は輸出一八四九万ドル、輸入一五一四万ドルに達した。フランス・イタリアが蚕《かいこ》の微粒子病で打撃を受けたこともあって、蚕種《さんしゅ》も大量に輸出されはじめた。畿内の棉作《わたさく》地帯は金巾《かなきん》の流入で打撃を受けたが、アメリカの南北戦争や中国の太平天国《たいへいてんごく》の乱《らん》で世界的な棉花の供給不足になり、一時は日本からも輸出できた。また、米価が上がったため、米と棉の隔年植え付けをやめて米作専業になった農家もあった。自由貿易を主張した外国奉行《がいこくぶぎょう》池田長発《いけだながおき》のいうように、高値で売れれば増産もされるのだ。

さらに、中国と違って、日本では外国人商人が居留地外で取り引きできなかったから、輸入品の販売で日本の商人は大きな利益が得られた。小杉元蔵《こすぎもとぞう》も慶応二年には一〇〇〇両の純益を上げた。元蔵の仕入れ先が武蔵国吉井《よしい》町の商人の江戸店《えどだな》だったように、旧来の大商人のほかに江戸近郊の豪商農も取り引きに参入していた。また、明治初年には輸入綿糸を使って新たに織物業を発展させる地域も出てくる。

また、情報伝達網もかなりの水準に達していた。地域の有力者・商

11

●蚕種鑑札
養蚕農家は蚕種紙を購入して蚕を育てたから、蚕種業者の鑑札は以前から発行されていた。裏面に代官所の焼き印がある。

●両替商のネットワーク
横浜の交易を支えたのは、大坂・江戸を中心とした両替商の金融システムだった。輸出入業者は多額の現金を搬送することなく、両替商に預けた現金をもとに、為替手形を振り出して決済した。(石井《いしい》寛治《かんじ》『日本流通史』より作成)

人・学者らは趣味や学問、商取引などを通して多くの知人と文通しており、幕末には京都・江戸の情勢や交易の状況、時には幕府・朝廷などの内部文書まで入手して、時代の変化を見極めようとしていた。

しかし、こうした経済活動が新たな軋轢《あつれき》を生むこともあった。桐生《きりゅう》・足利《あしかが》などの織物産地をかかえる上野国・武蔵国の有力蚕種商人は、会所《かいしょ》を各地に設置して蚕種を一手に買い上げ、改印《あらためいん》を捺《お》して販売・輸出する制度を幕府に出願した。外国から非難された粗製濫造《らんぞう》を防止し、幕府は年一五万両の冥加金《みょうがきん》を得るという趣旨だったが、落合延孝《おちあいのぶたか》によれば、出願の背後には奥羽・関東・甲信越にまたがる蚕種生糸商人の大きなネットワークがあった。慶応二年、幕府もこれを認可し、生糸蚕種改会所の設置を命じた。だが、年貢の二重取りだ、買い占めをねらう大商人の私欲だといった非難が噴出し、陸奥国の信夫《しのぶ》郡・伊達《だて》郡では大規模な世直し一揆《いっき》のきっかけとなった。

このように、外国貿易は地域・業種・階層によってさまざまな影響を与えたが、全体としてみれば、幕末の日本経済には外国貿易にすみやかに対応して利益を上げるだけの、情報・生産・流通・資本の基盤やネットワークがつくられていたのである。

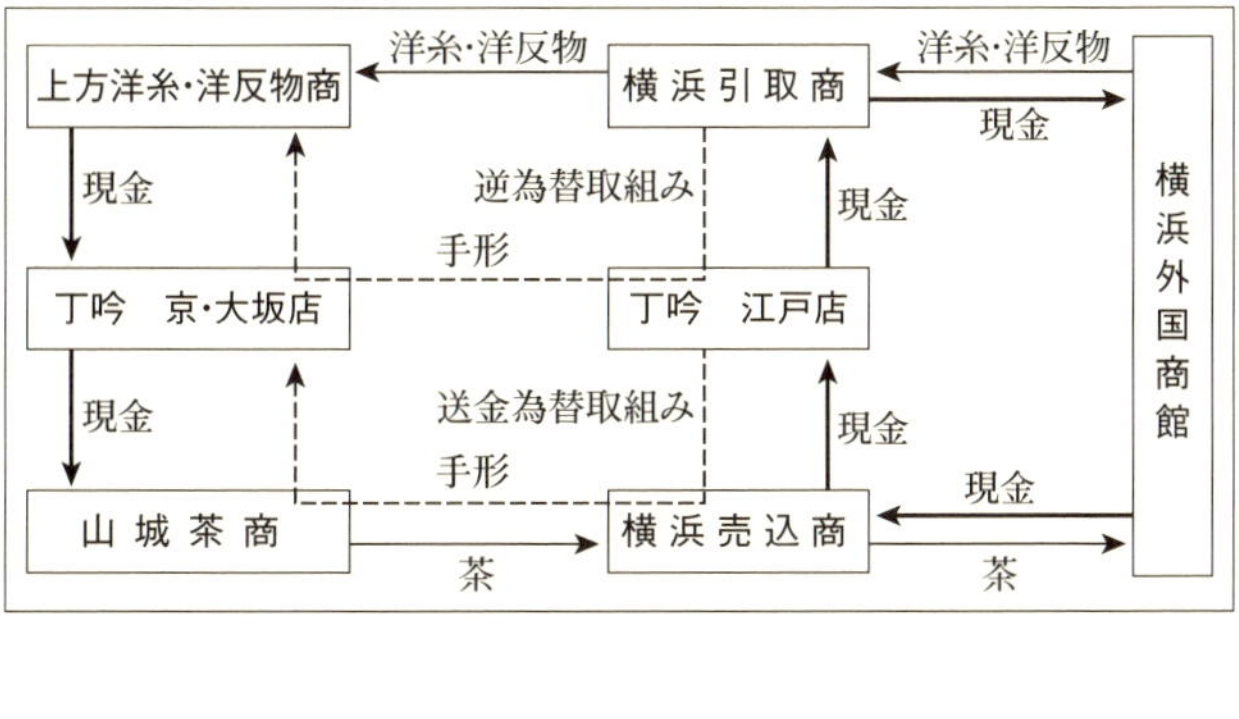

暴力の時代を生きる

芋と団子がまずくなる

王政復古が宣言された慶応《けいおう》三年（一八六七）一二月、安芸国尾道《あきのくにおのみち》の群衆は〈長と薩とエジャナイカ〉と歌い踊り、京都の庶民も薩長軍を大歓迎した。〈長州様之御蔭《おかげ》にて世が直り申す可《べ》しと嬉《よろ》こばぬものはなかりけり〉と大和《やまと》国の在村知識人高瀬《たかせ》道常《みちつね》も日記に書いた。これで攘夷《じょうい》も実現すると誰もが思った。

ところが、戊辰《ぼしん》戦争が始まったばかりの慶応四年（一八六八）一月一一日、摂津《せっつ》国西宮《にしのみや》の警固を命じられた備前《びぜん》国岡山藩兵の隊列を、フランス人水兵が横切ろうとして銃撃戦になった。神戸《こうべ》事件《じけん》である。列国の厳しい抗議にさらされた新政府は、一月一五日、王政復古の国書を各国公使に手渡すとともに、幕府の結んだ条約をすべて遵守すると約束した。そして、〈大勢誠に已《や》むを得《え》ず、〈断然和親〉に転じ〈外国交際の義は宇内《うだい》公法を以《もっ》て取り扱う〉ことにしたから、疑惑を抱かずこの旨を奉戴《ほうたい》せよと布告した。フランスの幕府支援を阻止するには列強に局外中立を宣言してもらわねばならず、そのためには自分たちを最低限「交戦団体」と認知してもらわねばならないからだ。一月二五日、フランスを含む六か国は局外中立を宣言した。

しかし、表向き「攘夷」をとなえて幕府を追い込んできた薩長や朝廷が、列国の圧力に屈して和親に転向したのだ。〈時勢御一新《ごいっしん》、攘夷御決定と下々《しもじも》（は）見込〉んだのに、異人へ〈無礼の所業致す間敷《まじく》〉とは〈歎息《たんそく》の至り〉だと高瀬が憤慨したように、これは予想外の成り行きだった。だから、高知（土佐《とさ》）藩兵との銃撃戦でフランス人水兵一一人が死亡した堺《さかい》事件や、イギリス公使パークス襲撃事件などトラブルが絶えず、京都で浪人五人が異人四〇余人に手傷を負わせて逃走したとのうわさに、高瀬は〈心地よし〉と手をたたき、万一〈交易是迄《これまで》通りに候得《そうらえ》ば、徳川《とくがわ》家追討に及ばず〉とさえ断言した。

新政府はまた、王政復古の布告のなかで〈富者は益《ますます》富を累《かさ》ね、貧者益窘急《きんきゅう》（困窮）〉していると幕府の失政を批判した。にもかかわらず、年貢半減令は撤回され、赤報隊《せきほうたい》の相楽総三《さがらそうぞう》らは「偽官軍」として処断された。さらに、京・大坂の豪商に三〇〇万両の御用金を命じたほか、財産相応の献金をしなければ「逆意」ある者と見なすと富裕者を脅《おど》し、東西本願寺《ほんがんじ》から三万両と米約四〇〇〇俵を取り立てた。京・大坂を支配した薩長藩士の乱暴ぶりも目にあまった。この時期に大坂の両替商の多くが破綻《はたん》したのは、薩長による「分捕《ぶんど》り」の影響だったと石井《いしい》寛《かん》治《じ》は指摘している。王政復古からわずか二か月後に、高瀬はこう書きつけている。

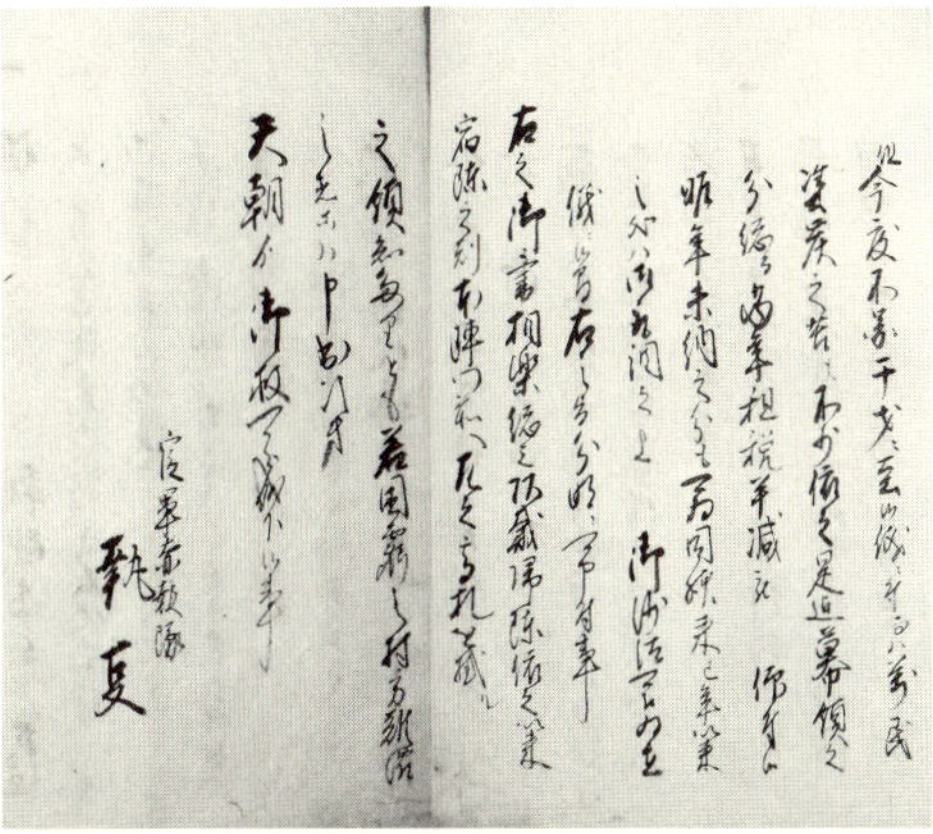

12

◉赤報隊の年貢半減令
赤報隊は「官軍先鋒《せんぽう》」と称し、年貢半減を宣伝しながら東山道を進軍した。写真はその布告の写し。（『江濃信日志』）

万民を　救うというも　馬鹿らしい　御用金とは　糞があきれる
春めくと　芋《サツマ》《イモ》と団子《長ノ紋》が　まづくなる

近江《おうみ》商人の小杉元蔵《こすぎもとぞう》もまた、〈町人・百姓の汗油で夜が日に次いで儲《もう》けた金銀〉を御用金だといって闇雲《やみくも》に取りあげるとは何事か、ほんとうに〈万民塗炭《とたん》の苦しみをお救いなさるのが御叡慮《ごえいりょ》〉ならば、年貢を半減し諸運上《しょうんじょう》（営業税）も廃止してほしい、そうすれば戦《いくさ》の必要もなく〈四海安穏、上下共に栄える〉はずだと日記に書いた。小杉も高瀬も『太政官日誌《だじょうかんにっし》』を購入して新政府の布告や五箇《ごか》条《じょう》の誓文《せいもん》などを読んでおり、元蔵は攘夷論を捨てていた。それでも〈四海安穏〉を乱しているのは朝廷側だと断定したところに、当時の人びとの認識が示されている。

それどころか、〈近頃に及び、会藩《かいはん》評判宜《よろ》しく〉、京・大坂へ〈押し来たり申すべし〉という期待すら生まれた（『大和国高瀬道常年代記』）。つい半年前まで京都《きょうと》守護職《しゅごしょく》として治安維持に奔走していた会津《あいづ》藩は、幕府以上に京都庶民から嫌われていたのだから、世間の評判はあてにならない。いや、長州であれ会津であれ、民衆が特定の政治勢力を贔屓《ひいき》するのは、（判官贔屓を別にすれば）当面の生活難を打開してくれると期待でき

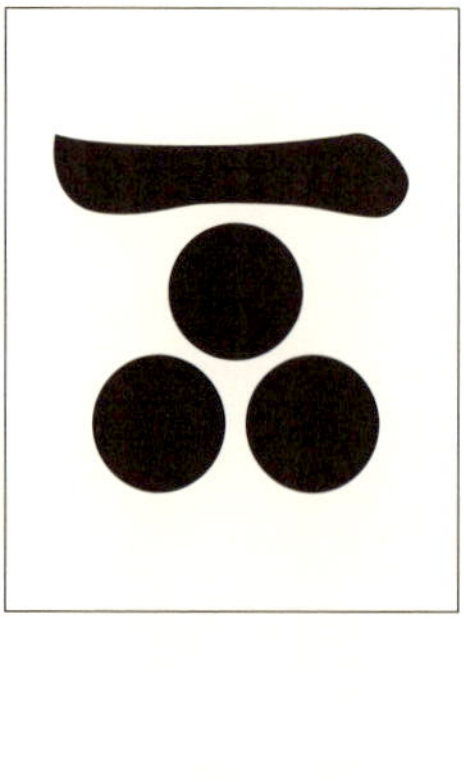

◉毛利家の家紋
一文字三星紋と呼ばれ、支藩は一の形が異なる。庶民は団子と串に見立てたのだろう。

るかぎりにおいてであって、その期待が裏切られればさっさと見捨てるのが庶民、つまり「客分《きやくぶん》」というものなのである。

世直し一揆

他方、関東平野では慶応《けいおう》四年(一八六八)二月一五日、新政府軍先鋒《せんぽう》隊が信濃国《しなののくに》から上野《こうずけ》国に入り、幕府岩鼻陣屋《いわはなじんや》の役人が逃走したのを機に、大規模な世直し一揆《いつき》が起きていた。一揆の主たる目的は、群馬郡箕郷《みさと》周辺に流された廻状《かいじよう》が簡潔に述べている。

近頃政事猥《せいじみだり》に相成《あいな》り、在々に於《おい》て私欲深き者共《ものども》多くこれあり、貧民の難渋に相成《あいな》り候故《そうろうゆえ》、私欲の者共を打ち毀《こわ》し後世の懲《こ》らしにし、貧民を救わん為《ため》の世直しに候間、村々軒別に出て一揆に加わらるべし。

世直し一揆は、周到に準備をして組織的に行動したそれまでの百姓一揆と異なり、たぶんに自然発生的で、博徒《ばくと》・無宿《むしゆく》がきっかけをつくることもあった。しかし、参加者が手にしたのは斧《おの》・鋸《のこぎり》・大槌《おおづち》などで、刀を持つのは博徒などに限られ、騒動に便乗して金品を強奪したり私物化した者は一揆勢から排除され、時には殺された。打ちこわしの相手が殺されることはほとんどなく、施米を求めた農民を殺害した商人の家屋・土蔵などを焼き払うような場合も、延焼を防ぐ配慮をしたといわれる。

彼らはとくに質物《しちもつ》の返還を強く要求した。しかも、上野国藤岡《ふじおか》宿では寺院の仲裁で示談が成立し、質物の返還（元金の六割）、借金の無利息五年賦《ぷ》などを保証する請書《うけしょ》を、各村の組頭《くみがしら》・百姓代《ひゃくしょうだい》が「飢《き》人惣代《じんそうだい》」らに渡して落着した。一揆の頭取《とうどり》と藩役人の協議で質屋の家屋・道具類を破棄し、質物は村役人が立ち会って無償返還した村もある。質入れ主の七割は普段着《ふだんぎ》や蚊帳《かや》を質に入れて三両ほどを借りた貧民で、前年末から生《き》糸《いと》や諸品の価格が下落し、質物を請け戻せなくなっていた。貧民の要求は決して無茶・無法なものではなかった。

このほか、質地《しちち》の返還も重要な項目だった。当時の農村には、質流れの土地でも地主は小作料を得ているので、元金を返せばいつでも請け戻せるという「無年季の質地請け戻し」慣行があった。これに、権力の交替期には貸借を反故《ほご》にする徳政があるべきだという中世以来の観念が結びついて、こうした要求が出されたようだ。

ただし、質屋金融は生活資金に限らず、生糸や煙草《たばこ》の生産・流通資金にもなっていたから、世直し一揆は地域経済に打撃を与えた。そのうえ、東山道総督府《とうさんどうそうとくふ》は、有福の者に強談・放火するのは深い子細《しさい》があってのことだろうと温情を示す一方で、諸藩には、上野・武蔵の人民は〈暴激にして大義条理を以《もっ》て鎮定《ちんてい》〉するのは困難だから〈兵威を以て鎮撫〉すべしと命じていた（『復古《ふっこ》外記《がいき》』）。実際、進駐した新政府軍は世直しの頭取らを処罰し、質物・質地を質屋・地主に返すよう命じた。ここでも新政府は庶民の味方ではなかった。

分捕りと虐殺

戊辰《ぼしん》戦争が激化すると、住民は双方から軍夫《ぐんぷ》に駆り出され、食糧・金銭を徴発された。女性・子どもは山に逃れたが、田畑は踏み荒らされ、家や店は焼かれた。たとえば郡山《こおりやま》町（福島県郡山市）では、会津《あいづ》軍の放火・強奪と新政府軍の強奪が繰り返され、その間に町民の一部も酒屋・米屋の蔵から品物を持ち出した。鹿児島（薩摩《さつま》）軍には「分捕隊《ぶんどりたい》」さえあったといわれる。戦乱をかいくぐりながら生糸《きいと》の買い付けをしていた近江《おうみ》商人の小杉元蔵《こすぎもとぞう》も、鹿児島藩に荷物を奪われて〈血を吐くほどの思い〉をさせられたが、旧領主〈彦根《ひこね》様の御本営〉に駆け込んで、なんとか取り戻した。

また、新政府軍に随行したイギリス公使館の医師W・ウィリスは、〈私はまだ一度も捕虜を見ていない〉〈日本政府が敵対する大名の家臣を見さかいもなく殺害していることを世界の国々が聞けばぞっとするであろうし、とりわけ文明国は…憎悪心をたぎらせるであろう〉と、繰り返し警告している。

兵士だけでなく、軍夫や道案内に連れ出された住民も容赦なく殺された。たとえば、会津藩の前線拠点のひとつだった那須《なす》郡三斗小屋宿《さんとごやしゅく》（栃木県）では、一進一退の攻防戦のなかで、旧幕府軍の軍夫にさせられた農民が畑の中に立たされ、新政府軍（黒羽《くろばね》藩士）の一斉射撃の標的にされた。近くの元名主《なぬし》は自宅が旧幕府軍の仮陣屋にされたのち、新政府軍

13

◉W・ウィリス
日本人医師には銃傷の治療経験がなく、ウィリスが指導しながら治療にあたった。新政府がドイツ医学を採用すると、西郷隆盛《さいごうたかもり》の要請で鹿児島医学校の教師となった。

が来て道案内を強制された。だが、ふたたび戻ってきた旧幕府軍は彼を柱に縛りつけ、股の肉を焼いて食べるなどして虐殺したという（田代音吉《たしろおときち》『三斗小屋誌《さんとごやし》』）。

二百数十年ぶりの戦争であり、薩長と会津は数年来の「宿敵」とはいえ、戦闘能力を失った敵兵を殺害し、食糧・物資を住民から奪い、敵性住民と見なした者に凄惨《せいさん》なリンチを加えるといった、後年の侵略戦争と少しも変わらぬ所業が、戊辰戦争のなかですでに繰り返されていたのだ。また、「諸方より女郎がおびただしく入り込んで賑々《にぎにぎ》しい」と小杉元蔵が記していることも見落とせない。

そのうえ、新政府軍は「賊軍」の遺体埋葬を禁じた。見せしめとはいえ、腐乱する遺体を横目に生活せざるをえない住民の苦悩は計り知れない。とくに会津若松城の内外には無数の遺体が散乱し、雨に打たれ野犬やカラスがたむろするままに放置された。パリ・コミューンを鎮圧したフランス第三共和国政府も埋葬を禁じたというから、日本だけがことさら野蛮だったともいえないが、こうした凄惨な光景が語り継がれるなかで、後述のようにかならずしも会津藩支持ではなかった地元の人びとにも、「官軍」憎しの感情がつくりだされたのかもしれない。

なお、戊辰戦争は近代的な銃撃戦・砲撃戦が主体でありながら、敵兵の首を斬り取ってその数を競い合う風潮が両軍に根強かった。しかも、鳥羽《とば》・伏見《ふしみ》の戦いの幕府側総指揮官松平正質《まつだいらまさただ》は、敵兵の頬肉《ほおにく》をあぶって酒の肴《さかな》にしたという。こうした事例もまた両軍に共通するが、とくに薩摩藩兵から「肝《きも》を煮たから喰《く》おう」と誘われた話が多いようだ。ただし、薩摩には薬用に牛肉を食べる習慣があったともいわれる。もっとも、脳や肝臓を「妙薬」だとする観念は広く浸透しており、政府は明治三年（一八七〇）四月、〈人肝《じんかん》或《ある》いは霊天蓋《れいてんがい》（脳髄）・陰茎等密売致す〉と聞くが〈効験これ無き事に付《つき》〉厳禁するとの通達を出している。しかし、作家長谷川時雨《はせがわしぐれ》が明治時代中期の体験を回想した『旧聞日本橋《きゅうぶんにほんばし》』には、〈肺病には死人の水――火葬した人の、骨壺の底にたまった水を飲ませるといいんだが…これは脳みその焼いたのだよ〉と、「霊薬」の包みを見せられて真っ青になった話が出てくる。

「日の丸」と「菊の紋」のはざまで

戊辰《ぼしん》戦争が始まると京都・大坂周辺の民衆に会津《あいづ》贔屓《びいき》の気分が生まれたことは前にみた。だが、現地民衆の意識はまったく違った。なぜなら、幕末の会津藩は藩民にとって苛酷《かこく》な権力だったからだ。〈落城に際して領民がなんら同情心を示さなかった〉とウィリスも報告している。

越前松平《えちぜんまつだいら》家に次ぐ家格の親藩《しんぱん》の会津藩は、文化《ぶんか》七年（一八一〇）以来、三浦半島警備、房総警備、品川台場《しながわだいば》警備、蝦夷地《えぞち》警備、京都守護職・京都警固などをつぎつぎに命じられて財政が急速に悪化し、藩首脳が藩主松平容保《まつだいらかたもり》の京都守護職就任に反対したほどだった。そこで、郷頭《ごうがしら》・肝煎《きもいり》などを多額の献金で士分に取り立て、彼らを使って百姓からの収奪を強めた。戊辰戦争では悪鋳貨幣を大量につくり、農兵を取り立て、新政府軍の人足・食糧調達を阻止するため街道の村々を焼き払った。

そのため、明治元年（一八六八）九月二二日の会津藩降伏の直後、「肝煎征伐」の旗を掲げて、藩と癒着《ゆちゃく》した郷頭・肝煎の不正や貨幣悪鋳を糾弾し、年貢軽減などを要求する数万人の大一揆《だいいっき》が起きた。新政府から藩の存続が認められ、移住地として猪苗代《いなわしろ》地方か本州最北端の斗南《となみ》地方を提示された藩首脳が、あえて斗南を選ばざるをえなかったのは、こうした藩民の怨《うら》みを実感したからだった。

北越《ほくえつ》戦争の新潟も同じだった。会津藩領の村々では新政府軍を待ちわびていた。だが、その〈官軍〉も〈実に薩賊《さつぞく》・長賊《ちょうぞく》と言うが如《ごと》きの暴行〉を繰り返した。たまりかねた住民は人足の拒否や労賃の値上げなどを要求し、三条《さんじょう》町ではここで戦争するなら一揆を起こすと警告して村上《むらかみ》藩兵を退去させた。大庄屋や村役人への打ちこわしも各地で起きた（『新潟県史』）。この年、越後ではほぼ全域で年貢が半減されたが、信濃《しなの》川《がわ》の未曾有《みぞう》の洪水に加え、住民の激しい怒りや抵抗を、新政府も無視できなかったのだろう。

箱館五稜郭《はこだてごりょうかく》の旧幕府軍も、金銭の強奪、強制労働はもとより、賭場《とば》や遊女にまで上納金を課し、最後は町に放火した。河合敦《かわいあつし》によれば、函館には今も榎本武揚《ぶよう》をもじった「榎本ブヨ」という言葉が残っているという。また、京都の民衆は直接戦争に巻き込まれはしなかったが、「天誅《てんちゅう》」の札をつけた晒首《さらしくび》に慣れてしまうような生活が、尋常であるはずはなかった。

慶応《けいおう》四年（一八六八）一月の鳥羽《とば》・伏見《ふしみ》の戦いから、旧幕府兵の挙兵と宇都宮《うつのみや》占領（四月）、奥羽《おうう》・北越《ほくえつ》三一藩による列藩同盟《れっぱんどうめい》の結成（五月）、会津戦争（八月～九月）を経て、五稜郭の戦いで戊辰戦争

14

●焼け野原になった上野寛永寺跡　将軍菩提寺《ぼだいじ》の寛永寺《かんえいじ》中堂は、彰義隊《しょうぎたい》と新政府軍の戦闘で焼失した。跡地は最初の近代的公園となり、博物館・動物園などが開設された。

が完全に終結したのは明治二年（一八六九）五月だった。新政府軍には約一〇〇藩、延べ八万八〇〇〇人が動員されて三六〇〇人から四七〇〇人が戦死し、旧幕府軍は四七〇〇人から八六〇〇人が戦死したといわれる。しかし、いずれも推計であり、実際の数はわからない。まして、両軍の軍夫《ぐんぷ》にされ殺された農民の大半は数に入っておらず、名前も知られずに山野・路傍《ろぼう》に打ち捨てられた者が少なくなかったと保谷徹《ほうやとおる》は指摘している。

幕末を「暴力の時代」にしたのは、殺人・強奪・放火を大義名分で正当化した水戸天狗党《てんぐとう》をはじめとする「志士」たちである。民衆にとって「御一新《ごいっしん》」とは、尊攘派《そんじょうは》・佐幕派《さばくは》双方からの理不尽な暴力によって生活と生命を脅かされ、拭《ぬぐ》いきれない凄惨《せいさん》な記憶をかかえこむ体験であった。志士たちの活躍に心意気や美学を見いだすだけでは、この時代の実相に迫れない。

しかも、旧幕府軍、とくに元歩兵隊の衝鋒隊《しょうほうたい》や箱館五稜郭の榎本軍は「日の丸」を掲げて戦った。戊辰戦争は「日の丸」と「菊の紋」との戦争であった。それでもなお、「日の丸」と「菊の紋」が一体化した時代と異なり、「客分《きゃくぶん》」である民衆はまだ戦争の当事者でなかったぶんだけましだったというべきかもしれない。

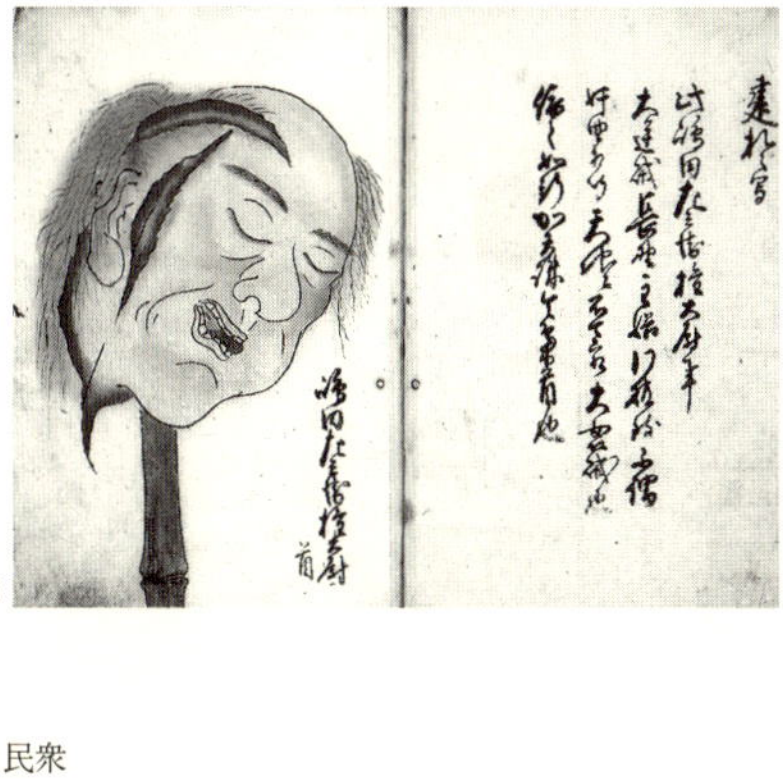

15

◉最初の「天誅」
九条《くじょう》家家令の島田左近《しまださこん》は尊攘派の弾圧などを理由に文久《ぶんきゅう》二年（一八六二）に暗殺され、京の鴨川《かもがわ》河畔に斬姦状《ざんかんじょう》とともに晒《さら》された。（「島田左近等三条梟首及建札写」）

コラム1

女房どもに御説諭を

「ええじゃないか」をもっとも歓迎したのは奉公人や若者、女性たちだった。御《お》札《ふだ》が降れば三日から七日は酒食の振る舞いがあり、仕事を休めるからだ。村の休日はいっせいにとるのが通例だが、若者組《わかものぐみ》などの要求でしだいに増加し、幕末には年間六〇日から八〇日に達していた。道普請《みちぶしん》や祭礼、隣村との争論などで活躍するのは若者だから、彼らの要求を村役人も簡単には無視できない。その積み重なりの結果だった。幕府ですら、祭礼の日数を厳しく差し止めると〈村役人を恨み候《そうろう》趣き〉があると聞く、その場合は〈村々相互に申し合わせ〉、他村の有力者から諭してもらえと「助言」する始末だった（『東松山市史《ひがしまつやましし》』）。さらに、村を飛び出し博徒《ばくと》・無宿《むしゅく》に流れる若者も増えて、地域秩序をゆるがす大きな要因となっていた。

女性も元気がよかった。たとえば、越前国角田浜《えちぜんのくにかくだはま》村で慶応《けいおう》二年（一八六六）までの二〇年間に京都の本願寺《ほんがんじ》に参詣《さんけい》した一一九人のうち、ほぼ半数は女性だった。また、〈日本では婦人の交際上の自由が広く認められていますよ。食事の世話をして家の中が片付いたら、婦人はどこへ出かけてもかまいませんし、火鉢《ひばち》を

◉女性の江の島詣で
江の島弁財天は商人や音曲愛好者の信心を集めた。笠の紋によって、左から角木瓜（常磐津《ときわづ》）、菱に三つ柏（清元《きよもと》）、三本杵（長唄《ながうた》）、桜草（富本《とみもと》節《ぶし》）の女人講であることがわかる。（歌川広重『相州江之嶋弁才天開帳参詣群集之図』）

囲んでお茶を飲みながら気のあう人とおしゃべりするのも自由です〉と、横浜周辺の庶民と接していたマーガレット・バラは書いている。江戸近郊の村では天保《てんぽう》一三年（一八四二）、こんな嘆願書が村役人から出された。

日々夫《ひびおっと》、農業または江戸表へ馬を引き、或《ある》いは真木《まき》を担い、稼ぎに出候留主《いでそうろうるす》の節、女房共大勢打ち寄り、酒を給い遊歩行《あそびあるきゆき》候風聞これあり候え共…大勢の儀に御座候間、御出役の上、村方《むらかた》において御吟味（願い度《たく》候）…　（『田無市史《たなしし》』）

男どもは野良仕事や江戸へ野菜を売りに行くなど真面目《まじめ》に働いているのに、女房どもは昼間から酒を飲み遊び歩いているが、大勢なので文句もいえない。だからお役人様から叱《しか》っていただきたいというのだ。「交際上の自由」もここまでくると現代と変わらない。もとより、断片的な事例をただちに一般化するわけにはいかない。それでも、庶民の女性や若者たちが、村役人や亭主・父親の思いどおりにならなくなったのは確かだろう。

だが、村落リーダー層にすれば、地域社会におけるみずからの地位や権威の崩壊を食い止めねばならない。彼らのあいだで、『風土記《ふどき》』などをもとに地域の歴史を編纂《へんさん》したり、家柄を誇る由緒書《ゆいしょがき》をつくる動きが盛んになり、あるいは、幕府—藩—村という序列の上に朝廷をおく平田派国学《ひらたはこくがく》が浸透したのも、そのためだった。たとえば下総国《しもうさ》香取郡《かとり》の宮負定雄《みやおいやすお》は、〈村長《むらおさ》といえば軽き者の様なれども、無くて叶《かな》わぬ者〉であり、その大元《おおもと》は〈畏《かしこ》き天皇〉にある。その勅を受けた征夷《せいい》大将軍《たいしょうぐん》の〈御手先《おてさき》となりて国郡を治める領主〉のかわりとして村の〈百姓を大切に預かりて、政事を専《もっぱ》らに〉するのがわれわれの職責なのだと力説している（『民《みん》家要術《かようじゅつ》』）。

幕府・朝廷・尊攘《そんじょう》派などの言動に目を奪われて、地域社会で進行していた若者・女性の解放欲求と名主・庄屋《しょうや》らの秩序再建意欲とのせめぎ合いを軽視すると、幕末の激動を総合的に理解できないように思われる。

第二章

「御一新」の現実

朝廷革命の始まり

分外に尊大と思う

慶応《けいおう》三年（一八六七）一二月九日、鹿児島（薩摩《さつま》）をはじめ福井・名古屋（尾張《おわり》）・広島・高知（土《と》佐《さ》）の藩兵が京都御所を「警固」するなかで王政復古が宣言され、総裁《そうさい》・議定《ぎじょう》・参与《さんよ》の三職が新設された。〈神武《じんむ》創業の始《はじめ》に原《もとづ》き〉という文言が示すように、王政復古とは天皇家の始祖とされる神武天皇にまで戻ること、現実には幕府のみならず、一〇〇〇年続いた摂政《せっしょう》・関白《かんぱく》、議奏《ぎそう》・守護職《しゅごしょく》などの諸役職を廃止する朝廷革命を意味した。ところが、徳川慶喜《とくがわよしのぶ》の処遇をめぐる公議《こうぎ》政体派《せいたいは》とのつばぜり合いのなかで、岩倉具視《いわくらともみ》・大久保《おおくぼ》利通《としみち》ら倒幕派は身動きがとれなくなり、クーデターは失敗の危機に陥る。そのいきさつは次節で述べることにして、まずは、天皇にとって「御一新《ごいっしん》」とはなんだったかをみておきたい。

慶応四年三月一四日、「億兆安撫《おくちょうあんぶ》の宸翰《しんかん》」と呼ばれる天皇の書簡が出された。この日、天皇は紫宸《ししん》殿《でん》で神々に国是《こくぜ》五《ご》箇条《かじょう》（五箇条の誓文《せいもん》）を誓い、江戸の薩摩藩邸では西郷隆盛《さいごうたかもり》と勝海舟《かつかいしゅう》が江戸城明け渡しに合意した。維新の節目《ふしめ》のひとつになった日である。しかし、攘夷《じょうい》を信じた志士は外国との和親に反発し、会津《あいづ》藩などは薩長への徹底抗戦の構えを見せはじめ、世直し一揆《いっき》や村方《むらかた》騒動も頻発していた。そうしたなか、この書簡は総ルビ付きの木版刷りにして全国に配布され、もはや攘夷は不可能であり、天皇みずから率先して〈旧来の陋習《ろうしゅう》〉を打破し、人民を安撫し、〈国威を四方《よも》に宣布〉することをめざすと言明した。だが、その冒頭で天皇は、〈朕《ワレ》幼弱を以《もっ》て猝《にわか》に大統《だいとう》を紹《つ》ぎ、爾来《じらい》何を以て万国に対立し、列祖《れつそ》に事《つか》へ奉らんやと、朝夕恐懼《ちょうせききょうく》に堪《たえ》ざるなり〉、すなわち、幼弱の身で突然皇位を継いだが、どうすれば列国に対抗し、歴代天皇に恥ずかしくない統治ができるか、日夜苦慮していると告白したのである。

慶応三年一月に皇位を継いだ睦仁《むつひと》は嘉永《かえい》五年（一八五二）生まれだから、〈幼弱〉といっても満一五歳、すでに元服をすませている。しかも、みずからの非力さを天皇が公式に認めるのは異例だが、天皇の道義的な卓越さを印象づけるとともに、〈よくよく朕《ワレ》が志を体認〉するよう訴えるねらいがあったとされる。ただし、〈朕徒《ワレいたず》らに九重中《ここのえ》（宮中）に安居〉してはいられないといった文言には、岩倉《いわくら》らの深謀が込められていたようにも思われる。

というのは、朝廷には無数の慣例があり、たとえ

1

◉『子供遊び夏の栄』に描かれた幼い天子さま
戊辰《ぼしん》戦争を子どもの喧嘩《けんか》に見立てた錦絵《にしきえ》。中央下の萩藩がけしかける背後で、公武合体派の高知藩（三つ柏紋）が、錦旗の風車を手に「きんちゃんや、をとなしくおしよ、よくをんぶをしてあげるから」と禁裏（天皇）をあやしている。

ば、大久保《おおくぼ》・西郷《さいごう》ら無位無官の藩士は、参与《さんよ》に任命されても三職会議の開かれる小御所《こごしょ》には入れなかった。高橋秀直《たかはしひでなお》はこれを「空間の政治学」と名付けているが、この壁を打破するため、岩倉らは太政官代《だじょうかんだい》（政府）を二条城《にじょうじょう》に移して天皇を「武家の世界」に引き出すとともに、大坂遷都《せんと》を主張した。これは天皇・公家《くげ》・女官らの猛反対で実現しなかったが、戊辰《ぼしん》戦争に出陣する陸海軍を親閲するという名目で天皇は大坂城に一か月半も滞在し、はじめて大久保・木戸孝允《きどたかよし》とも面会した。京都に戻った天皇は乗馬を楽しむようになり、禁裏御所《きんりごしょ》に藩士が入ることも認めた。

だが、岩倉らの要求はもっと過激だった。〈復古の鴻業《こうぎょう》（大事業）〉を完成し挙国一致を実現させるには、何よりも天皇自身が西洋的君主にならねばならないというのである。

「外国の帝王は〈従者一二を率して、国中を歩き万民を撫育《ぶいく》〉している。ところが、天皇は臣下に〈竜顔《りゅうがん》〉を見せないなど、〈余りに推尊《すいそん》〉され〈自ら分外に尊大高貴なるものの様に思食《おぼしめ》させられ、ついに上下隔絶〉の状態を招いた。いまこそ〈外国の美政を圧するの大英断〉によって、数百年来の〈因循《いんじゅん》の腐臭を一新し…国内同心合体〉を実現しなければならない」（大久保利通「大坂遷都建白」）

治者の誕生日を祝う

慶応《けいおう》四年（一八六八）八月二七日、天皇はようやく即位礼を挙げた。高木博志《たかぎひろし》によれば、この儀式では仏教や〈唐制《とうせい》に模倣〉した旧来の様式が廃止され、束帯《そくたい》の天皇が大地球儀の日本のところに沓《くつ》を三度当てることにした（ただし雨で中止）。天皇や列席の有司《ゆうし》が〈宇内《うだい》の大勢を洞観《どうかん》し〉〈志操を高尚に、識見を遠大ならしめ〉るための演出だった。
その前日には天長節《てんちょうせつ》の布告が出された。来《きた》る九月二二日は〈聖上御誕辰《せいじょうごたんしん》〉の日だから、群臣に宴会を賜《たま》い、死刑の執行を止める。これは〈ひとえに衆庶と御慶福を共に遊ばされ候思召《そうろうおぼしめし》〉によるもので、庶民一同も奉祝するようにと命じられた。

光仁《こうにん》天皇の代（在位七七〇～七八一年）に唐をまねた天長節《てんちょうせつ》があったものの、正月に年齢を加える「数え年」の日本では、生後一年目を除いて誕生日を祝う風習はなかったといわれる。むろん、釈迦《しゃか》が生まれた四月八日の灌仏会《かんぶつえ》（花祭り）があるように、誕生日の観念がなかったわけではない。また、孝明《こうめい》天皇一家も、天皇・皇后・皇太子の誕生日に鯛《たい》・スルメなどを贈り合い、女房・近侍衆《きんじしゅう》・乳母《めのと》などに酒・小豆餅《あずきもち》などを配っている。だが、これは私的な「内宴」にすぎなかった（『孝明天皇紀《こうめいてんのうき》』）。

じつは、天長節は「ペリーみやげ」だった。嘉永《かえい》七年（一八五四）、再来日したペリー艦隊が、初代アメリカ大統領ワシントンの誕生日（二月二二日）に二一発の祝砲を撃ったのだ。これ以後、開港場では各国元首の誕生日に祝砲を撃ち、他国の艦船が応答する光景が繰り返された。すさまじい砲声によって、統治者の誕生日を祝うことが文明国の風習であることを知らされたのである。三条実美《さんじょうさねとみ》ら新政府首脳も、大坂湾のイギリス艦船で開かれた祝宴に招待され、外交官・軍人だけでなく商人まで

2

●即位礼で使われた地球儀
嘉永五年（一八五二）に水戸藩の徳川斉昭《とくがわなりあき》が孝明《こうめい》天皇に贈った地球儀で、明治天皇の即位礼で使われたもの。

もがヴィクトリア女王誕生日（西暦五月二四日）を祝う様子を実見していた。

もっとも、幕府は慶応元年にオランダ国王と将軍の誕生日に祝砲の交換をしており、翌々年には孝明天皇の命日と〈今上《きんじょう》（天皇）誕辰〉に刑の執行を禁じる除刑令《じょけいれい》を出し、一〇月二日の徳川慶喜《とくがわよしのぶ》の誕生日には老中《ろうじゅう》らが礼服姿で登城した（『続徳川実紀《ぞくとくがわじつき》』）。治者の誕生日を祝うという文明的儀礼を最初に実行したのも幕府だった。

なお、朝廷革命という視点に立つと、皇族・公卿《くぎょう》の涅歯《でつし》（お歯黒）・点眉《てんび》（描き眉）は〈古制〉でないからやめてよいとの通達（一月六日）も興味深い。なぜこんな瑣末《さまつ》な命令が慶喜追討令の前日という緊迫したなかで出されたのか。庶民を含め、既婚女性のお歯黒は一般的だったが、男性でも上級公家・皇族にだけは涅歯・点眉の「特権」があった。男性原理の武士には、嫌悪に近いものがあっただろう。「はじめに」で述べたように、日常的な生活スタイルを変えることには、深い意味が込められている。維新官僚は「復古」を根拠に、これに着手したのだろう。

3

◉明治天皇即位礼の図

儀式当日が晴天の場合の配置図。紫宸殿《ししんでん》につくられた高御座《たかみくら》の手前、階段の下に前ページ写真の地球儀が置かれている。（『明治天皇御即位図』）

京都から東京へ

明治元年（一八六八）九月二〇日、総勢三三〇〇人の大行列が御所《ごしょ》を出て東京に向かった。すでに七月一七日に江戸は東京と改称され、九月八日には元号も明治になっていた。費用の約八〇万両《りょう》は沿道の諸藩に太政官札《だじょうかんさつ》を「貸与」して調達したとはいえ、財政難の新政府が大旅行を敢行したのはなぜか。

まず、東京の地政学的な重要性である。〈国家の興廃は関東人心の向背〉にかかっており、たとえ京都・大阪を失うとも〈東京を失わざれば即《すなわ》ち天下を失うことなし〉と三条実美《さんじょうさねとみ》が断言したように、現に戊辰《ぼしん》戦争を戦い、歴史的にも朝廷に抵抗してきた関東・東北を掌握するには、天皇が直接東京に出向くこと（東幸）がどうしても必要だった。

もうひとつは、人民に天皇を認知させることである。大行列自体がその効果をねらったものだが、供奉者《ぐぶしゃ》は〈威権がましき〉（偉ぶった）振る舞いを厳しく禁じられ、沿道の高齢者・功労者・被災民などに下賜金《かしきん》が渡された。また、近江国土山宿《おうみのくにつちやまじゅく》で最初の天長節《てんちょうせつ》を迎えると、供奉者、京都・東京の官員・兵士らに酒を贈ったほか、土山《つちやま》住民にも清酒三石《こく》（三〇〇升《しょう》）、スルメ一五〇〇枚を配った。人民への振舞酒は、東京到着（酒二九九〇樽《たる》、スルメ一七〇〇枚）、京都帰還（二三七石、一一万八五〇〇枚）などにも行なわれた。「大坂遷都建白《おおさかせんとけんぱく》」にいう〈国内同心合体〉のために、まずは天皇の側が気配りをしなければならなかった。

ただし、文久《ぶんきゅう》三年（一八六三）に徳川家茂《とくがわいえもち》が将軍として二三〇年ぶりに上洛したときも祝儀銀五〇〇〇貫《かん》を配っており、ここでも幕府が先輩だった。京都の民衆は幕府への反発を捨てなかったが、気のいい江戸っ子は二日間のお祭り騒ぎの末、薩長はともかく「天子様」は受け入れたといわれる。だが、後述のように、京都府はじめ各地で「人民告《じんみんこく》諭書《ゆしょ》」が配布されるのはこのころからであり、戊辰戦争の決着はついても、天皇が多くの民衆に認知されるには、なお時間と努力が必要だった。

東幸はまた、天皇に「日本」を見せるためでもあった。歴代天皇のなかではじめて太平洋の大海原や富士山を眺め、大雨後の天竜川《てんりゅうがわ》を渡り箱根山を越えるなど、若い天皇にとって三週間近い長旅は、大いに刺激的だったはずだ。もちろん、天皇を京都の、とくに女官勢力から切り離すねらいもあった。

ところが問題が起きた。政府は京都への帰路を安上がりな船にしたかったが、天皇と外祖父の中山忠能《なかやまただやす》は、神器《じんぎ》の水没を恐れて悩んだあげく、天照大神《あまてらすおおみかみ》を祀《まつ》る賢所《かしこどころ》で籤《くじ》を引き、〈神慮〉を占うといいだしたのである。この程度の〈軽々しき儀〉で〈神慮を煩わす〉のは畏《おそ》れ多いと三条が懸命に説得してやめさ

4

せたが、じつは孝明《こうめい》天皇も日米修好通商条約《しゅうこうつうしょうじょうやく》の諸否を、最後は伊勢神宮《いせじんぐう》の神慮で決めようとしたらしい。近江《おうみ》商人の小杉元蔵《こすぎもとぞう》も、小杉屋・千藤《ちふじ》屋・使いの者の三者間で〈金子《きんす》不足〉のトラブルが起きたとき、三人で北野天満宮《きたのてんまんぐう》の籤を引いている。そして〈千藤殿の間違いと決まり〉、みんなで料理屋に出かけた。わずかな金のことでしこりを残さない庶民の知恵といってよい。しかし、通商条約のような国家の命運を籤で決められたのではたまらない。家近良樹《いえちかよしき》によれば、幕府老中堀田正睦《ろうじゅうほったまさよし》は関白《かんぱく》の面前で泣いたという。この事件は宮中文化の恐ろしさを維新首脳にも実感させたことだろう。

結局、陸路で京都に帰った天皇は、翌年三月、ふたたび東京に向かうと、もはや京都に戻らなかった。東京が「みやこ」になれば、京都の地位は一挙に下落する。慣習の破壊に反発する公家・女官はもちろん、商人、職人や復古・攘夷《じょうい》を要求する志士たちも反対の声を強めた。だが、太政官《だじょうかん》などの役所はもちろん、皇后・皇太后も住民の反対を振り切って東京に移った。重要な即位儀礼である大嘗祭《だいじょうさい》も、京都での執行が戊辰戦争や〈諸国凶荒〉を理由に延期され、明治四年（一八七一）一一月に東京で執行された。にもかかわらず、公式の遷都宣言はできず、時に「奠都《てんと》」（都を定める）と表現されるにとどまった。

5

◉「天酒（天皇の酒）頂戴」に浮かれる庶民
右は三代歌川広重《うたがわひろしげ》『東京汐留《しおどめ》ヨリ新橋之図《しんばしのず》』。東京府が用意した二五六三樽の酒に、天皇からの酒を混ぜて配布した。画中左の船では、金精《こんせい》を背負った女性が半裸で踊っている。左は帰京を祝って京都で配られたかわらけの天盃で、菊の紋には金彩が施されている。

政府の自立をめざして

攘夷・天皇・公論

王政復古のクーデターが、一気に倒幕につながらなかったのはなぜか。幕末の激動は攘夷《じょうい》・天皇・公論という三つの正統性をめぐる争奪戦であり、典型的な政治闘争であった。ここでごく簡単に、その対抗関係の要点を私なりに整理しておこう。

まず第一に、ペリー来航の前から、島津斉彬《しまづなりあきら》（鹿児島藩〔薩摩《さつま》藩〕）・松平慶永《まつだいらよしなが》（福井藩）・徳川慶勝《とくがわよしかつ》（名古屋藩〔尾張《おわり》藩〕）ら改革派大名は、外交という「国家の大事」（国事）を幕府が専決すべきではないと主張していた。彼らは基本的に開国・通商を認めており、また一橋慶喜《ひとつばしよしのぶ》に期待はしても、「天皇」を重視してはいなかった。ところが、日米修好通商条約《しゅうこうつうしょうじょうやく》の勅許を孝明《こうめい》天皇が留保したことで状況は一変し、攘夷こそが天皇の意思であり、かつ公議輿論《こうぎよろん》であるといいたてて幕府を追い込む戦略が有効になった。このねじれ（攘夷の手段化）がその後の政治過程を錯綜《さくそう》させ、「攘夷のために開国して富国強兵をめざす」か、それとも「富国強兵のために攘夷を決行して挙国一致をめざす」かという屈折した論争を生み出すとともに、ひたすら攘夷に突進する「志士」を生み出した。

他方、和親《わしん》条約・通商条約の交渉経過を諸藩に開示したように、幕府も「国事」の特殊性を認識していた。もともと鎖国は、東アジアの海上覇権を握ったオランダによるイギリス・フランスなどの排除を前提に、琉球《りゅうきゅう》・朝鮮・蝦夷地《えぞち》をそれぞれ鹿児島藩・対馬《つしま》藩・松前《まつまえ》藩（福山《ふくやま》藩）に担当させ、海岸線の警備を諸藩に任せることで実現していたからだ。しかし、幕府の役職を独占してきた譜《ふ》代《だい》・旗本《はたもと》らは、諸大名に意見や協力は求めても、政策決定に関与させる意思はなかった。

また、過激攘夷派志士・公家《くげ》の行動が対外危機を招くばかりか、朝廷の秩序をも脅かすことに気づいた孝明天皇は、会津《あいづ》藩士などによる文久《ぶんきゅう》三年（一八六三）八月一八日のクーデターで、彼らを朝廷から排除した。だが、これまでの発言は〈多勢に無勢〉で〈真実の朕《ちん》の存意〉ではなかったと弁解したため、「天皇の意思」なるものの権威も失墜した。さらに、将軍徳川家茂《いえもち》が横浜鎖港を上奏すると、天皇は将軍が京都に滞在する大名を集めて国事を諮問することを認めるとともに、鎖港に反対した島津久光《ひさみつ》ら改革派大名を主体とする参予《さんよ》会議《かいぎ》を廃止した（元治《げんじ》元年（一八六四）三月）。一発逆転、幕府が「攘夷」を掲げて「天皇」を味方につけ、大名会議という「公論」の場まで手中にしたのである。朝廷に武家が入り込むのを嫌った公家上層もこれを支持した。

同年、窮地に陥った長州攘夷派が巻き返しをはかった禁門《きんもん》の変《へん》は、会津・薩摩藩兵によって阻止された。勢いに乗った幕府は、しかし、慶応《けいおう》二年（一八六六）の第二次長州戦争《ちょうしゅうせんそう》に惨敗する。それでも、家茂、孝明

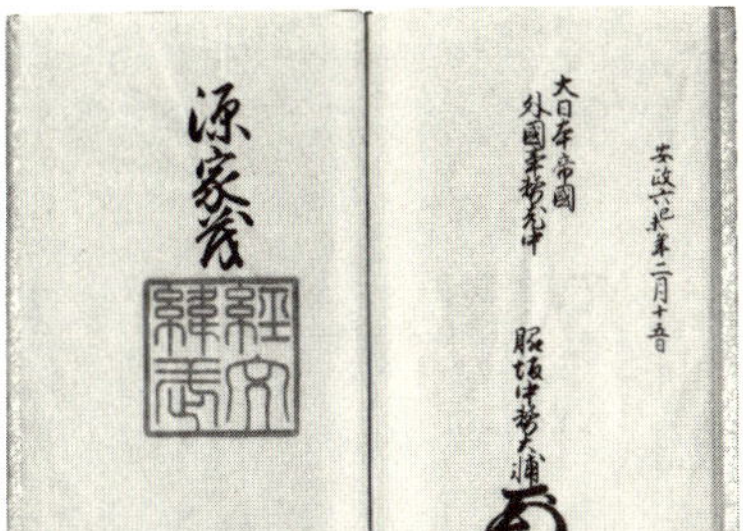
6

◉日米修好通商条約批准書
万延《まんえん》元年（一八六〇）四月、外国奉行新見正興《しんみまさおき》がワシントンでアメリカ側に渡した批准書。将軍源（徳川）家茂の署名と印がある。右側の「大日本帝国」の自称も興味深い。

天皇が相次いで病死したため、将軍と内大臣を兼任した徳川慶喜は翌年五月、兵庫・大坂の開港・開市の勅許を取りつけてペリー来航以来の外交案件をすべて解決し、フランス公使に開化推進を公言した。

「攘夷」も「天皇」も失った薩長の過激派は、協力して武力による倒幕をめざすしかなかった。だが、名分のない戦《いくさ》は私戦でしかなく、鹿児島藩の国許《くにもと》も武力行使に消極的だった。そこに、大政奉還《たいせいほうかん》による公議政権構想を坂本龍馬《さかもとりょうま》らが提示した。公議政体論（なんらかの議会制の採用）は多くの指導者に共有されており、薩長も西国諸大名の支持を得るためには拒否できなかった。慶喜は在京諸藩の代表を大坂城に集めて大政奉還を諮問し、慶応三年一〇月一五日に勅許を得る。徳川慶勝・松平慶永らとの関係を修復すれば主導権を握れるとの判断もあった。ところが、国事協議のための上京を朝廷が命じたにもかかわらず、諸藩は日和見《ひよりみ》を決めこみ、ずるずると日がたっていった。

一二月九日の王政復古のクーデターはこの状況を打開するものだったが、「公論」を否定できず、三職会議でも慶勝・慶永らが慶喜を含めた公武合体《こうぶがったい》政権を主張した。だからこそ慶喜は、一部の武装勢力が〈諸藩の会同衆議をも待たずして、にわかに未曾有《みぞう》の大変革を断行〉したことを非難する上疏《じょうそ》を提出できたのだ。五箇条《ごかじょう》の誓文《せいもん》の誓約式が当初、列侯会議による統治を天皇と諸大名が誓い合う形式だったのはその名残である。政治闘争で倒幕派は最後まで劣勢だった。

しかし、膠着《こうちゃく》状態は倒幕派だけでなく、王政復古で廃止された京都守護《しゅご》職・所司代《しょしだい》をつとめてきた会津・桑名《くわな》両藩や幕府兵の鬱屈《うっくつ》をも高めた。そこへ江戸城二の丸の火事は薩摩浪士の放火らしいとのうわさや、鹿児島（薩摩）藩邸襲撃事件が報じられた。慶応四年元日、慶喜は鹿児島藩征討を表明し、三日、ついに幕府軍が動いて鳥羽《とば》・伏見《ふしみ》の戦いとなったが、幕府軍の敗北が明らかになるや、諸藩はつぎつぎに朝廷支持を表明した。朝命でも動かなかった諸藩を帰順させたのは、したがって錦旗《きんき》の権威ではなく武力だった。一度バランスが傾けばそれが「公論」となり、尊王論的イデオロギーが権力的裏付けをもって作動しはじめるのである。

版籍奉還の難航

慶応《けいおう》四年（一八六八）閏《うるう》四月二一日、新政府は政体書を定めて権力の中核となる太政官《だじょうかん》を設置するとともに、立法・行政・司法の三権分立の考え方を導入した。太政官という名称は復古的だが、『西洋事情《せいようじじょう》』『聯邦志略《れんぽうしりやく》』などで紹介されたアメリカの制度を参考にしたものだった。

そして、箱館五稜郭《はこだてごりょうかく》を残して戊辰《ぼしん》戦争がほぼ終結した明治元年（一八六八）一二月七日、政府は東北諸藩の処分を発表した。〈賞罰は天下の大典《たいてん》、朕《ちん》一人の私すべきに非《あら》ず〉、〈天下の衆議〉で決定するとして木戸《きど》孝允《たかよし》らの厳罰論を抑えたから、会津《あいづ》藩主の松平容保《まつだいらかたもり》さえ死罪をまぬがれた。ただし、寛大な措置は〈衆議〉というより列国の圧力によるもので、江戸城総攻撃の中止にしても、勝海舟《かつかいしゅう》の依頼を受けたイギリス公使パークスが、慶喜《よしのぶ》を殺せばヨーロッパ諸国の輿論《よろん》はその非を鳴らして、新政府の評判を傷つけるだろうと警告したためだった。イギリスのねらいは日本を自由貿易に基づく安定した市場として発展させることにあり、東北諸藩の処分が発表されると、いち早く新政府を承認していたパークスは各国公使に働きかけて、一二月二八日、局外中立を解除させた。その結果、幕府が発注したアメリカの新鋭艦を新政府が入手し、箱館戦争の勝利を早めることができた。イギリス・フランス・アメリカは多くの軍艦を日本とその周辺に配備しており、戊辰戦争は列強の監視下に行なわれた戦争であったと、保谷徹《ほうやとおる》は指摘している。

しかし、「朝敵」藩はもちろん、「官軍」についた藩も、戦費の負担で財政は破《は》綻《たん》しかけていた。それだけではない。慶応四年二月、東征軍の編制にあたって海陸軍務局は、銃隊・砲隊以外は不要だと諸藩に通達した。騎馬武者姿の上層武士に出番はなく、各藩は新式ライフル銃と下士《かし》・足軽《あしがる》・農兵をかき集めて送り出すほかなかった。当然、凱旋《がいせん》した下層武士層は藩政改革を要求するようになる。さらに、鹿児島（薩摩《さつま》）藩主島津《しまづ》忠義《ただよし》、佐土《さど》原《はら》藩主島津忠寛《ただひろ》が藩兵を率いて出陣しようとすると、大総督府《だいそうとくふ》参謀の西《さい》

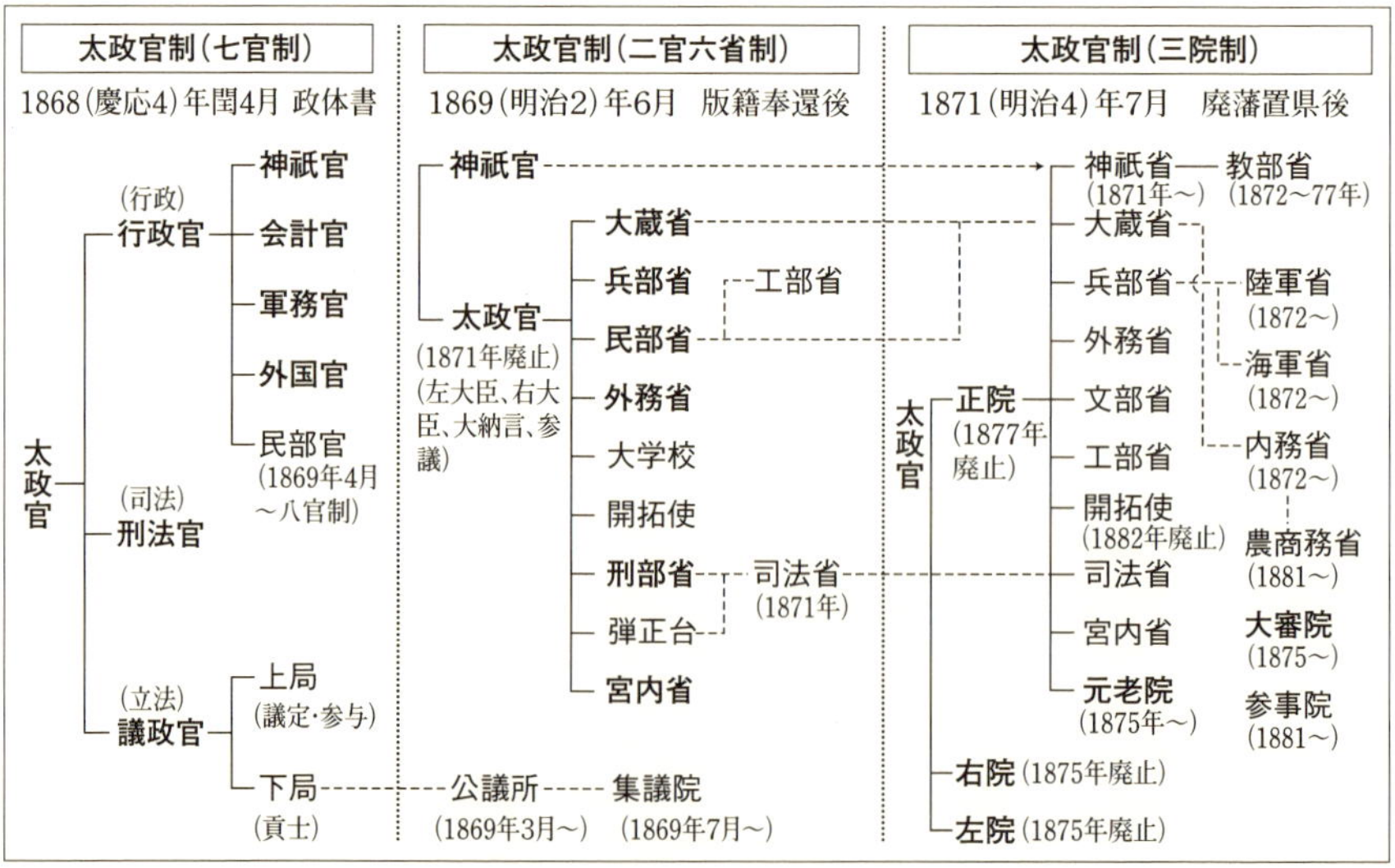

郷隆盛《ごうたかもり》が駆け付け、すでに授与されていた錦旗《きんき》を返還させた。〈兵馬の大権を朝廷に収むるは王政復古の主眼〉であり、雄藩の藩主が直接軍隊の指揮をとれば〈将来第二の幕府を生ずる虞《おそれ》〉があるとの判断からだった(『明治天皇紀』)。戊辰戦争の官軍は各藩ごとに行動したものの、東征大総督をはじめ上級指揮官には名目だけにせよ公家が就任しており、領主権の根源である軍令権さえ、いつのまにか否定されていたのである。一〇月には執政《しっせい》・参政《さんせい》・公議人《こうぎにん》の設置を定めた藩治職制《はんちしょくせい》が出されて、藩政の標準化も始まった。

にもかかわらず、明治二年(一八六九)一月に薩長土肥の四藩主が版籍《はんせき》(版図《はんと》と戸籍、つまり領土と領民)の返還を申し出てから実現するまでに、半年以上かかった。東幸によって政府機関が京都と東京に分散し統制がとれなかったこともあるが、長州・薩摩の国許《くにもと》にさえ、中央政府で活躍する大久保利通《おおくぼとしみち》・木戸らへの反発を交えた抵抗が根強かった。しかも、五月に行なわれた公議所の審議では、実質的な封建論《ほうけんろん》(藩の存続論)が約一一〇藩と半数以上を占め、郡県論《ぐんけんろん》(約一〇〇藩)の大半も知事(藩主)の世襲を要求した(『公議所日誌』)。公議所は政府の諸部門や諸藩から選ばれた公議人による審議機関で、天皇も版籍奉還を公議によって決定すると布告していたから、無視はできなかった。

結局、六月一七日、過半の藩主が申し出るのを待って、版籍奉還を〈聴許《ちょうきょ》〉した。天皇・政府の命令がただちに実行される状況ではなかったから、藩域の変更もなく、従来の藩主がそのまま知藩《ちはん》

◉太政官制の変遷
明治の太政官は古代の「だいじょうかん」と区別して、「だじょうかん」と呼ばれた。三院政については第三章を参照。明治一八年(一八八五)の内閣制発足で廃止された。

事《じ》に任命された。また、旧幕府領を中心とした政府直轄地のうち、東京・大阪・京都は府、その他の地域には県が置かれた（府藩県三治制）。

とはいえ、木戸の強い要求で藩主の世襲が実質的に禁止され、政府任命の地方官に近づいた。また、公卿《くぎよう》・大名の呼称を「華族」、藩士・公家を「士族」と「卒」（足軽・奉公人など）、百姓・町人を「平民」にまとめるなど、身分制の整理も進んだ（卒は明治五年に廃止）。さらに、明治三年の藩制で、藩主の家計（国高《くにだか》の一〇分の一）と藩財政を分離し、藩収入の四・五パーセントを海軍費として政府に納入する義務を課すなど、藩に対する統制がじわじわと強められた。

公議尊重のジレンマ

公議所《こうぎしよ》では森有礼《もりありのり》（議長代行）・神田孝平《かんだこうへい》（副議長）のもとで、切腹・帯刀・人身売買の禁止、賤民《せんみん》制の廃止、地租《ちそ》改正など、近代国家建設のための具体的な課題が議論された。在野からの建白書も取り上げられた。慶応《けいおう》四年（一八六八）三月の「五榜《ごぼう》の掲示」は、徒党《ととう》・強訴《ごうそ》の禁止、邪宗門《じやしゆうもん》禁止など江戸時代と変わらぬ禁制や外国人襲撃を禁じる一方で、第五札では〈皇国の御為〉になることは積極的に建白せよと呼びかけた。そのため、公議所は〈庶民に、政府を扶《たす》け、公明正大の政を施し行うべきの権をゆるされた〉もので、〈開化文明の一大改革〉と評価された（『もしほ草《ぐさ》』）。

政府はまた、戊辰《ぼしん》戦争開始直後の慶応四年二月に『太政官日誌《だじようかんにつし》』を刊行し、王政復古《おうせいふつこ》の布告、五《ご》箇条《かじよう》の誓文《せいもん》をはじめとする布告類や、のちには地方官の報告、質疑応答まで記載して広報に努めた。

新聞による「パブリック・オピニオン」〈世論〉の形成を力説した遣欧使節《けんおうしせつ》池田長発《いけだながおき》らの意見につながるものだが、じつは幕府も『官板《かんぱん》バタヒヤ新聞』『官板中外《ちゅうがい》新聞』などを発行していた。ただし、これらは阿蘭風説書《オランダふうせつがき》と同じく、「開化」のためにオランダ・中国の新聞に載った外国情報を翻訳・紹介したもので、幕府の考えを直接人民に周知させるといった発想はなかった。

これに対して、諸勢力の自発的協力を得るためにも、新政府は公論尊重の看板を下ろすわけにいかなかった。だが、政策全般にわたって、急進論の木戸《きど》孝允《たかよし》・伊藤《いとう》博文《ひろぶみ》らと漸進《ぜんしん》論の大久《おおく》保《ぼ》利通《としみち》・副島種臣《そえじまたねおみ》らの対立が目立ちはじめると、〈公議所など無用の論多く、未《いま》だ今日の御国体では適用〉できない（大久保の桂右衛門《かつらうえもん》宛《あて》書簡）と、公議所を危険視する声もあがりはじめる。諸藩の意向を尊重するかぎり権力集中は進まず、それでいて「国体」にかかわるような改革論の流布を容認せざるをえない。既成の権力に対する抵抗権を主張した革命派が、権力を握ると一転して「革命禁止」を命じるのはよくあることだが、公議尊重を幕府に突きつけていたときには気づかなかった難題に、新政府も直面しはじめたのである。

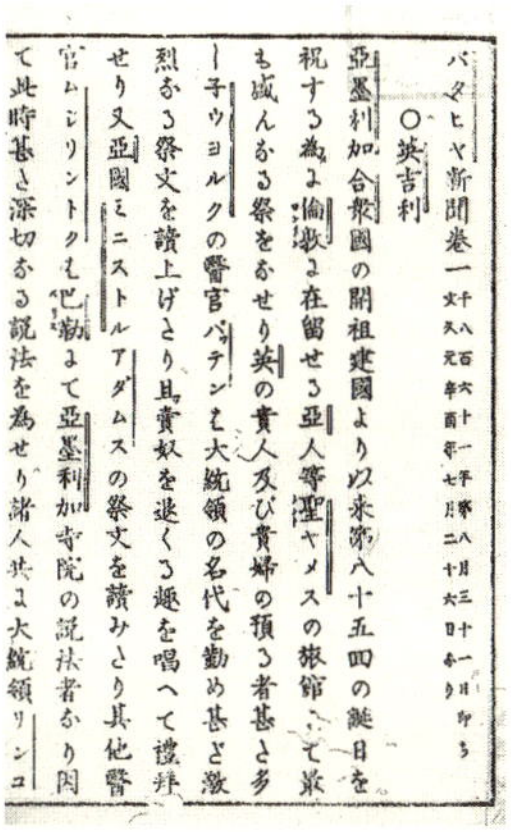
バタヒヤ新聞巻一　千八百六十一年第八月三十一日　文久元年酉年七月二十六日なり
○英吉利
亞墨利加合衆國の開祖建國より以来第八十五回の誕日を祝する爲に倫敦に在留せる亞人等聖ヤメスの旅館にて最も盛んなる祭をなせり英の貴人及び貴婦の預る者甚た多しニウヨルクの醫官バッテンは大統領の名代を勤め甚だ激烈なる祭文を讀上げたり且賣奴を退くる趣を唱へて禮拜せり又亞國ミニストルアダムスの祭文を讀みたり其他醫官ムヒリントクも已に勸めて亞墨利加寺院の説法者なり因て此時甚た深切なる説法を爲せり諸人共に大統領リンコ

7

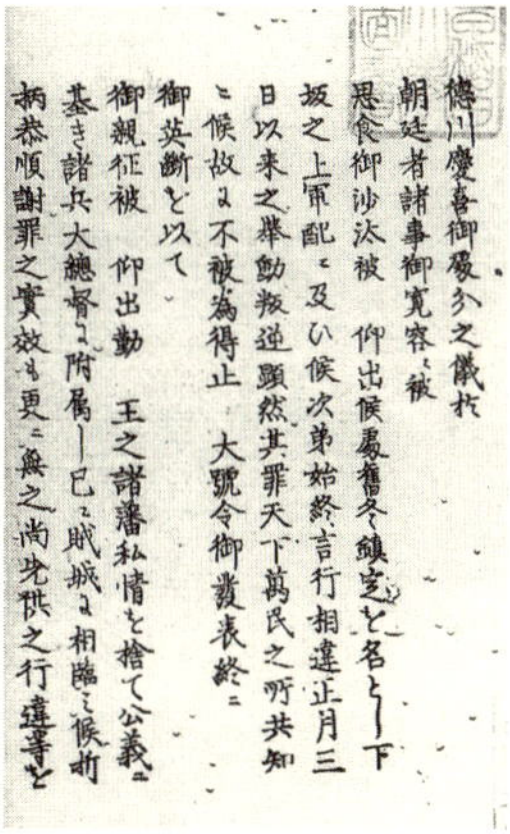
徳川慶喜御處分之儀於
朝廷者諸事御寛容ニ被
思食御沙汰被　仰出候處舊冬ゟ鎮定を名とし下
坂之上軍配ニ及ひ候次第始終言行相違正月三
日以来之擧動叛逆顯然其罪天下萬民之所共知
ニ候故ニ不被爲得止　大號令御發表終ニ
御英斷を以て
御親征被　仰出勤　王之諸藩私情を捨て公義ニ
基き諸兵大總督ニ附屬し已ニ賊城ニ相臨ミ候折
柄恭順謝罪之實效も更ニ無之尚兇拱之行違等を

8

◉『官板バタヒヤ新聞』(右)と『太政官日誌』
『官板バタヒヤ新聞』はバタビア（ジャカルタ）のオランダ政庁の機関紙を抄訳したもの。『太政官日誌』は明治一〇年まで刊行された。

対立と昏迷

版籍奉還《はんせきほうかん》後の明治二年（一八六九）七月、職員令が定められて中央政府でも本格的な機構改革が断行された。太政官《だじょうかん》のなかに、天皇を輔佐《ほさ》し大政を統理する左・右大臣と、大納言《だいなごん》・参議《さんぎ》が置かれた。いわば内閣である。太政官の下には民部《みんぶ》・大蔵《おおくら》・兵部《ひょうぶ》・刑部《ぎょうぶ》・宮内《くない》・外務《がいむ》の六省と開拓使などが置かれたが、公議所《こうぎしょ》は諮問機関に近い集議院《しゅうぎいん》に改組された。

しかし、制度・人事・政策がからみ合って、政府内部の対立はさらに複雑化した。薩長を代表する大久保利通《おおくぼとしみち》・木戸孝允《きどたかよし》が国許《くにもと》の批判などで参議からはずされたり、大蔵省を拠点とする木戸・大《おお》隈重信《くましげのぶ》・伊藤博文《いとうひろぶみ》ら開明派と、岩倉具視《いわくらともみ》・大久保・副島種臣《そえじまたねおみ》らの漸進《ぜんしん》派とが、あるときは藩閥的利害を超えて対立し、時には藩閥的利害を優先するなど、錯雑《さくざつ》した駆け引きを繰り返した。

最大の焦点は大蔵省をめぐる問題だった。関税収入がわずかで財政難の新政府は、太政官札《だじょうかんさつ》（金札）を四八〇〇万両《りょう》も発行したため額面どおりに通用せず、しかも、政府による万延《まんえん》二分判《ぶばん》の鋳造《ちゅうぞう》、諸藩による藩札《はんさつ》の乱発、悪貨鋳造、太政官札の偽造などがこれに輪をかけた。悪貨・贋貨《がんか》は外国人の手に渡ったぶんだけで三〇〇〇万両に達したといわれるが、各国から事あるごとに糾弾され、新政府の信頼性さえゆらいでいた。

それでも、外国官副知事として各国公使と折衝していた大隈が財政責任者になり、悪鋳と増刷を中止し、各地に設立した為替《かわせ》会社・通商会社に太政官札を貸し付けるなど強力な対策を打ち出すと、しだいに金札が額面どおりに流通しはじめた。しかし、諸藩の贋札・贋貨をやめさせなければ混乱は続く。廃藩置県《はいはんちけん》は通貨の面からも必要だった。

ところが、地方行政を管轄する民部省が新設された結果、租税徴収から産業育成に至る内政全般が大蔵省の手を離れた。そこで大隈・伊藤らは明治二年八月、両省の役職を兼任して強大な権限を確保すると、旧幕臣を含めて経済・技術に精通した人材を集め、電信線の敷設や郵便制度の開設、灯台の建設、外債による新橋―横浜間の鉄道敷設など、近代化のためのインフラ整備を推進した。そして、財源確保のため、租税を厳しく徴収するよう府県に命じた。

このため各地で一揆《いっき》・打ちこわしが続発し、地方官や大久保・副島などが批判を強めた。明治三年七月には、鹿児島（薩摩《さつま》）藩士横山正太郎《よこやましょうたろう》（森有礼《もりありのり》の兄）が集議院の門前に竹に挟んだ建白書を差し立て、征韓論《せいかんろん》批判のほか、大名屋敷を邸宅として豪勢な生活をしている大隈ら政府首脳の堕落や、人情を無視した苛酷《かこく》な施政に抗議して割腹自殺した。民部省と大蔵省はふたたび分離され、閏《うるう》一〇月には工部省《こうぶしょう》が新設されて、鉄道・電信・鉱山などの殖産興業部門も大蔵省から切り離された。しかし、政策や人事をめぐる抗争はおさまらなかった。

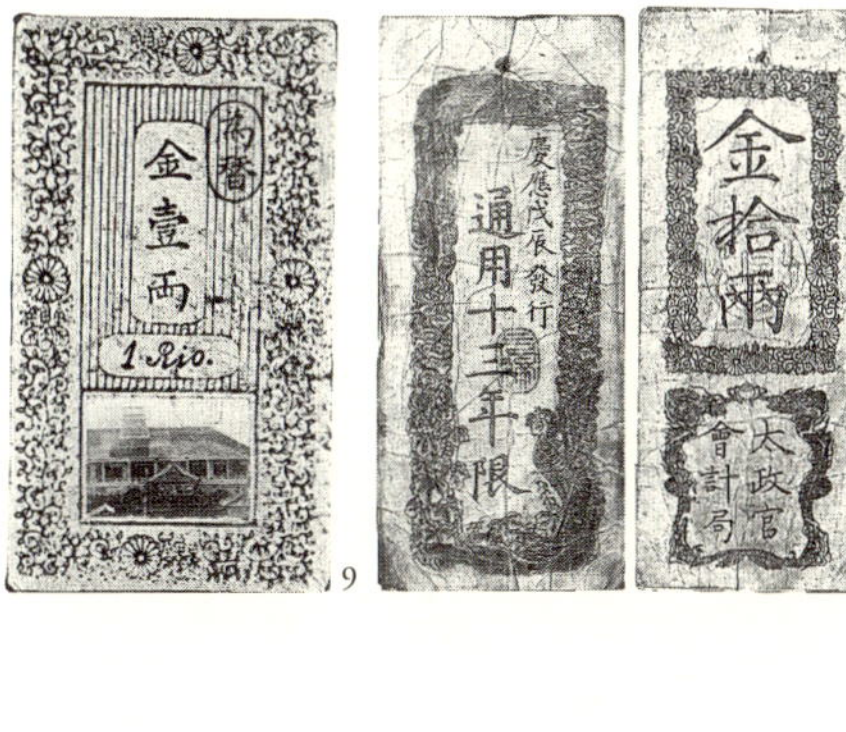

10 9

◉明治初年の紙幣
明治政府は太政官札（右二点はその表裏）を藩などに貸し付け、一三年で返済させた。府藩県も当初は紙幣の発行が認められた。神奈川県札（左）には県裁判所の写真が貼ってある。

廃藩置県の断行

もともと、幕府とほぼ同じ八〇〇万石《ごく》の直轄地（府県）だけで中央集権国家を運営するのは不可能であり、租税制度の統一や軍隊の一元化を実現するためにも、藩の廃止が不可欠だった。実際、山口藩では奇《き》兵隊《へいたい》など諸隊の整理をめぐって農商民兵士を中心に一八〇〇人が反乱を起こした（脱隊騒動）。また、鹿児島藩でも下級藩士と藩首脳との対立や中央集権化への不満が高まり、明治二年に帰藩した西郷隆盛《さいごうたかもり》は、その対応に追われた。日田《ひた》県（大分県）や松代《まつしろ》藩の大一揆では、一揆勢と脱隊兵士や尊攘派《そんじょうは》士族とのかかわりが取りざたされた。そのうえ、キリスト教容認を疑われた参与《さんよ》横井小《よこいしょう》楠《なん》（明治二年一月）、平民主体の徴兵軍創設をめざした兵部大輔《ひょうぶたいふ》大村益次《おおむらますじ》郎《ろう》（同年九月）、木戸《きど》孝允《たかよし》と並ぶ長州出身の参議広沢真臣《ひろさわさねおみ》（四年一月）と、政府要人がつぎつぎに暗殺された。しかも、政権内部にさえこれを支持する動きがあり、広沢暗殺犯はついに判明しなかった。

こうしたなか、政府を強化するには西郷を政府に参画させるほかないと判断した岩倉具視《いわくらともみ》らは、明治三年末、鹿児島に出かけて西郷を説得した。西郷は二一か条の「見込書《みこみしょ》」を提示し、政府高官の豪勢な暮らしぶりを非難するとともに、〈西洋各国を斟酌《しんしゃく》〉するのはよいが、〈外国の盛大を羨《うらや》み〉財力を顧みずに事業を興《おこ》せば国家は疲弊すると、木戸・大隈らを批判した。とはいえ、諸藩が〈兵威〉で朝廷を脅かすのは許しがたいと考える西郷は、鹿児島・山口・高知三藩による「御親兵《ごしんぺい》」の必要を認め、約八〇〇〇人の政府直属軍が創設された。これと並行して、反政府過激派の摘発や官員の罷免が始まり、明治四年三月には攘夷派華族の外山光輔《とやまみつすけ》・愛宕通旭《おたぎみちてる》を中心とした大がかりな陰謀が摘発され、四月には朝鮮出兵を画策した外務省の丸山作楽《まるやまさくら》らも逮捕された。大量の贋札をつくった福岡藩の知藩事《ちはんじ》も罷免された。

新府県の誕生（廃藩置県）

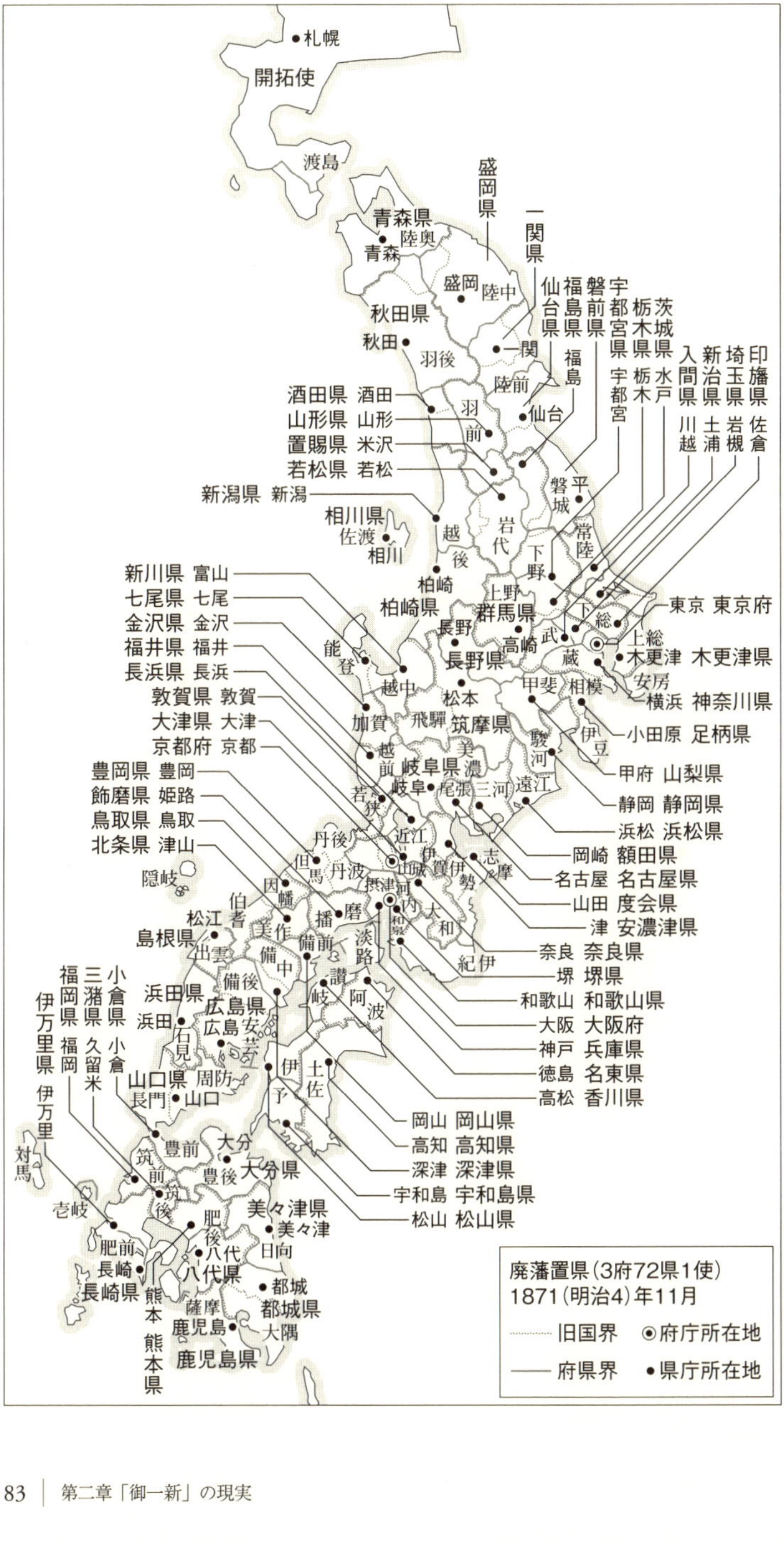

他方、吉井《よしい》・盛岡《もりおか》・長岡《ながおか》・多度津《たどつ》・徳山《とくやま》・津和野《つわの》など、財政難から廃藩を願い出る動きも目立ちはじめた。高崎《たかさき》藩のように、若い藩主が軍の近代化や英学校の設立など開明的な改革をめざしたものの、乱発しすぎた藩札は流通せず、農民一揆に加えて、藩営の生糸売込問屋《きいとうりこみといや》「高崎屋益太郎《たかさきやますたろう》商店」の放漫経営で大赤字を抱えたところもあった。さらに、高知をはじめ熊本・米沢・徳島・福井などの諸藩は、諸藩会議で廃藩を実現し、平民からの人材登用、議院開設などを推進するといった構想を打ち出し、相互に連携をとりながら積極的に動きはじめた。

新政府は内部対立に加えて、民衆の一揆、士族反対派、そして「公議」による改革を迫る非薩長勢力の三方向から攻められる形になったわけだ。しかも、財政難で親兵の維持費すらなかった。危機感を強めた兵部省では、明治四年七月六日、山県有朋《やまがたありとも》が西郷を訪ねて、兵権の政府掌握と廃藩の急務を説いた。そして、「それはよろしい」という西郷のひとことで一気に局面が動き、木戸・大久保も決意を固めた。薩長からの自立を求める岩倉も歓迎した。

七月一四日、天皇は鹿児島・山口・佐賀・高知など有力藩主の労をねぎらったうえで、在京の藩主を呼び出して知藩事の免官を言い渡した。西郷・木戸・大久保らが秘密裏に工作し、当日まで高知藩にも知らせなかったから、翌日の政府会議は紛糾した。しかし、〈もし各藩にて異議等起こり候《そうら》わば、兵を以《もっ》て撃ち潰《つぶ》しますの外《ほか》ありません〉という西郷の一喝で決着した。まことに「西郷おそるべし」というほかない。今回も最後は武力〔恫喝《どうかつ》〕で決着がついたわけだが、同時に、ともかくも諸藩主が承諾したという形をつくったうえに、維新の最大の功労者でありながら政府から距離を置き、中央集権化と開化政策に批判的だった西郷が前面に出たからこそ、大きな混乱なしに廃藩が実現できたといえるだろう。

太政官はキリシタン

提灯の恩と月日の恩

明治元年（一八六八）一〇月、京都府は『人民告諭大意《じんみんこくゆたいい》』という冊子を配布し、〈童幼婦女に至る迄《まで》、精々教諭〉するようにと命じた。告諭はまず、わが〈神州〉の人民は〈下民の血統〉、つまり神の子孫である天皇につねに統治される存在であり、支配者が交替する外国と違って上下の恩義も深い、人民はそのご恩に報いねばならないと諭した。人民は納得するだろうか。それは役人にもわかっていた。だから、布告はこう熱弁をふるった。

人民のなかには、天子様から〈一銭の御救いに預かりし事もなく、一点の御厄介《ごやっかい》に成りし事もなく、我が働きにて我が世を渡〉ってきたと思う者もいるだろう。だが、〈それは大いなる心得違い〉

だ。この国は天子様のもので、〈生まれ落ちれば天子様の水にて洗い上げられ、死すれば天子様の土地に葬られ、食う米も衣《き》る衣類も笠《かさ》も杖《つえ》も〉、みんな天子様の土地にできた物であり、人民が安穏に生活できるようにと役所をつくり、〈民安かれと朝な夕な〉に祈ってくださる。〈実にありがたき事ならずや〉。それなのにご恩を感じないのは、〈挑灯《ちょうちん》かりし恩は知れども、月日の照らし給う恩はしらぬ〉という諺《ことわざ》のとおり、闇夜に提《ちょう》灯《ちん》を借りれば恩義を感じるが、太陽や月のようにいつもあるものに有難味《ありがたみ》を感じないのと同じなのだ。

こうした告諭類はいくつもの府県から出されたが、翌年二月、政府はこの告諭を全国の府県藩で印刷・配布するよう命じた。提灯の諺が気に入ったのだろう。江戸時代にも将軍・藩主のご国恩に感謝せよといわれていたから、「国恩」の観念はある程度浸透していた。しかし、お膝元《ひざもと》の京都の庶民ですら天皇のご厄介になった覚えのないことを、この告諭は示していた。

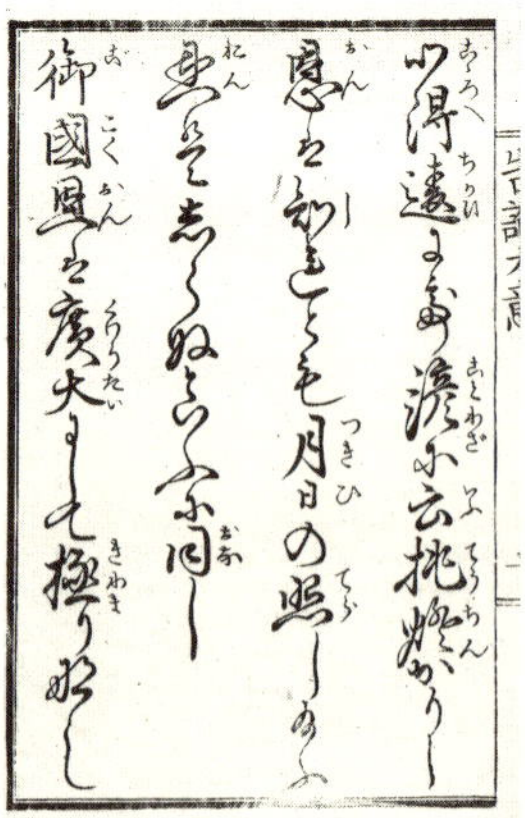

◉『京都府下人民告諭大意』京都府が配布した小冊子。左は「挑灯《ちょうちん》」の諺の部分。大きな文字とふりがなが、啓蒙《けいもう》の意欲のほどを示す。

政事は野郎共仕事

それでは、「御一新《ごいっしん》」は民衆の生活に何をもたらしただろうか。

明治二年（一八六九）は長雨と冷夏のために天保《てんぽう》以来といわれる凶作で、年貢の半減や全免を余儀なくされる藩が多かった。ところが、政府直轄の府県は違った。たとえば、日光《にっこう》県役所に年貢減免を嘆願した梁田《やなだ》郡の農民惣代《そうだい》は、その場で捕縛《ほばく》されたばかりか薬の差し入れまで禁じられ、つぎつぎに牢死《ろうし》させられた。〈御一新の御政事《ごせいじ》向きと申すは、第一、上にては歎願《たんがん》は一切用いられず、次にこれまで用い来たり（し）持薬の儀も一切成らず、また見舞い等の儀も出来〉ず、〈実に御役《おやく》の事は〈野郎共仕事〉というほかないと農民は歯がみした（『栃木県史』）。

また、江戸近郊の品川《しながわ》県は、大井《おおい》にビール工場を建てるなど意欲的な施策を行なう一方で、凶作の明治二年に社倉米《しゃそうまい》を取り立てた。これまで貯穀は富裕者の責務だったのに、地味が悪く「養料《やしないりょう》」を下付されてきた新田《しんでん》や貧農にまで課したから、武蔵野《むさしの》新田一二か村の農民は日本橋浜町《にほんばしはまちょう》の県庁（といっても武家屋敷である）に押しかけた。彼らは屋敷内に立ち入らず門訴《もんそ》（嘆願）の形を守ったため、「御門訴《ごもんそ》事件」と呼ばれる。結局、社倉米は減額されたものの、名主ら八人が拷問死《ごうもんし》・牢死《ろうし》するなど、大きな犠牲を払わされた。

割り当てられた太政官札《だじょうかんさつ》と引き替えに上納した貨幣が、贋金だったとして差し戻されることもあった。戻された貨幣が自分たちの納入した貨幣かどうかは確認のしようがない。破断処理で使うこともできず、かわりの正貨を納めねばならない。憤慨した農民たちの抗議が各地で噴出した。そのほか、名主《なぬし》の任免、藩札の押しつけ、豪農商の買い占め、神仏分離（後述）などいくつもの問題が重なって、明治二年には岐阜・大分・長野・富山・三重などでそれぞれ一万人を超える大一揆となり、その後も愛媛・岩手・宮城・長野・福島などで大きな騒動・打ちこわしが起きた。

ちなみに、日光《にっこう》県知事は元佐賀《さが》藩家老の鍋島幹《なべしまみき》、品川県知事は、江藤《えとう》新平《しんぺい》・大木《おおき》民平《たみへい》（喬任《たかとう》）と並んで「佐賀の三平」といわれた古賀《こが》一平《いっぺい》（定雄《さだお》）である。古賀はたとえ新田地域が野原になろうと県の規則は守らせると断言した。じつは、民部《みんぶ》兼大蔵大輔《おおくらたいふ》（次官）の大隈重信《おおくましげのぶ》も、甲州騒動の取り調べに派遣する官員に、〈千人迄は殺すも咎《とが》めざるべし〉と言い渡した（塩谷良翰《しおのやりょうかん》「回顧録」）。

幕末の佐賀藩は、戊辰《ぼしん》戦争で大活躍したアームストロング砲の自力製造をはじめ、銃砲・艦船など最新の武器・技術を提供した功績で維新政府の一角を占めた。また、天保《てんぽう》期（一八三〇～四四）に地主の小作料徴収を禁じた均田《きんでん》制度で知られる。だがその半面で、勤倹の奨励、歌舞音《かぶおん》曲《ぎょく》の禁止など、農民の日常生活を厳しく統制し、反抗には厳罰で臨んだ。しかも、いまや旧幕府領の占領軍である。こうした近代性と強圧性を併せもつ統治姿勢は、明治政府の文明開化政策のなかでいっそう鮮明になっていく。

11

◉佐賀藩の蒸気車雛形

安政《あんせい》二年（一八五五）、佐賀藩に招かれた田《た》中久重《なかひさしげ》が、ロシア船で見た模型をもとに制作し、藩主の前で走らせた。久重は「からくり儀《ぎ》右衛《え》門《もん》」の名で知られた細工師で、のちに芝浦製作所を設立する。

庄屋批判と入札要求

さらに、藩と村の中間にあって地域支配の要《かなめ》となってきた惣名主《そうなぬし》・郷庄屋《ごうしょうや》（割元《わりもと》・割庄屋など地域で名称は異なる）への攻撃や、名主《なぬし》・庄屋の公選要求が目立ったのも、この時期の特徴である。たとえば、旧長岡《ながおか》藩領栃尾《とちお》郷では、新政府の役人が割元を全庄屋の入札《いれふだ》（投票）で選ぶ慣行を無視したため、庄屋層の反発を招いた。だが、これを機に、一般農民が庄屋の不正糾弾、帳簿公開などを要求する「藤七騒動《とうしちそうどう》」となり、庄屋を村民の入札で選ぶことを認めさせた。江戸時代後期には名主以外の村役人《むらやくにん》を入札で選出することが一般化しており、関東の幕府領などでは名主もおおむね入札制になっていた。国家権力の交替という状況を背景に、藩の支配が強かったところでも、家柄や慣例に依存してきた地域の秩序が、大きく揺り動かされはじめたのである。

もっとも、入札は一揆《いっき》民衆の「専売」ではなかった。備後国福山《びんごのくにふくやま》藩は明治二年、〈博《ひろ》く公議を興《おこ》し下情御採択〉すべしとの〈朝意〉を根拠に、上局（藩士）と下局（郡市《ぐんし》惣代《そうだい》）からなる公議局を設置し、下局議員一〇名を身分にかかわらず入札選挙で選出した。実際には、藩への献金で士分格を得ていたような豪農商が選ばれたから、真の住民惣代とはいえない。それでも、これをきっかけにして安那《あんな》郡栗根《くりね》村では代議人会議が開かれ、二二二名の投票で九名が選ばれた。きわめてまれな事例とはいえ、新政府の公議尊重宣言が藩議会の設置と惣代の選出につながり、村代議人の入札にまで及んだことは「御一新」の一面として見落とせない。

このほか、広島・岡山・島根・愛媛・香川など、西日本では廃藩置県で東京に移住する藩主を引き留める大規模な騒動が起きた。江戸時代の領地替えでも引留《ひきとめ》一揆はあったが、広島では「太政官《だじょうかん》は異人が牛耳《ぎゅうじ》っている」「割庄屋は『耶蘇《ヤソ》の秘仏』を収めた箱を渡され太政官の手先になった」「戸籍調べや牛馬調査は娘や牛馬を異人に渡す準備だ」「年貢が重くなる」といったうわさが流れ、数万の農民が城下に押しかけた。ところが、城内に掲げた菊の紋章を藩主浅野《あさの》家の鷹羽紋《たかばもん》に変えると、彼らは一転して庄屋や御用商人、とくに藩と結びついた割庄屋を打ちこわし、諸帳簿や郷倉《ごうぐら》の引き渡しを要求した。その波動は隣の福山《ふくやま》に広がり、下局議員のメンバーも無事ではすまなかった。一揆で死罪になった九人のひとり、世羅《せら》郡の岩太郎《いわたろう》は、〈お上より　流るる川は　清けれど　中でませるで　下が濁れる〉と辞世を詠んだといわれる。この騒動は藩主引き留めを契機にしながらも、ほかの地域と同じく、豪農商・割庄屋などに対する根深い不満があったからこそ、沈静化に二か月近くもかかったように思われる。

神仏分離の衝撃

それにしても、新政府が〈異人〉や〈耶蘇《ヤソ》〉と結びついたのはなぜか。官員の洋風スタイルや西洋との交易、そして、これまでと異質な国家権力に対する漠然とした不安など、さまざまな要因が重なり合っていたが、ここでは神仏分離政策の影響を重視したい。

江戸時代の寺請制《てらうけせい》のもとでは仏教が国教であり、神社・神官も寺院・僧侶の管理下に置かれた。天照大神《あまてらすおおみかみ》の本地仏《ほんじぶつ》は大日如来《だいにちにょらい》とされるなど、教義のうえでも神々は仏の化身と見なされ、朝廷の即位儀礼でも、天皇は印《いん》を結び真言《しんごん》を心で唱えながら高御座《たかみくら》に昇り、大日如来と一体化したという。また、鎌倉《かまくら》の鶴岡八幡宮《つるがおかはちまんぐう》は「鶴岡山」「八幡宮寺」の額を掲げ、仁王《におう》門・鐘楼《しょうろう》・護摩堂《ごまどう》などが立ち並び、阿弥陀《あみだ》如来・聖観音菩薩《しょうかんのんぼさつ》・勢至《せいし》菩薩を祀《まつ》っていた。

これに対して国学《こくがく》の平田篤胤《ひらたあつたね》や水戸《みと》学《がく》の藤田東湖《ふじたとうこ》らは、仏教はインドの神を信じる外来宗教であり、キリスト教に対抗するには「祭政一致」すなわち天孫降臨《てんそんこうりん》神話に基づく天皇の親政と神道の国教化しかないと主張した。会沢正志斎《あいざわせいしさい》『新論《しんろん》』も、僧侶が地獄・極楽などと愚民《ぐみん》をあざむき、金銭を巻き上げて華美な寺院を建てていると非難した。そして、天皇が天照大神を祀り、藩主らがその土地の神を祀り、村は産土神《うぶすながみ》を祀るという「神々のピラミッド」をつくれば、〈天下の神《じん》祇《ぎ》（神々）は、皆天皇の誠意の及ぶところ〉となり、〈心を一に〉した国家が実現できると力説した。

すでに水戸藩・萩《はぎ》藩（長州藩）などでは天保《てんぽう》期（一八三〇〜四四）に寺社の「整理」、一村一鎮守社制などが行なわれており、新政府は制度面でも太政官の上に神祇官を置いて神殿を設置し、神道の国教化を全国規模で実行しようとしたのである。とくに標的とされたのは、権現《ごんげん》・八《はち》幡《まん》・金毘羅《こんぴら》・水天《すいてん》などの名称をもつ習合寺社や、白蛇など「得体の知れないご神体」を祀る神社、念仏堂などの小堂宇《どうう》、道端の石仏などだっ

12

◉解体される鶴岡八幡宮寺の仏閣群　右側の大塔の相輪《そうりん》がはずされ、奥の建物には梯子《はしご》がかけられている。明治三年の撮影。（『ザ・ファー・イースト』一八七〇年）

た。いわば神道原理主義であり、仏教伝来以前に戻るという意味で復古神道と呼ばれる。

実際、慶応《けいおう》四年（一八六八）三月に神仏判然令《しんぶつはんぜんれい》が出されると、廃仏毀釈《はいぶつきしやく》と呼ばれる破壊活動が各地で展開された。比叡山延暦寺《ひえいざんえんりやくじ》の日吉《ひえ》山王権現《さんのうごんげん》（日吉神社）では、膨大な仏像・仏具・教典などが破壊・焼却された。権勢を誇った藤原《ふじわら》氏一族の氏寺だった奈良の興福寺《こうふくじ》では、春日《かすが》神社が独立し、堂塔・伽藍《がらん》・五重塔以外はすべて破壊された。現在の奈良公園はその跡地である。

廃仏毀釈の激しさに驚いた政府は、神仏の「分離」であって「破仏」ではないと布告したが、その後も破壊は続き、京都の石清水《いわしみず》八幡宮、讃岐《さぬき》の金毘羅《こんぴら》大権現、相模《さがみ》の江島弁財天《えのしまべんざいてん》などでも「浄化」が強行された。

とくに、復古神道派が実権を握った府県や藩では、権力を使っての廃仏・廃寺が推し進められた。富山では「一派一寺」と称して一六〇〇を超える寺院が六寺に統合された。これほど大がかりでなくとも、多くの地方で住職のいない寺が壊され、道祖神《どうそじん》や地蔵《じぞう》などが打ち砕かれた。松本《まつもと》藩のように葬儀を神葬祭に変えさせて檀家《だんか》をなくし、廃寺に追い込んだところもあった。さらに、

13

●廃仏毀釈の図
神官の指揮で経文などを焼いている。鶴岡八幡宮寺のように、僧侶が神官に転じて破却を進めたところもある。（『開化の入口』）

寺社の土地は境内を除いて官有地化された。檀家や小作地を失った寺院は経済的にも困窮し、宝物・什器《じゅうき》を持って逃亡する住職も現われた。廃寺の跡地は士族授産の用地にされたから、そのために廃寺を実行した藩もあった。鎌倉の大仏も青銅のかたまりになりかかり、京都では寺院の仏具類をもとに四条大橋《しじょうおおはし》が鋳造《ちゅうぞう》された。

宮中の祭儀も激変した。仏教的行事は廃止され、孝明《こうめい》天皇の三年忌も神式になった。孝明天皇の魂もさぞ驚いたことだろう。宮中の御黒戸《おくろど》にあった歴代天皇・皇族の位牌《いはい》も、明治六年に菩提寺《ぼだいじ》だった泉涌寺《せんにゅうじ》へ移された。

だが、神仏習合とされた金毘羅はサンスクリット語のクンピーラが語源で、ヒンズー教から仏教の一二神将のひとつになった。水天は古代イラン・インドの最高神ヴァルナを仏教が取り入れたもの、鳥居《とりい》も中国仏教の華表《かひょう》やインドのトラナに由来するといわれる。何が「仏教的」「日本固有」かは決して自明ではない。にもかかわらず、当時の国学者・神道家の通念でそれらが取捨され、現在の寺社の姿に改変されたことになる。

明治四年（一八七一）五月には、伊勢神宮を頂点に、官・国幣社―府藩県社―郷社―村社（産土社《うぶすな》）という神社の序列がつくられるとともに、〈神社の儀は国家の宗祀にして一人一家の私有すべきに非《あら》〉ずとして、神官の世襲が禁じられた。寺院から分離独立した神社は、さらに地域から切り離され、国家の管理下に置かれたわけだ。一〇月には宗門人別帳《しゅうもんにんべつちょう》（寺請《てらうけ》制度）も廃止され、住民は村社に登録されることになった。御一新は復古神道による宗教革命でもあったのだ。

キリシタンの陰謀

神仏分離は、民衆の日常生活に根を下ろしていた信心世界を大きく揺さぶるものだった。むろん、何かにつけて布施《ふせ》を強要する僧侶への不満は根強く、つぎのような「廃仏毀釈くどき」も流布していた。

> 御一新とて世も改まり、おそれ多くも天子の御代に…布施を貪《むさぼ》り、檀家をいじめ、肉を食ろうて女を犯し、売《まい》すぼうず（堕落僧）の引導よりも、千有余年のむかしに戻り、神の伝えし神葬祭に、なればこころも高天原《たかまがはら》と…
>
> （『新編埼玉県史』）

しかし、極楽往生《ごくらくおうじょう》を願って日々手を合わせていた庶民は、途方に暮れるほかなかっただろう。秋田では、〈今般御一新に付《つき》、地獄極楽廃され〉たので、〈不便ながら…死に申す間敷《まじ》き事〉と、廃仏を揶揄《やゆ》する刷り物がまかれた。鶴岡八幡宮を訪れたオーストリア外交官のヒューブナーは、〈我々は円柱の残骸《ざんがい》や、贅沢《ぜいたく》に彫刻・漆《うるし》塗り・金箔《きんぱく》が施された柱や、損壊を被った仏像、粉々になった燭台などが乱雑に積み上げられているのを目にした。これでは人びとの絶望のほども理解できるというものだ〉と驚いている。

大和国《やまとのくに》の高瀬《たかせ》道常《みちつね》は、〈万国え対立、神国を押し立て、日本系図改め也〉、つまり、日本国の系図を「神国」に切り替えることで欧米と張り合おうとしていると、神道化政策の意図を的確に把握した。そのうえで、しかし、いま仏法を破滅させれば神道もつぶれる。政府はキリスト教を広め、日本を外国に売り渡すつもりかと危惧《きぐ》している。おまけに、府県や藩が雇った外国人の容姿とブランデー・赤ワインが結びついて、「西洋人は血を飲む」といった流言も各地に流れていた。赤ら顔・縮れ毛・ひげといった酒呑童子《しゅてんどうじ》の物語からの連想といわれるが、〈日本人の想像と記憶から、酔った水夫がほんものの酒呑童子に見えるのは当然である〉とお雇い外国人のグリフィスも認めている。

　したがって、キリシタン禁制と結びついた寺請制のなかで暮らしてきた人びとが、神道《しんとう》原理主義による廃仏政策をキリシタンのしわざと受け止めたり、住民を苛酷《かこく》に扱うのは太政官《だじょうかん》政府を外国人が牛耳《ぎゅうじ》っているからだと疑ったとしても不思議はなかった。

　それだけではない。神社整理と廃藩を機に騒動になった松山では、〈今の御后は昔《むか》し咄《ばな》しの玉藻前《たまものまえ》と云う人に類し、毎日数升の生血を吸い、これに供する為、追々我等の生年月日を調べ〉ているのだという浮言《ふげん》さえ生まれた（『辛未《しんび》久《く》万山《まやま》動揺略記』）。玉藻前は謡曲や歌舞伎《かぶき》の『殺生石《せっしょうせき》』で知られる九尾の狐の化身で、酒呑童子・崇徳《すとく》天皇と並ぶ日本三大妖怪のひ

14

●ギメ東洋美術館日本室
フランス人実業家ギメは東洋の美術品を大量に収集し、一八八九年、パリに美術館を開設した。日本からも多くの仏教美術が流出している。

とつである。太政官はこうした妖怪の住処《すみか》ともみられたのだ。そして、宮崎地方では廃藩後に県政を握った鹿児島士族によって徹底した廃仏が実行され、天照大神《あまてらすおおみかみ》の孫ニニギノミコトが高千穂《たかちほ》峰に降り立ち、その曾孫が神武《じんむ》天皇になったという「天孫降臨の地」への改変が推し進められた。住民が旧藩主を引き留めたくなるのも無理はなかった。

ただし、流言は自然発生的とは限らない。戊辰《ぼしん》戦争が本格化した慶応《けいおう》四年（一八六八）六月、新政府は本願寺《ほんがんじ》などに北越門徒《ほくえつもんと》の〈安撫《あんぶ》〉を命じたが、そのきっかけは岩倉具視《いわくらともみ》が入手し、『もしほ草《ぐさ》』などの新聞にも掲載された「賊徒《ぞくと》の檄文《げきぶん》」だった。

もとより薩長は仏法に信仰これなく、ことさら浄土真宗を誹謗《ひぼう》いたし、異国人より切支丹《キリシタン》邪法をうけつぎ候《そうろう》仏敵にまぎれこれなく…門徒中、心を合わせ仏敵と見かけ候はば二念なく打ち取り申すべし。

（『岩倉公実記』）

浄土真宗は神仏習合《しんぶつしゅうごう》を否定し、家に神棚もつくらなかった。神仏分離は認めても、神道の強制を受け入れるわけにはいかない。そのうえ、浄土真宗の布教をいっさい禁じてきた薩摩藩は、幕末に一〇六六の全仏教寺院を廃絶し、「隠れ念仏」信者をあらためて摘発、処罰した。だから、真宗の指導者は政府の神道強制に抗議しつづけたし、三河《みかわ》国碧海《あおみ》郡では「護法一揆《ごほういっき》」（大浜《おおはま》騒動）も起きた。菊間《きくま》藩による寺院合併と神前祝詞《しんぜんのりと》の強制を機に、真宗の僧侶が「ヤソ退治」を呼びかけると大勢の信者が集まり、説諭にきた藩役人を殺害したのだ。しかも、のちに憲法発布で大赦になると、東本願寺は死刑になった僧侶・信者を〈護法扶宗の志士〉として追賞した。藩主引き留め一揆の起きた地域に真宗信者が多かったのも確かである。

とはいえ、神官・国学者も開化政策を「キリシタン」と結びつけて非難していた。つまり、開明派の近代化政策と復古神道派の神道国教化政策のどちらもが「キリシタン」と見なされたのだ。占領軍のような態度で民衆を抑圧し、凶作でも年貢を軽減せず、そのうえ生きる拠所《よりどころ》である信心世界まで破壊する――これが「御一新」の現実、少なくともその重要な一面であり、ここに近代天皇制の特質を見てとることもできるだろう。そして、多くの民衆は、変革期ゆえの期待や不安、怒りなどがない交《ま》ぜになった思いを胸に、時には御門訴《ごもんそ》事件の農民のように、〈べらぼうな、この凶作を知らぬいか〉〈それでも寄こせと言うなら立ち退《の》くから勝手にしろ〉などと悪口を浴びせながら、精いっぱい自分たちの生活を守ろうとしていたのである。

15

◉大浜騒動
菊間藩役人と僧侶との談判が開かれた村の寺院に殺到した群衆。寺では撞木《しゅもく》の綱を切ったが、群衆は鐘を鳴らして気勢をあげ、逃げ遅れた役人ひとりが殺された。（田中長嶺《たなかながね》『殉教絵詞《じゅんきょうえことば》』）

コラム2

万国公法のリアリティー

欧米列強の駐日外交官は、事あるごとに国際法を盾にしつつ、最後は武力で脅《おど》して幕府を責め立てた。だが、そうした高圧的な手法に対して、列強の本国で批判がなかったわけではない。たとえば、アメリカ公使ハリスは小判とドルの交換を利用した蓄財で、帰国後は名誉を失った。薩英《さつえい》戦争についても、イギリス本国では、クーパー提督が故意に市街地を砲撃・全焼させ、民間人の生命財産を危険に陥れたのは、文明に反する残虐行為であるといった批判がまきおこった。皆村《みなむら》武一《たけいち》によれば、自由党のグラッドストーン内閣は、砲撃はラッセル外務大臣の訓令に基づくもので、武力の圧力なしに日本との自由な交易は不可能だと主張した。武力占領、植民地拡大には消極的だが、低関税と治外法権によるイギリスの自由な経済活動を阻害するものは、武力によって排除するという、自由貿易帝国主義の論理である。しかし、一八六四年二月、議論の末にイギリス下院は、クーパー提督の逸脱を批判し、政府が謝罪を表明すべきだという決議案を採択した。

この年に横浜鎖港《さこう》問題でフランスに滞在した外国奉行の池田《いけだ》長発《ながおき》も、生麦《なまむぎ》事件の償金は〈過当非分〉だと批判する意見があることに言及し、駐日公使が〈自己の功利〉のために勝手な要求を突きつけてくることを阻止するためにも、幕府は西欧諸国に公使を駐在させ、新聞を利用して西欧の世論に訴えるべきだと提言している（「横浜鎖港談判使節上申書」）。

また、文久《ぶんきゅう》二年（一八六二）、幕府使節団に参加してロンドンに着いた福沢諭吉《ふくざわゆきち》は、増上寺《ぞうじょうじ》境内に騎馬のまま乗りこむといった、英国公使オールコックの傲慢《ごうまん》な姿勢を批判する建言書がイギリス議会に出されたことを知って、〈なるほど世界は鬼ばかりでない〉、西欧の〈公明正大〉さに感激したと『福翁自伝《ふくおうじでん》』に書いている。

◉パリの池田長発
はやくから秀才といわれ、二七歳で外国奉行、使節団正使となり、多くの書物を持ち帰った。帰国後、蟄居《ちっきょ》を命じられ（34ページ参照）、維新後は岡山で過ごした。

松沢弘陽《まつざわひろあき》によれば、この建言書を出したジョージ・クローシェは大鉄鋼業者として世界各地で取り引きをするかたわら、アヘン戦争をはじめとするイギリスの砲艦外交を厳しく批判するForeign Affairs Committee（外交問題委員会）運動の推進者だった。そして、国家から自立した自発的結社の活動によって、世論を喚起し、政府の権力主義をチェックできると実感したことで、福沢は「文明化」への確信と啓蒙《けいもう》への強い意欲をもつことができたのではないかと、松沢は指摘している。

欧米諸国の開明性に衝撃と感銘を受けたのは、幕府関係者だけではなかった。薩摩藩留学生の五代友厚《ごだいともあつ》も、公正に有能な人材を抜擢《ばってき》し、病院・貧窮院・養育院などの〈仁政〉を実現していると、高く評価する手紙を国許《くにもと》に送っている（『五代友厚伝記資料』）。

しかし同時に、西欧文明に感激した日本人の多くは、帰国の途中、インド・シンガポール・香港などに寄港するたびに植民地支配の実態を知らされ、国家的自立を優先する「愛国者」になった。さらに、幕府使節の池田長発は、西欧各国が〈互いに虚隙《きょげき》を伺い併呑《へいどん》の念慮《ねんりょ》〉をたくましくしており、数年のうちに〈大乱〉が起こるだろうと予測していた。実際、一八七〇年には普仏《ふふつ》戦争が起こり、中央アジアや東南アジアでも領土拡張をめぐる列強の対立が激化する。そして、クーパー提督を批判したイギリス議会でも、日英通商条約の不平等条項改定を求めた決議は上院で否決され、やがて、イギリスは明治政府の条約改正交渉の難敵になっていく。

第三章

自立と競争の時代

1

集権化と均質化

留守政府の発足

今日《こんにち》のままで瓦解《がかい》するよりは、大英断に出て瓦解するほうがましだ――明治四年（一八七一）七月一四日の廃藩置県《はいはんちけん》は、大久保利通《おおくぼとしみち》がこう日記に書きつけたほどの大事業のはずだった。しかし、民衆蜂起《ほうき》のきっかけにはなったものの、深刻な政治危機は起こらなかった。七月二九日の太政官制《だじょうかんせい》改定によって大臣・参議《さんぎ》で構成する正院《せいいん》、各省高官の協議機関である右院《ういん》、審議機関の左院《さいん》が設置され、太政官の上にあった神祇官《じんぎかん》が神祇省に再編された。一一月には三府三〇二県が三府七二県に統合された。王政復古《おうせいふっこ》から四年、中央集権的な国家体制の枠組みが、ともかくできあがった。

さて、それではどのような国家をつくるのか。権力の奪取・維持に奔走し、廃藩はもっと先だと考えていた大久保らは、突然、これまでと次元を異にする難題に直面した。最初に使節派遣を提起した大隈重信《おおくましげのぶ》を押しのけて、岩倉具視《いわくらともみ》・大久保らが米欧巡遊使節団に参加し、結局、政府首脳の半分が一年一〇か月もかけて米欧一二か国を視察するという、世界に類のない事態になった背景には、政府瓦解の恐れが当面なくなった安心感と、体系的で具体的な国家ビジョンの欠落に気づいたがゆえの焦りがあったといえよう。

◉違式詿違条例の絵解き
現在の軽犯罪法にあたり、府県ごとに制定（図は東京府のもの）。女性の断髪、立ち小便をはじめ、衛生・交通・争論などを規制した。（「違式詿違《いしきかいい》新例五十五條図解」明治五年）　前ページ図版しかし、西郷隆盛《さいごうたかもり》を筆頭参議に担いだ留守政府は、巡遊使節団への対抗意識もあってか、井上《いのうえ》馨《かおる》・山県有朋《やまがたありとも》・江藤新平《えとうしんぺい》らを中心に、地租《ちそ》改正・徴兵制・学校教育などの急進的な近代化政策を矢継ぎ早に打ち出した。文明開化には批判的だった西郷も、西洋に対抗するには近代的諸制度が必要なことを十分に承知していた。しかも、大規模な新政反対一揆《いっき》を起こした民衆とは対照的に、西郷が政府にいるあいだは士族の公然たる反対行動が起きなかった。西郷が近代国家建設に果たした役割は、決して小さくなかった。

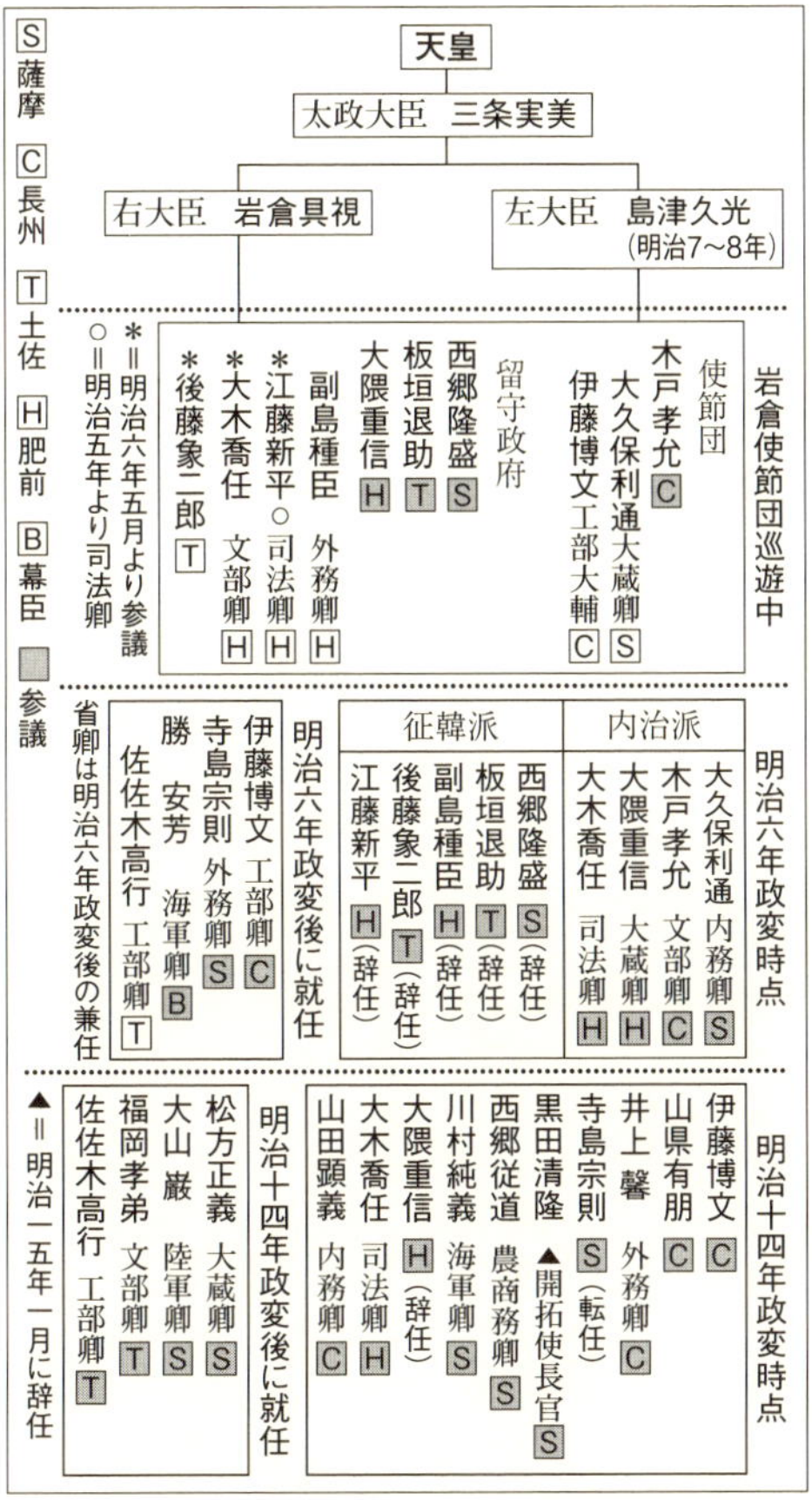

◉政府首脳の変遷
明治政府の中枢が鹿児島（薩摩）・山口（長州）・高知（土佐）・佐賀（肥前）の四藩出身者で独占されていたこと、また、明治六年政変で佐賀が排除され、土佐が「薩長の独占」を緩和する存在だったことがうかがえる。

身分制の解体

藩の廃止によって家臣団は解体し、士族は文武の常職から「解放」された。すでに平民に苗字《みようじ》や乗馬などが許可されていたが、廃藩置県の翌月には、断髪などの自由、華族・士族・平民相互の婚姻の自由、賤民《せんみん》制の廃止といった身分制の根幹にかかわる布告が出され、その後も、旅行・転居の自由、田畑勝手作《たはたかつてさく》など、さまざまな規制を解除する布告が続いた。ただし、四民平等を特別に宣言した布告は存在しない。もともと「士農工商」という用語は「国中のすべての人びと」といった意味合いの儒学的表現で、身分を直接に示すものではなかった。江戸時代の基本的な身分は武家・百姓・町人で、村を構成する者（家長）が百姓、町を構成する商人・職人（家長）などが町人と呼ばれ、そのほかに公家・僧侶・賤民などの身分があったとされている。

〈散髪、制服、略服、脱刀とも、勝手たるべきこと〉という断髪令《だんぱつれい》が、なぜ「平等」に関係するかといえば、服装・頭髪・帯刀のどれもが「身分と結びついた外観」にかかわっていたからだ。百姓・町人も刀・脇差《わきざし》を持つことはできたが、帯刀（日常的に刀を差して歩く）は武士だけの特権だった。また、布告は帯刀しなくてもよいというだけで、帯刀を否定したわけではない。明治九年（一八七六）の廃刀令も、帯刀の禁止であって「所有」の禁止ではなかった。ここには士族の憤懣《ふんまん》をかわす政治的配慮とともに、江戸時代の身分制の特質が反映していた。

身分はまた、生業《せいぎよう》と役《やく》の負担、それに伴うある種の特権からなっており、たとえば武家は政務を担当し軍役を負担したが、それは治者ゆえの特権であった。しかし、特権をもつのは治者だけではなかった。賤民制廃止令が〈穢《え》多《た》非《ひ》人《にん》等の称、廃され候条《そうろうじょう》、自今《いまより》身分職業とも平民同様たるべき事〉と述べたように、「かわた」は皮革業の独占権（死牛馬の処理権）と引き替えに警吏や刑吏の役を負担してきた（賤民の呼称は多様だったが、本書ではおおむね「かわた」を用いる）。また、「かわた」村の土地は寺社の朱印地《しゅいんち》（寄進地）とともに免租地であるうえ、「抜け地」として街道の里程に含まれなかった。「一里」といっても、実際の距離は一定しなかったのだ。さらに、東日本の「穢《え》多頭《たがしら》」である弾左衛門《だんざえもん》は、幕府や藩の領域を越えて「かわた」を支配する権限をもっていた。賤民制の廃止はこれらを「平民同様」とすることで、職業の自由化、均質な国土や統一的な税制の実現、裁判権の国家への集中といった課題を一挙に解決したのであり、藩の廃止と並ぶ重要な意義をもっていたのである。

ただし、弾左衛門に限らず、村には盗人や田畑荒らしを杭《くい》に縛りつけて制裁するといった「自検断《じけんだん》」が認められ、神道の吉《よし》田《だ》家なども各地の神社・神職に一定の支配権をもっていた。幕藩体制は町村や職能集団内のトラブルにはなるべく関与せず、当事者間で解決することを原則にしたからだ。親を殺した犯人を追跡し処罰する責任を被害者の家族に押しつけた敵討《かたきう》ちは、

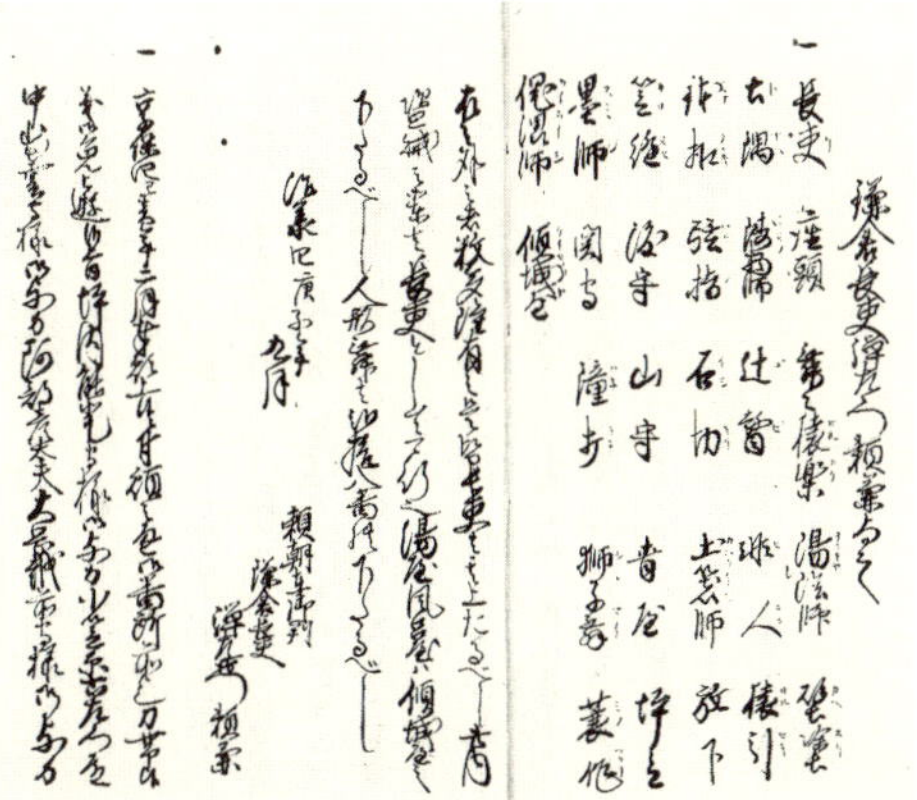

2

◉弾左衛門の由緒書
源頼朝《みなもとのよりとも》が長吏《ちょうり》（かわた）・座頭《ざとう》・陰陽師《おんみょうじ》などに対する支配権を弾左衛門に認めたことを示す。享保《きょうほう》一〇年（一七二五）に幕府へ提出した文書。

その好例だろう。

さまざまな自治的特権の容認は、西洋のいわゆる絶対王政にもみられるもので、国王は身分・地縁・職能に基づく自治的・分権的集団（一般に「社団」と呼ばれる）の上に君臨することで統治権を保持していた。しかし、これでは近代的な中央集権国家はつくれない。それゆえ、八年を費やして父の仇《あだ》を討った百姓兄弟への賞典を求めた胆沢《いさわ》県（岩手県）の申請を明治政府は却下し（明治四年）、〈人を殺す者を罰するは政府の公権〉であり、〈私憤を以《もっ》て…公権を侵す〉ことは許さない（明治六年、復讐《ふくしゅう》禁止令）と断言したのである。

中間団体の否定と個の掌握

明治四年（一八七一）五月の大区小区制で、村のあり方も変わった。形式や名称は府県によって多少異なるが、基礎的地域団体である町村と村役人のかわりに、数町村からなる小区と、数小区からなる大区が設定され、大区に区長、小区に戸長《こちょう》が置かれた。七年には区戸長が官吏に準じる扱いになり、給料も府県から支給された。要は村の自治の否定であり、区長に士族を任命した地方もあった。だが、まだ村請制《むらうけせい》による貢租《こうそ》納入が続いていたこともあって、旧村ごとに村用掛《むらようがかり》が置かれ、従来の惣庄屋《そうしょうや》や名主《なぬし》が区長・戸長になることが多かった。地域社会を掌握するには、彼らに頼るほかなかったからだ。しかも、明治一一年には従来の町村が復活するから、大区小区制は短期間の形式的制度といえなくもない。しかし、中央集権的な権力編制を地域社会にまで貫徹し、さまざまな開化政策、とりわけ徴兵制・地租改正・学制という重要な制度改革を実現させるためには、自治的団体である町村を一度は否定する必要があった。郡・町村名（固有名）ではなく「第二大区七小区」といった数字表記の採用に、そのねらいが示されている。

　中間団体の解体はまた、国家が個人を直接に把握することでもあった。明治四年の戸籍法により、身分ごとに作成されていた宗門人別帳《しゅうもんにんべつちょう》が廃止され、居住者が身分に関係なく一括して戸籍に記載されることになった。だが、それ以後の転出入が記載されないなど不備が多かったうえに、自由に居所や職業を変えられる社会で、本人確認をするにはどうすればよいのか。渡辺公三《わたなべこうぞう》によれば、革命後のフランスでは、徴兵逃れや脱走兵などの捕捉《ほそく》と識別のため、全国民に内国旅券を携帯させたが、その後も個人識別に苦労している。これは近代国家の難題のひとつといってよかった。

　明治政府も、五年に通称・字《あざな》・屋号など複数の名前を使い分けたり、何度も名前を変えることを禁止した。法的には戸籍名以外の「名のり」を認めない「一人一名」の原則である。八年には、兵籍調査上の不便が少なくないので、平民はかならず苗字《みょうじ》をつけよと命じられた。平民の苗字許可も、単純に平等を意味したわけではなかったのだ。

　ただし、フランスを参考にした初代警視総監川路《かわじ》利良《としよし》の内国旅券案は否決され、犯罪者の写真を保管するだけにとどまった。だが、川路は警察の管轄を刑事犯罪に限定せず、演劇場・湯屋・飲食店など各種営業者の取り締まりや、消毒・食品衛生など日常生活全般に関与する行政警察を業務の中核に据えるとともに、受け持ち地区の〈男女老幼及びその職業、平生の人となりに至る迄を詳知〉

することを警官の重要な任務とした（「巡査規則」）。政府は父母、人民は子であり、警察は父母の教えを嫌う子を厳しく〈看護〉する〈保傅《ほふ》〉（守り役）であるというのが彼の持論だった（「警察手眼《けいさつしゅげん》」）。そして、東京から始まった戸口調査はしだいに全国に拡大され、明治二一年には一万を超える駐在所に警官が常駐・宿泊して住民を監視するようになる。それでも、毎年三〇〇〇人以上が徴兵逃れで逃亡したように、国家による個の掌握は容易ではなかった。

いずれにせよ、近代的な中央集権国家を建設するには、たんなる政治機構の一元化にとどまらず、さまざまな身分的・社団的な私権を否定し、均質的かつ個別化された社会をつくりださねばならなかった。以下、その具体的な様相を、第三章から第五章でみていくことにしたい。また、中間団体は対外関係にも存在しており、江戸幕府は中国・オランダとの交易を直接管理しただけで、朝鮮は対馬《つしま》藩、琉球《りゅうきゅう》は鹿児島藩（薩摩《さつま》藩）、蝦夷《えぞ》地《ち》は松前《まつまえ》藩（福山《ふくやま》藩）にゆだねていた。これらの関係を再編する過程で、日本の近代化は帝国化と不可分なものになっていく。この点は第六章で扱うことにする。

3

●**大久保利通と川路利良**
明治五年（一八七二）、岩倉使節団の一員としてパリを訪れた大久保と、彼を囲む薩摩出身者。中列右から四人目が大久保、後列右から三人目が川路利良。

散切りの政治学

万国一体の相場

いきな散髪《ザンギリ》　いやみな茶筅《ちゃせん》　ドンドン　髷《まげ》のあるのは野蛮人《ヤボナヒト》　ホンマカネ　ソウジャナイカ
ドンドン

（『名古屋新聞』明治五年〔一八七二〕一月）

日本の民衆（とくに男性）が日常生活で最初に文明開化を実感させられたのは、裸体禁止と断髪の強制だった。布告では〈勝手〉つまり自由だったが、宴席の芸妓《げいぎ》や路上の子どもたちから、丁髷《ちょんまげ》は野暮で野蛮だ、髪を束ねただけの茶筅は半端《はんぱ》で嫌だねなどとはやされれば、やはり落ち着かない。この歌は野暮と野蛮という江戸時代的美意識と文明的価値観を、あっさり重ね合わせて男どもを脅《おど》していた。役所や新聞、啓蒙書《けいもう》も、頭は人間の精神が宿る大事なところだから髪で保護されている、それを剃《そ》るのは未開野蛮の風習だ、手入れに時間と金をかけるのは無駄だなどと説諭した。断髪に限らず、野蛮・不潔・無駄などは開化のキーワードだった。たとえばこんな調子である。

世界万国のなかで、畳の上へじかに座るのは、朝鮮のほかは〈未開の野蛮ばかりサ〉。しかも、〈膝《ひざ》を後ろへ折ってチントかしこまる〉のは、中国では〈危坐《きざ》〉といって卑《いや》しみ、〈日本人は我が足を敷物にしている〉と西洋人にも笑われる。血のめぐりも悪くなる。そこで天朝様から、家は西洋造りで椅子《いす》の生活が〈天理に叶《かな》った人間の行いじゃ〉という布告が出るそうだから、〈亜細亜《アジア》の東の果て、島国一個の見識をさっぱり〉と捨て、〈地球万国一体の相場を立てて、大活眼を御開きなさい〉（横河秋濤《よこかわしゅうとう》『開化《かいか》の入口《いりぐち》』）。

〈地球万国一体の相場を立てる〉とは、グローバル・スタンダードに従うということだろう。しかし、断髪はなかなか広まらず、長髪や茶筅髷などさまざまな髪型が巷《ちまた》にあふれた。丁髷の起源は定かでないが、江戸時代には百姓・町人にまで浸透し、こまめにカミソリをあて、髷を結い直すのが「まっとうな者」の身だしなみとなった。しかも、流行にあわせて剃りや形に工夫を凝らすなど、当時の若者も髪型にはこだわりがあった。また、断髪は罪人・非人《ひにん》などが強制された髪型で、ひげは無頼の象徴だった。断髪・ひげづらの西洋人男性が「野蛮」にみられた一因はここにあった。そうした日常的で身体レベルの価値感覚が、突然逆転させられたのだ。簡単になじめるはずはなかった。業を煮やした役場が村民を集めて髷を切ったり、髪結床《かみゆいどこ》に課税するなどと布告する県もあった。

それにしても、〈勝手〉なはずの断髪を、役場が強制したのはなぜか。つい最近まで、生徒の髪型

4

◉正装して断髪
島根県宍道《しんじ》の元本陣、木幡《こはた》家当主の断髪式。自宅を訪れた県令の要請で決断した。切られた髷に見入っているのは番頭。明治五年一〇月撮影。

に学校が異常なまでにこだわったように、髪型は世間の常識や秩序に対する姿勢を端的に示す「しるし」だからだ。実際、頭髪は〈風儀に関係〉するから〈一様同風〉が望ましいと新潟県は布達し、政務に関係するので違式詿違条例《いしきかいいじょうれい》に〈断髪《ざんぱつ》を拒む〉の条を加えたいと島根県は政府に上申した。住民の「散切り度」は県令・町村長らの業績を測る指標ともなっただろう。たかが髪型、というわけにはいかなかった。

不従教輩

もっとも、女性の断髪は禁止された。東京では明治四年（一八七一）末ごろから断髪の女性が目立ちはじめたが、男の断髪を奨励した『新聞雑誌』でさえ、〈柔順温和を以《もっ》て主とする〉女子は〈髪を長くし飾りを用ゆるこそ万国の通俗〉であり、断髪とは〈実に片腹いたき業なり〉と息巻いた。どうせ〈煎茶店《カゲチャヤ》等の給仕女〉や〈自負《ウノボレ》の強き不従教輩《ヲテンバムスメ》〉だろうという悪口もあった（『日要《にちよう》新聞』）。

また、女生徒の袴《はかま》姿に対しても、〈実に国辱とも云う〉べきで、〈男子の真似《まね》するを良しと思いて、立ち小便をなすに至る〉かも知れぬ（『郵便報知新聞』）、などと非難された。ちなみに、一九六〇年代にチェコスロヴァキアの首都プラハの外国人学校に学んだ作家の米原万里《よねはらまり》は、ズボンをはいてきたモンゴルの女生徒が「そんな不道徳な」と教師から激しく叱られたのを見て驚いたが、イギリスのパブリック・スクールやケンブリッジでもズボンは厳禁で、ヨーロッパ文明圏の「男はズボン、女はスカート」という固定観念の頑強さを思い知ったと、快著『パンツの面目ふんどしの沽券《こけん》』に書いている。

しかし、幕末の「ええじゃないか」では、駿府《すんぷ》城下で男装した女性約三〇〇人のうち、断髪が六三人もいたと奉行所は報告している。幕末の女性の元気よさを思い起こせば、〈柔順温和〉の押しつけをはねのけ、短髪・袴姿でさっそうと闊歩《かっぽ》する女性が現われても不思議はなかった。しかも、この時期には女子教育の奨励はもちろん、「お産は穢《けが》れではない」「神社仏閣や登山の女人禁制は認めない」「婦女の相撲《すもう》見物は随意に」といった布告がつぎつぎに出されていた。やがて、「男女同権」の語が新聞にも載りはじめ、人力車夫や八百屋などのあいだでも、〈同権だから亭主と女房と隔日に飯をたいてよい訳だ〉などと女房がいいだすようになる（『読売新聞』）。

それでも、いや、だからこそ断髪だけは許さないというのが、当時の男どもの信念で、政府も違《い》式詿違条例《しきかいいじょうれい》に、〈婦人にて謂《い》われなく断髪する者〉を入れた。ただ、一度髪を切ると、伸びるまで何度も罰金を取られかねない。そこで警察は、「すでに処罰した」という証明書を発行した。たかが髪型、されど髪型、というほかない。

5

◉男装をとがめられる女性
刺子《さしこ》の半天に紺木綿《こんもめん》の股引《ももひき》といった姿で火事見舞いに歩きまわっていた芸者の「おやま」。記事の末尾は〈定めし罰金だろう〉。なお、新聞名の左右にあるキューピッドの図柄は、開化のシンボルとして、さまざまなところで使われた。（『東京日日新聞』錦絵版。明治八年三月）

平等ゆえの強制

とはいえ、断髪を強制した県令の多くは、封建的な圧制者ではなかった。たとえば、新潟県令の楠本正隆《くすもとまさたか》はいわゆる「開化県令」の代表で、明治五年（一八七二）に外務省から転任すると、日本海側の開港場である新潟を外国人に恥ずかしくない町にすると宣言し、裸体・立ち小便の禁止はもちろん、公園や道路・堀割《ほりわり》の整備、一番町・二番町といった町名への変更など、町並み改造に力を入れた。その結果、明治一一年に新潟を訪れたイギリス人旅行家イザベラ・バードから、街路はひじょうに清潔で、紙くずも落ちたとたんに拾われてしまうから、泥靴で歩くのがためらわれるほどだと感嘆された。

こうした清潔さは、整理整頓に熱心な学校の雰囲気に似ていて、いささか息苦しい。しかし楠本は、ハイカラな病院・学校を建てる一方で道路工事に住民を強制動員した三島通庸《みしまみちつね》のような、強圧的なだけの土木県令ではなかった。元県吏の回顧談がある。

（県庁の床は）役人が一段高いところに居《お》り、民衆は低い所に居るように出来て居たので、恐る恐る這入《はい》って来て口も利けぬ有様であった。ところが、楠本県令が着任するとすぐにこの床を平等にし、役人の場所も人民の場所も同じ高さに直してしまった。…（それでも人民は）入口まで来ると土下座せんばかりに畏《かしこ》まるので、県令はそれではいかんと部下の役人を戒め…自分と対座させて親しくその話を聞いた。

（『新潟古老雑話《にいがたころうざつわ》』）

これに対して、滋賀県令の籠手田安定《こてだやすさだ》は、彦根《ひこね》支庁の座席を士族と平民に分離する一方で、温情的統治を理由に裸体禁止や違式詿違条例《いしきかいいじようれい》の施行には消極的だった。このように県令の施政にはかなりのばらつきがあったが、住民自身が開化の自主的な担い手にならねばならないという期待があったからこそ、楠本は強権を発動したのであり、いわゆる啓蒙《けいもう》的専制の典型といってよかった。

ところが、明治八、九年頃から、〈商民の頭、ようやく旧に復す〉（東京）、〈いったん散髪になりしも、また半髪に復す〉（大分）と報じられるようになる。とくに若者の丁髷《ちよんまげ》が目立った。原因のひとつは強制の中止だった。違式詿違条例への登載が却下された鳥取県は、〈半髪禁止の布達は人身至重の頭部保護〉のためで〈束縛の筋〉ではなかったと布告せざるをえなかった。新潟でも、楠本県令が転出すると〈中等以下にはひとりの散髪男児を見ざるが如《ごと》き〉ありさまとなった（『新潟新聞』）。しかし、それだけが揺り戻しの原因ではなかったのである。

6

◉福島事件の裁判光景
三島通庸は住民の自発的運動を敵視し、福島県令だった明治一五年（一八八二）、虚偽の事件を口実に福島の自由民権運動を壊滅させた。裁判官と検事の席が同じ高さである。（『絵入自由新聞』明治一六年七月）

勤勉と自立のすすめ

祭りのために働く

明治六、七年頃の新聞を見ると、「農夫がふと放心して隅田川《すみだがわ》に歩き入ったのは〈狐に誑惑《きょうわく》されし事、言《げん》を俟《ま》たず〉。だが、〈奮発勉強の念〉があれば〈狐狸《こり》何ぞ近付くを得ん〉。〈よく心に戸締まりをせよ」といった記事がたくさん載っている。

日本人が狐にまったくだまされなくなるのは一九六〇年代のようだが、開化を啓蒙《けいもう》すべき新聞記者までが〈言を俟たず〉と書くところに、この時期の状況がよく現われている。そのほか、「夢のお告げどおりに地面を掘ると観音様が見つかった」「神がかりした老婆がくれる竹筒の水で、どんな病も夏の日の氷のように消え去った」といったうわさが流れるたびに、人びとが殺到した。

政府・府県は、狐憑《きつね》きや神がかりは迷信にすぎないと繰り返し説諭し、お祓《はら》いに頼って医者に診《み》せない者は処罰すると布告した。しかし、民俗的な信心や日々の生活にかかわる布告類は、これにとどまらなかった。たとえばこんな調子である。

・初午《はつうま》、盆踊り、灯籠祭《とうろうまつ》りなどととなえ、勝手に数日も休業するのは心得違いである（愛知県）。
・花火は一瞬の間に多数の金銭を費やし、人の死傷、家の焼損も引き起こすので、花火興行を禁止する（千葉県）。

・盂蘭盆会《うらぼんえ》と称して、真夏に腐敗しやすい飲食を人に施したり、施餓鬼《せがき》や念仏踊《ねんぶつおど》りをするのは時間や天物《てんぶつ》の浪費であり、文明に進歩すべき児童を惑わすので、一切禁止する（京都府）。

・裸参りは文明の今日、慚愧《ざんき》に堪えないので厳禁する（福岡県）。

要するに、生活に追われる庶民が束の間《つかま》の解放感を味わう「ハレ」の日を、危険、不衛生、時間や金銭の浪費、迷信、教育の妨げなどと断じ、もっと真《ま》面目《じめ》に働けと命じたのだ。そして、津軽《つがる》地方のネブタ・ネプタ（灯籠祭り）をはじめ、地域に根づいた多くの祭礼が休止に追い込まれた。

たしかに、祭りは多かった。のちにアメリカ・ワシントン市の桜並木の生みの親になるシッドモアは、〈日本人ほど行事好きな国民はいない。一二か月全部が祝宴シーズンなのだ〉と驚いている。ヒューブナーも、祭りのたびに〈実直な町民たちは自分の店先に出て、行列が通るのを見る。これは、その日は働かない恰好《かっこう》の口実になる〉と記したうえで、しかし祭り好きでいられるのは富裕だからではなく、人びとが〈ごくわずかなもので満足している〉からだと指摘している。卓見といえ

7

◉三つ目の妖怪の正体は…
子どもの枕元に現われた三つ目の妖僧。父親が思い切って引き倒すと、その正体は老狸だった（『東京日日新聞』錦絵版。明治七年九月）。

るだろう。

だが、これでは文明開化も殖産興業もおぼつかないというのが当局者の判断だった。なかでも目の敵にされたのが、〈年中休日の巨魁《きょかい》〉（『新潟新聞』）といわれたお盆だった。盂蘭盆は梵語《ぼんご》のullambam（ひどい苦しみ）に由来し、供物《くもつ》を供えて餓鬼道《がきどう》に苦しむ亡母を救ったという盂蘭盆経の教えと、先祖の霊を迎え祀《まつ》る習俗が融合したものといわれる。とくに新盆《にいぼん》は遺族にとっても大切な慰めの行事であり、施餓鬼（無縁仏《むえんぼとけ》への施し）は悪霊による厄災から地域を守るという意味ももっていた。これに対して、親への尊崇を説く儒者《じゅしゃ》・国学者は、「母に罪がある」という発想自体が親不孝だと非難してきたが、京都府の布告が示すように、いまや文明の論理によって「一切禁止」が命じられたのである。

しかし、お盆は農作業がようやく一段落した休息の時期であり、盆踊りは慰霊とともに男女の出会いの場でもあった。それなのに、男装・女装をして夜中まで〈遊戯〉するのは〈淫風《いんぷう》に流れ、風俗をみだし教化の妨げとなる〉（青森県）などといわれたら、「祭りがあるから働く」の心意気を誇る若者たちが丁髷《ちょんまげ》に戻りたくなるのも無理はない。つまり、「罪人頭だから」といった初期の拒否とは異なり、文明開化政策への反発が断髪拒否の新たな原因になっていたのである。

下の句は知らぬ

とはいえ、祭りや祈禱《きとう》などを禁止しただけで、庶民が迷信に迷わず勤勉に働くはずもない。近代化、とりわけ殖産興業を推し進めるには、経済に対する人びとの意識を変えねばならなかった。

明治五年（一八七二）に一石《こく》二、三円台まで下落した米価が六、七円台になった明治七年五月、日《に》本橋《ほんばし》にこんな落書《らくしょ》が張り出された。

高き家に　登りて見れば　烟《けむり》立つ　民のかまどは　賑《にぎ》わいにけり
蒸気車を　のぞいてみれば　煙立つ　上《かみ》のかまどは　賑わいにけり
（『公文録《こうぶんろく》』）

征韓論《せいかんろん》の高まり（六年秋）、台湾出兵（七年五月）による清国《しんこく》との戦争の危機が、米価上昇のおもな要因だった。また、米の先物取引が明治四年に解禁され、官金・貢租米《こうそまい》を扱う三井組《みついぐみ》・小野《おの》組・島《しま》田《だ》組が米相場に大きな影響力をもつようになった。だから、彼らが戦争に乗じて買い占めや先物取引で値段をつり上げていると人びとは憤慨した。先物取引は価格変動を調整する機能をもつが、一種の投機である。彼らのしわざは〈指金勝負《さしがね》〉と同じだ、〈俗にいう博徒《ばくと》の上《うわ》まえ取りに等しい〉と非難する建白や、米価の統制を要求する建白が府県・政府に多数寄せられた。

「高き家に…」の歌は、民の疲弊を憐《あわ》れんで租税を免除した仁徳《にんとく》天皇が、三年後に家々から炊煙《すいえん》が上がるのを喜んで詠んだものとされる。歌は後世の創作だが、江戸時代の手習教本にも登場し、明治政府も「天皇の治世」のありがたさを示す証《あかし》として喧伝《けんでん》した。でも、にぎわっているのは「お上のかまど」ばかりではないかと落書は皮肉ったのである。

この歌を使った小話もあった。高楼から市中を眺めた天子様が、「高き屋に登りて見れば烟立つ」とばかりいうので、「恐れながら下《しも》の句は……」と侍従が伺うと、「朕《ちん》は下の苦《く》は知らぬ」とおっしゃったというものだ（小川為治《おがわためじ》『開化《かいか》問答《もんどう》』）。もっともこのオチは幕末にもあって、そこでは、〈親玉〉（徳川慶喜《とくがわよしのぶ》）が〈馬鹿をゆえ、上の苦であまってかえる〉（お上の苦境すら手に余る）、下の苦までかまうものか〉と答え、つぎの歌が添えられた。〈有りがたき　仁徳帝の　御製より　民の竈《かまど》を　消してさわがせ〉（『藤岡屋《ふじおかや》日記《にっき》』）。江戸・大坂の打ちこわしがあった年である。庶民にその記憶はまだなまなましい。

仁政の否定

しかし、米価統制の建白を審査した左《さ》院《いん》は、需給関係で価格が変動したり、地域によって価格が異なるのは〈天然の道理〉であり、政府が〈各自商売の自由〉を妨げることはできないと建白者に回答した。西郷隆盛《さいごうたかもり》でさえ、経済は〈融通の宜《よろ》しきように大体に目を注〉ぐだけで、人民と勢いとに任せて禁制すべからずと述べていた（『西郷吉之助見込書《きちのすけみこみしょ》』）。また、物価が高ければ人びとは〈遊惰《ゆうだ》の念〉を捨てて〈勉励労力〉する、米価が上がったのは天が〈人民を愛護して富強の域に誘導〉しているのだと『日新真事誌《にっしんしんじし》』は主張した。幕末の幕府にも〈米の高直《こうじき》は天性〉と公言する経済官僚が生まれていたが、政策の建て前は仁政であり、それが実現できないから、〈上の苦であまってかえる〉と庶民に見透かされた。だが、明治政府は違う。自由主義経済が政策原理なのだ。同じ米価上昇ではあっても、数年前とは異なる新しい「時代」が始まっていた。

さらに、八八歳以上の老人に支給されてきた養老扶持米《ようろうふちまい》なども打ち切られた。その復活を求める建白に対して左院は、親を養うのは子の義務であり、〈官よりこれを養い、かつ祝すべき条理〉はないと突っぱねた。明治七年（一八七四）の「恤救《じゅつきゅう》規則」も、身寄りのない極貧者・老病人などにわずかな給付をするだけで、〈人民相互の情誼《じょうぎ》〉による扶助が原則とされた。東京養育院はじめ各地に救貧院が設置されたとはいえ、明治一〇年代の恤救規則の受給者は、全国で年平均わずか一万数千人にすぎなかった。

借金が払えず、田畑・家財を公売処分にされる者も続出した。契約の遵守こそが安定した商行為の基礎であり、借金の返済は証文のとおりにすべきだという論理が裁判の基本になったからだ。そのため、小川為治《おがわためじ》『開化問答《かいかもんどう》』の庶民代表「旧平《きゅうへい》」は、こう

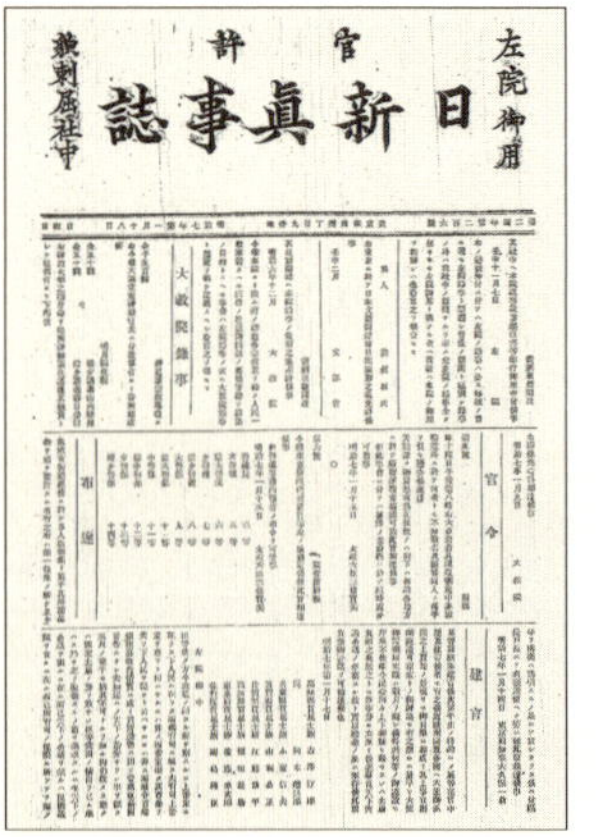

8

9

◉左院御用の『日新真事誌』とブラック
イギリス人のJ・R・ブラック（貌剌屈《ブラック》）が明治五年に創刊。建白書の審査機関を兼ねた左院の御用紙（広報紙）だが、独自の社説を載せるなど、日本における近代新聞のモデルとなった。

憤慨している。

徳川《とくがわ》の役人には不正もあったが、裁判は〈正真の仕方《ホンマ》〉にかなっていた。なぜなら、あくどい高利貸は仮牢にぶち込んで〈強欲な根情〉をたたき直してくれた。〈貧乏人を恵む政府の御仁恵《ごじんけい》は、何時《いつ》もかくあるべき筈《はず》〉で、いまのように〈貸し方にのみ利の附くお裁き〉では、貧乏人が〈寝ても覚めても政府のことを誹《そし》り罵《ののし》るは、もっとも至極《しごく》の次第でござる〉。

江戸時代の民事裁判は内済《ないさい》（調停）が基本で、奉行所は両者の妥協点を見いだすことに力を入れた。これも仇討《あだう》ちと同じ一種の当事者主義だが、徳川吉宗《よしむね》の言と伝えられる「紀州政事草《きしゆうせいじぐさ》」も、〈怨《うら》み残る仕置き片づけにては、塵《ちり》（も）積もりて山となり、当家のたたりとも〉なりかねない、だから〈理非再談、分明に〉処理すべしと注意している。しかし、近代の裁判は違う。それゆえ、のちの大《だい》審院《しんいん》長玉乃世履《たまのせいり》判事は、入会地《いりあいち》をめぐる裁判で代言人から、いま一度相手方に説諭をと求められると、〈裁判所は説諭するところにあらず〉と激怒することになる（『新聞雑誌』）。

いうまでもなく、仁政は身分制国家の統治理念であり、治者の意思に依存する。だが、政府と人民は親子ではなく〈他人と他人の附き合い〉だから、規則約束に基づいて論議すべきであり、治者の温情に期待すれば〈御恩は変じて迷惑となり、仁政は化して苛法《かほう》と〉なりかねないと、福沢諭吉《ふくざわゆきち》は『学問のすゝめ』で指摘している。近代法治主義の正論である。しかし、現実にはそれは、平等・公平の名において強者の自由を保障するものだった。だからこそ、「旧平」は幕府のほうがよかったといわざるをえないのである。

功徳の禁止

政府・府県はまた、猿まわし・瞽女《ごぜ》・山伏《やまぶし》・乞食《こじき》などへの施しを繰り返し禁止した。たとえば大阪府は、物乞いの大半は強健、無頼放蕩《ぶらいほうとう》の輩《やから》であり、〈乞食を救うは、盗人を養い置くも同理〉であると非難し、愛媛県は、四国巡礼の遍路《へんろ》も〈見当たり次第速やかに呵責《かしやく》・放逐〉せよと命じた。また、島根・鳥取・広島などの山家《さんか》も、各所に徘徊《はいかい》し窃盗《せつとう》・強姦《ごうかん》・放火をする者と決めつけられ、「山家狩り」が強行された。だが、彼らは川魚漁や竹細工・箕《み》作りなどをしながら山奥を移動する山の民であり、山伏は祈禱《きとう》とともに各地の農業技術や生活の知恵を教えてくれる存在だった。

こうした布告の背景には、相変わらずユスリ・タカリまがいに金や食べ物を求める志士くずれや浮浪人が多かったうえに、「非人頭《ひにんがしら》」が廃止されて乞食を統制する者がいなくなったという事情もあった。しかし、重要なのは政策の根底に流れる思想だろう。見ず知らずの者に施しをするのは仏教の〈功徳《くどく》と唱え候流弊《そうろうりゆうへい》〉であり、人間を犬豚と同じ〈浅間敷《あさましき》〉状態にとどめる〈姑息《こそく》の小恵《しようけい》〉にすぎない。〈自主の権〉を尊重する〈開明の今日、有間敷事《あるまじきこと》〉だと小倉《こくら》県（福岡県）は説諭している。福沢諭吉《ふくざわゆきち》『学問のすゝめ』は、もっと明快である。

銘々の家業を営み、身も独立し家も独立し天下国家も独立すべきなり。…酒色に耽《ふけ》り放蕩《ほうとう》を尽くすも自由自在なるべきに似たれども、決して然《しか》らず。一人の放蕩は諸人の手本となり、遂に世間の風俗を乱りて人の教えに妨げをなすがゆえに…その罪許すべからず。

もちろん、江戸時代でも、勤勉・節約といった通俗道徳を守って他人《ひと》様の世話にならずに暮らすのが一人前の証《あかし》であり、放蕩無頼はつねに非難・取り締まりの対象だった。しかし、善根を積むことで現世・来世の幸せが得られるという功徳の発想は、仏教に限らず信仰を支える重要な要素だろう。また、安穏に暮らす庶民が極貧者に施すのも「徳義」のひとつである。そのうえ、瞽女・神楽《かぐら》・人形芝居といった遊芸人《ゆげいにん》は、退屈な庶民の日常生活に変化をもたらす来訪者であり、猿まわし・大黒舞《だいこくまい》・万歳《まんざい》などは正月の祝芸として歓迎された。繰り返し訪れる虚無僧《こむそう》・座頭《ざとう》などの求める勧化《かんげ》（寺社への寄付）は迷惑がられもしたが、村費から一定額を自動的に出す村も多かった。こうした施し（扶養）は、盲人など障碍《しょうがい》をもつ人びとにそれなりの役割を与えて、生活をともにしていくこととつながっていた。

さらに、狐憑《きつねつ》きは「もののけ」「狐」などが入り込むことで気に「くるい」が生じたものと思われていたから、これを追い払えればもとに戻ることができた。「尋常でないもの」には何か特別な力、聖性があるとも見なされた。

10

◉祝い歌を唄う「せきぞろ」（節気候・関候）年末・年始に、顔を隠した身なりで「せきぞろござれや」などと唄《うた》いながら家々をまわり、米や銭をもらった。手にしているのはささら。（『ザ・ファー・イースト』）

ところが、明治になると、狐憑きは神経の〈変性〉が生み出した〈一種奇症の神経病〉といわれ（増山守正《ますやまもりまさ》『旧習一新《きゅうしゅういっしん》』）、やがて「精神病」は脳の病気ということになった。そして明治七年（一八七四）、〈狂病者〉が〈みだりに徘徊《はいかい》〉すれば放火・殺傷などの害を社会に与える、したがって家族は〈厳重監護〉せよ、〈もし監護を怠り徘徊〉させれば処罰すると警視庁は布達した。こうして、社会にとって危険かつ無用な存在に貶《おとし》められるにつれて、ひとたび医者によって「狂者」と診断された者は、鉄格子《てつごうし》の部屋に厳重監護され、社会に復帰する道をほとんど閉ざされることになっていった。

要するに、お上に仁政を求めず、富者に徳義を求めず、神仏に現世利益を祈らず、乞食や障碍者のような弱者は追い払い、祭りがなくともひたすら勤勉に働き、誰の厄介《やっかい》にもならない「独立」した「個人」になること、それが文明開化というものなのだった。

己が無智をもって貧究《ひんきゅう》に陥り飢寒《きかん》に迫るときは、己が身を罪せずして妄《みだ》りに傍《かたわ》らの富める人を怨み、甚《はなは》だしきは徒党《ととう》を結び、強訴《ごうそ》一揆《いっき》などとて乱妨《らんぼう》に及ぶことあり。恥を知らざるとや言わん。

（『学問のすゝめ』）

競争と試験の世界

利口にさせて治める

四民平等、職業の自由、あるいはガス灯・煉瓦《れんが》街といった明るく華やかなイメージだけで文明開化期をとらえると、当時の民衆の実感から離れてしまう。開化政策は、民衆にとっては強制・禁止といった色彩が濃かったということをみてきた。とはいえ、民衆を抑圧することが開化政策の目的だったわけでは、もちろん、ない。

今までは下の者を馬鹿にして治め置きたるが、これからは学問をさせて、利口にさせて治むるなり。今にては農商もその形、士に同じ、悦《よろこ》ぶべきことなり。

教部省《きょうぶしょう》の平山省斎《ひらやませいさい》が明治六年（一八七三）の巡回説教で語った言葉だが、〈利口にさせて治むる〉――近代国家にとっての教育のねらいをこれほど的確に表現した言葉はないだろう。被治者の客分《きゃくぶん》意識を払拭《ふっしょく》し、主体的に国家を担う意欲をもった「国民」をつくりだす、そのために当局者も懸命に民衆を説諭していたのである。

こうした国民教育への着目は、王政復古直後から始まっていた。木戸《きど》孝允《たかよし》は明治元年一二月の建白で、国の富強が〈人民の富強〉に基づく以上、人民が〈無識貧弱〉のままでは〈世界富強の各国に対峙《たいじ》〉できないと主張し、明治二年二月の「府県施政順序」にも、〈国体・時勢を弁《わきま》え忠孝の道〉を知らせるために〈小学校〉を設けることと明記された。

実際、「みやこ」を東京に奪われて危機感をもった京都の町衆は、明治二年末までに小学校六四校を開設し、中学校四校と英語や裁縫《さいほう》・織物などの技術を授ける女学校を設置した。福山《ふくやま》藩のように藩校を改組して国学・洋学・数学などの学科を設け〈人民一般〉の入学を認めたり、地域の有力者層が費用を負担して郷学《きょうがく》（郷校）を設立する動きも各地にみられた。福山ではさらに、明治四年に手習塾にかわる〈啓蒙所《けいもうしょ》〉が七〇もつくられた。これは三級制で、『世界国尽《せかいくにづくし》』『究理図解《きゅうりずかい》』『京都府下人民告諭大意《じんみんこくゆたいい》』などを教本に加えており、文部省の役人が「先手を打たれた」と悔しがったという。江戸時代の寺子屋《てらこや》・漢学塾・和算《わさん》塾などを含め、〈利口にさせて治むる〉ための基盤はできていた。

地域秩序の再建

ただし、多くの地域指導者層の念頭にあったのは、「国体」「国の富強」といった観念よりも、幕末以来の混乱を収拾し地域秩序を回復させなければ村の発展は望めないという、切迫した思いだった。たとえば、武蔵国多摩《むさしのくにたま》郡で小野郷学《おのきょうがく》をつくった石阪昌孝《いしざかまさたか》らは、明治五年（一八七二）の「誓則書」で、〈孝悌《こうてい》をおさめ、道理を弁《わきま》え、御法度《ごはっと》を会得《えとく》致させ、風俗を正しくすべきため〉と学校を位置づけている。彼らが依拠したのは、これまでと同じく儒教倫理と勤勉実直を説く通俗道徳であり、目の敵にしたのは、やはり若者組《わかものぐみ》だった。

もともと近世後期の教育熱の高まりも、若者組から子どもを引き離す意図があったとされる。だが、彼らの統御は依然として難しく、福山の啓蒙所《けいもうしょ》設立運動の中心となった窪田次郎《くぼたじろう》も、この〈淫《いん》風《ぷう》悪俗の源〉を放置したままでは〈昨年柔順の生徒も、今年は無頼の若連中〉になってしまうと県に訴えている。また、女性たちの活発な言動も相変わらずで、静岡県第四大区では明治九年に、「〈惰婦《だふ》及び小娘等〉が夜になると〈出放題《でほうだい》なる淫言《いんげん》を吐露《とろ》し、はなはだしきに至りては男女携手《けいしゅ》して（手をつないで）遊び歩いている。不体裁きわまりなく、弟妹の教育にも差し支えるから〈小前《こまえ》一同へ深切《しんせつ》に〉説諭すべし」という通達が出された。

それだけに、勤勉・自立・競争・衛生といった文明的規範は、地域指導者層にとっても歓迎すべきものだった。しかも、第七章で述べるように、身分制の解体は、自分たちも国家の一員になったという自負心をもたせたから、彼らは開化政策の積極的な推進者になっていった。多摩郡の石阪昌孝が区長をつとめた地域の戸長《こちょう》らが署名した「集議協同書」（明治七年）は、その好例といえるだろう。

・紀元節《きげんせつ》や天長節《てんちょうせつ》、祝日、鎮守《ちんじゅ》祭日には御国旗を掲げる。
・旧来の休日を廃止して日曜日に休む。
・念仏《ねんぶつ》、題目《だいもく》、お日待《ひまち》などの講は無益なので廃止する。

11

◉就学標で差をつける
就学率を上げるため、松本の開智《かいち》学校では、就学標を生徒につけさせた。就学率によって学校の旗の色を変えた地方もある。

・期日を決めて断髪し、髪結《かみゆい》職を低価の断髪職に変える。
・路傍《ろぼう》の石地蔵《いしじぞう》、庚申塔《こうしんとう》などの偶像は、愚夫愚婦《ぐふぐふ》の頑固陋習《がんころうしゅう》の凝成《ぎょうせい》する所であり、幼童登校の進歩を停滞させるので撤去するか、土台石など有用のものに再利用する。
・若者の夜遊びは千金の時間を無益にするうえ、淫奔《いんぽん》、賭博《とばく》の根源なので禁止し、夜学を設ける。

寺子屋と小学校

明治五年（一八七二）八月に公布された「学制に関する告諭」も、〈学問は身を立つるの財本〉、つまり実生活に直接に役立つことを強調していたから、地域の指導者たちは率先して小学校の設立に努力した。明治八年の小学校数は約二万四三〇〇、三八年は二万七四〇〇だから、巨視的にみれば学制発足直後にほぼ必要数を確保していた。

しかし、政府の想定した小学校教育は、寺子屋《てらこや》とまったく異質だった。江戸時代の寺子屋には明確な入学・卒業の条件や学年による区分はなく、教本も「実語教《じつごきょう》」「庭訓往来《ていきんおうらい》」といった刊本のほかに、農作物の名や近隣の地名、各種の証文・手紙の例文をまとめた師匠手づくりの教本があり、これらをもとに「一人前の村人」になるために必要な事柄を学んだ。師匠の多くは村人や僧侶であり、費用の大半は村長や富裕者が負担したから、筆子《ふでこ》（生徒）はおおむね入学時や盆・暮れに心ばかりのお礼をすればよかった。

これに対して、近代初等教育は家督・家業の継承ではなく、すべての国民に全国共通の基礎的教育を施すことを目的とした。学校の建設費・運営費は地元負担でありながら、住民が教師を勝手に決めることはできなかった。教科書は自由だったが、明治六年に師範学校が定めた下等小学の教則は左の表のようなもので、明治一〇年代末まで多くの小学校で使われた師範学校版『小学読本　巻二』（二年の後期用）を開くと、つぎのページのような文章が現われた。

　じつは、これはアメリカの国語教科書『ウィルソン・リーダー』が種本《たねほん》で、政府はしきりに実用

級＼教科	読物	算術	習字	書取	作文	問答	復読	諸科復習	体操
第一級	万国地誌略 巻三 万国史略 巻一・二	容易キ分数（小学算術書）	草書（手紙ノ文）		容易キ手紙ノ文	万国地誌略 万国史略 博物図		既習教材の総復習	同
第二級	日本史略 巻二 万国地誌略 巻二 地図	四術合法（小学算術書）	草書（手紙ノ文）		容易キ手紙ノ文	日本史略 万国地誌略 暗射地図			同
第三級	日本史略 巻一 万国地誌略 巻一 地図	除法（小学算術書）	草書		前級ニ同ジ	日本地誌略 日本史略			同
第四級	小学読本 巻五 日本地誌略 巻二 地図	乗法（小学算術書）	行書		前級ニ同ジ	前級ニ同ジ			同
第五級	小学読本 巻四 日本地誌略 巻一 地図	減法（小学算術書）	習字本（楷書）		単語中の一二字又ハ一句ヲ題トス	日本地誌略 地図 地球儀			同
第六級	小学読本 巻三 地理初歩 地球儀	加法（小学算術書）	習字本（楷書）	小学読本中ノ句		形体線度図 地理初歩 地球儀			同
第七級	小学読本 巻一・二	乗算九九 羅馬数字	習字本（楷書）	単語		人体ノ部分 通常物 色ノ図			同
第八級	五十音図 濁音図 単語図 連語図 小学読本 巻一ノ一・二回	数字図 算用数字図 加算九九	習字本（仮名）	五十音 単語		単語図（諸物ノ性質・用ヰ方）			体操図

◉**下等小学教則**（明治六年五月）
師範学校が作成した課程表。「読み・書き・算盤《そろばん》」が基本だが、「読物」「問答」に新しい教育の特質が示されている。師範学校はアメリカ人教師の指導で、さまざまな掛図や教科書も編集した。

的な学問を強調したが、こんな教科書のどこが実学なのか、教師もとまどっただろう。もちろん、子どもの発達にあわせたカリキュラムが必要なことはわかっていたが、とりあえずは、福沢諭吉《ふくざわゆきち》らの啓蒙《けいもう》書や、児童教育の先進国アメリカのテキストを直訳するほかなかったのである。

それでも、〈およそ世界に住居する人に五種あり、亜細亜《アジア》人種、欧羅巴《ヨーロッパ》人種、メレイ（マレー）人種、亜《ア》米利加《メリカ》人種、阿弗利加《アフリカ》人種なり、日本人は亜細亜人種の中なり〉という『小学読本　巻一』の冒頭の一節は、多くの子どもたちにカルチャー・ショックを与えた。ここでいう「人種」は「大陸に住む人々」といった程度の意味合いだが、これまで村から世の中を見ていた子どもが、はじめて「アジア」「世界」という視座に接したのだ。その興奮とともに「日本」という意識も生まれただろう。とすれば、〈この女児は…〉のハイカラな絵も、文明国と日本を対比的に思い浮かべる手がかりになったかもしれない。後年のような国家主義教育よりも、こうした普遍的・文明的な教育こそが国民意識を育てるうえでは有効だったと思われる。

もっとも、小学校の実態は学制が想定したものにほど遠かった。長野県松本市に現在も残る旧開《かい》

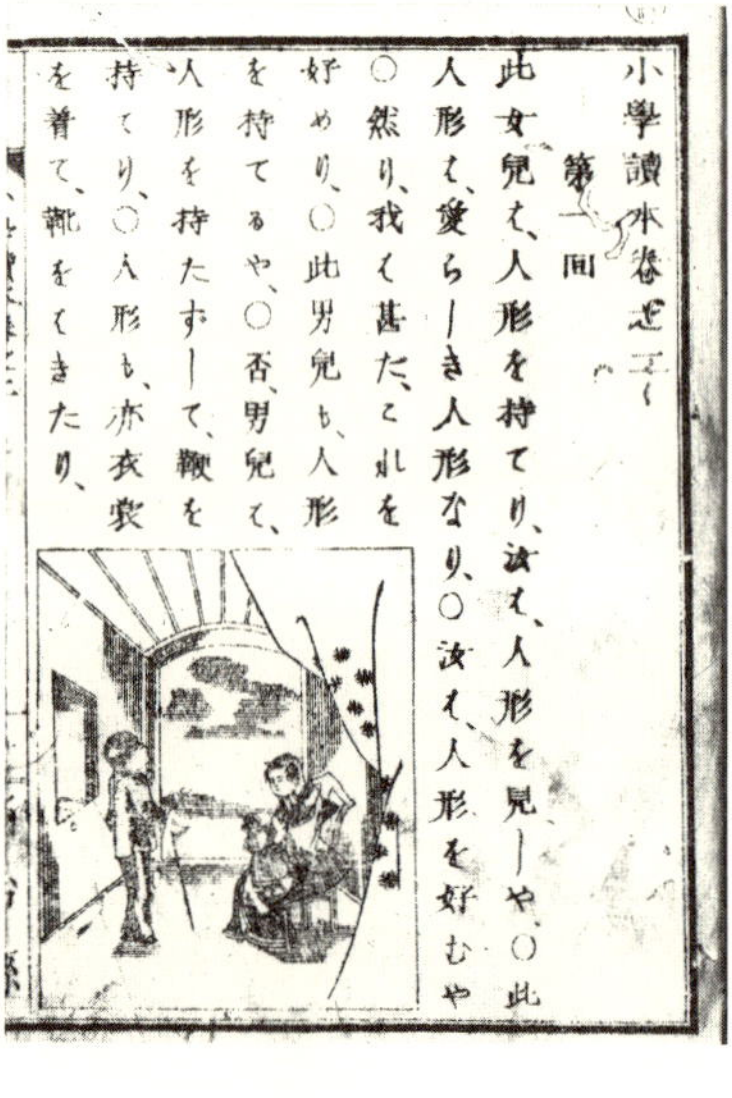
小學讀本巻之二

第一回

此女兒は、人形を持てり、汝は、人形を見しや、○此人形は、愛らしき人形なり、○汝は、人形を好むや○然り、我は甚だ、これを好めり、○此男兒も、人形を持てるや、○否、男兒は、人形を持たずして、鞭を持てり、○人形も、亦衣裳を着て、靴をはきたり、

◉ハイカラな『小学読本　巻二』
「此女児は、人形を持てり、汝は、人形を見しや、○此人形は、愛らしき人形なり、○汝は、人形を好むや…」と、問答体の文章が続く。全部で八〇ページ。

智《ち》学校のような立派な学校はわずかで、大半は寺子屋を母体にした小規模校だった。また、東京の市街地の公立校には、立派な校舎をもち正規の教員を集めて高い授業料をとるものが多く、大半の子どもは寺子屋に通いつづけた。旧城下町などでは、小学校と同時に多数の私塾が開設された。士族と平民の同席を、どちらも嫌がる傾向があったからだ。このため、文部省も一定の条件を満たした寺子屋を、私立小学校として認めざるをえなかった。

さらに、学制では下等小学四年、高等小学四年、六歳から一三歳を学齢と定めたが、下等だけの小学校がほとんどで、しかも四、五歳から二〇歳に近い生徒が机を並べていた。師範学校の卒業生もまだ少なかったから、教員伝習所《でんしゅうじょ》などで短期間の訓練を受けた寺子屋の師匠や士族の青年が教師になった。この時期の小学校には、さまざまな年齢やレベルの「小学生」が混在しており、実際のカリキュラムも多様だった（なお、明治一四年から初等小学三年、中等三年、高等二年に再編された）。

小学校は競馬場か

それでも、小学校と寺子屋《てらこや》には決定的な違いがあった。試験である。試験には月例試験、半年ごとの進級試験、そして卒業試験があり、これがなかなか大変だった。

月例試験では成績によって席順が変えられた。進級試験は府県で多少異なったが、公開が原則で、県の役人などがかならず立ち会った。そして、八級（一年の前期）では、教科書の一部を読む、単語の書き取り、『単語図』の絵を見て名称・使い方を答える、簡単な計算、年号・姓名などを書くといった問題が出された。一見簡単そうだが、『小学読本』『単語図』のどこから出題されるかわからない。〈八級の生徒、ただ教師の口真似《くちまね》をするのみにて、心に会得《えとく》する所なし〉（西村茂樹《にしむらしげき》「第二大区巡視報告」）と指摘されたように、素読と暗記が相変わらず基本的なスタイルで、試験がそれをいっそう助長していた。

しかも、おおむね一割から三割の生徒が落第し、七級生であれば、もう一度〈この女児は…〉を読まされた。最初から試験を受けない生徒も多かった。数校合同の卒業試験はもっと苛酷《かこく》で、大勢の参観人や官吏が立ち会うなかで口頭試問や筆記試験を受けた。科目数も多く、一日では終わらなかった。そのほか、視察に来た知事などの前で臨時試験をしたり、各校から代表を集めて競わせる「比較試験」があり、優秀者には褒美《ほうび》が出された。とにかく小学校は試験ずくめなのだ。合格・落第の氏名を校門に張り出したり、成績優秀者を新聞で公表する地方もあった。

年齢や進度の異なる子どもが一緒に学んでいた寺子屋でも、月末の「小さらい」、年末の「大さらい」はあった。しかし、文字どおり「おさらい」であり、その子の理解度にあわせて「わかるまで教える」のが師匠のつとめだった。これに対して、同一学年の子どもに同じ内容を効率よく教え込むには、生徒全員と教師が向かい合う一斉授業方式が便利であり、そのかわり、生徒の理解度を確認するには試験をするほかなかった。落第が多すぎるのは〈教師の怠惰〉であると文部省は一応釘《くぎ》を刺したが、同じ授業を受けながらほかの子より成績が悪いのは、本人の能力や努力の不足が原因だとされた。斉藤利彦《さいとうとしひこ》によれば、まるで〈競馬・闘鶏〉と同じだという声があがり、落第に怒った親が学校に押しかけることもあったらしい。教室は相対評価と選別の場になったのだ。村の子どもや親にとって、これは一種の異文化体験とさえいえるものだったろう。

江戸時代の藩校や漢学塾にも、試験による席の移動や等級別カリキュラムがなかったわけではない。とくに広瀬《ひろせ》淡窓《たんそう》の咸宜園《かんぎえん》のような有名漢学塾では激烈な競争があり、それが幕末の適塾《てきじゅく》や慶應義塾《けいおうぎじゅく》に伝わったといわれる。だが、学問への高い志を抱いて入塾した青年と違って、庶民の子どもには最小限の読み書き算盤《そろばん》ができれば十分だったし、卒業証書にさしたるメリットがあるわけでもなかった。そのため中途退学が続出した。明治一二年（一八七九）頃の下等小学の在籍者数をみても、八級生が全体の約四割、七級生が二割で、最上級の一、二級生（四年生）はそれぞれ二、三パーセントにすぎなかった。

しかし、就学率が大きく下がることはなかった。むしろ、生徒のいない家からも学校費を徴収したり、労働奉仕で校舎を整備するなど、地域ぐるみで小学校を支えたところが多かった。明治一二年に学制が廃止され、地域の実情にあわせた運営を認める教育令が制定されたが、県令《けんれい》だけでなく地域からも教育の

年級＼年度		明治8年	明治9年	明治10年	明治11年	明治12年
上等小学		0.1	0.5	0.8	1.2	2.2
下等小学	第1級	0.1	0.6	1.3	1.4	2.0
	第2級	0.4	1.0	1.8	2.2	2.8
	第3級	0.9	2.2	3.2	4.0	4.5
	第4級	1.8	4.2	5.1	6.1	6.7
	第5級	5.0	7.0	8.2	9.0	9.5
	第6級	9.8	11.2	11.8	12.9	12.7
	第7級	16.7	19.6	18.9	19.3	18.5
	第8級	65.2	53.7	48.9	43.9	41.2

◉小学校児童の年級別在学割合
多くの児童が第八級（一年前期）だけで退学してしまったことがわかる。青森・新潟・愛知・京都・大分など九府県の平均。（斉藤利彦『試験と競争の学校史』より）

後退を懸念する声があがった。子どもの教育にかける人びとの期待は大きかった。

それにしても、まだ義務教育でなかったとはいえ、〈利口にして治める〉ことをめざしたはずの公教育で、なぜ多くの中退者を出しながら試験制度が中止されなかったのか。試験廃止論は〈学校の性質を変じて寺子屋様のものとなさんとする〉ものだ（『月桂新誌《げっけいしんし》』）という批判があったように、「小学生」が雑多であればあるほど、一定の教育水準を確保するには統一的で厳格な試験が必要だった。何より、いまや自由経済、弱肉強食の社会である。物乞いへの施しは功徳《くどく》だといった〈頑愚固陋《がんぐころう》〉の通念を打破し、試験という難関を突破する意欲と実力のある者こそが〈一身独立〉〈立身出世〉に値する人間なのだということを、子どもや親に痛感させる必要があった。

それだけではなかった。始業時間の一〇分前に登校し、起立・礼・着席から教科書の取り出しまでを号令に従って素早く行ない、細かい時間割に区分された授業をじっと座って辛抱強く受けつづける、そうした身体―精神規律を身につけた者こそが文明社会に適合的な人間であり、近代的な組織体、とりわけ軍隊や工場が求めたものだった。試験は学習の成果のみならず、そうした規律を身につけたかどうかを点検する場でもあった。

身分による支配・被支配ではなく、〈賢きものは、世に用いられて、愚なるものは、人に捨てらること、常の道〉（『小学読本　巻一』）である社会、すなわち学歴社会こそ、平等を建て前とする近代国家にふさわしい選抜のシステムであり、明治政府にしてみれば、徴兵制と同じく、抵抗・反発があればあるほど原則を放棄するわけにはいかなかったのである。

第四章

平等と差別の複合

徴兵制は文明的

人権斉一

明治五年（一八七二）一一月、明治政府は徴兵告諭《ちょうへいこくゆ》を公布した。兵役は〈生血《せいけつ》を以《もっ》て国に報いる〉〈血税〉だという文言がふたたび「血を取られる！」という流言を生んだが、政府がいいたかったのは、四民平等だから国家のために死ぬのも平等であるということだった。そこで徴兵告諭は、〈我朝上古《じょうこ》の制、海内《かいだい》挙げて兵ならざるはなし〉、つまり律令制《りつりょうせい》の時代には農民が兵士になり、兵役が終われば家に戻った。ところが中世から〈兵農の別〉ができて〈武士と称し、抗顔坐食《こうがんざしょく》〉する者が横行したと、古代と中近世を対比的に振り返ったうえで、こう力説した。

〈四民平等は〉上下を平均し、人権を斉一《せいいつ》にする道にして、すなわち兵農を合一にする基《もとい》なり。是《これ》に於《おい》て、士は従前の士に非ず、民は従前の民にあらず、均《ひと》しく皇国一般の民にして、国に報ずるの道も、固《もと》よりその別なかるべし。

江戸時代は武士が統治権と兵権を独占した半面、客分《きゃくぶん》である百姓・町人には、いわば「兵士にとられない権利」があった。しかも、長州《ちょうしゅう》戦争、戊辰《ぼしん》戦争で武士の無力が露呈したにもかかわらず、農民主体の徴兵制を構想した大村益次郎《おおむらますじろう》は暗殺され、士族・平民の別なく石高《こくだか》一万石につき五人の割で拠出するという明治三年の徴兵規則も、なかなか実行されなかった。それゆえ徴兵告諭は、〈人権〉の語まで使って平等を強調するとともに、〈抗顔坐食〉〈世襲坐食の士〉と、年貢で食わせてもらいながら厚かましい顔をしている武士という存在を露骨に非難したのである。

治者の一員としての特権を失い、「武士の誇り」まで傷つけられた士族は憤慨した。ただ、彼らの頼みの綱である西郷隆盛《さいごうたかもり》が政府の筆頭参議《さんぎ》であり、徴兵制にも反対しなかった。そのうえ、兵農合一は〈西洋諸国数百年来の研究実践〉に基づく文明的制度であり、かつ〈我朝上古の制〉でもあるのだといわれれば、これを否定するのは難しい。士族の不満は征韓論《せいかんろん》という形をとり、明治六年政変で西郷が下野して、はじめて過激な反政府的言動が表面化する。

他方、矢継ぎ早の開化政策にとまどっていた庶民は、四民平等が兵役に結びつくとは思いもよらなかった。しかも、明治六、七年には朝鮮や清国《しんこく》との戦争が取りざたされた。兵隊にと

1

●お捻《ひね》り（代人料）は二七〇円
徴兵令の獅子舞について行ってはいけない。勉強に精を出すか、それがいやなら大病でも煩いなと記す。（『団団珍聞《まるまるちんぶん》』明治一二年一二月）

られれば見知らぬ外国に連れ出されるかもしれない。当然、血税反対の一揆《いっき》が起きたが、ここでは庶民代表の憤懣《ふんまん》をひとつだけ聞いておこう。

折角《せっかく》両親が辛苦艱難《かんなん》を尽くし、尿屎《シシババ》の世話から手習い算盤《そろばん》までそこそこに稽古《けいこ》をさせ、これから少し家業の役にも立つ様に成ったものを…ギャッと生まれてから夢にも知らぬ軍《イクサ》の稽古をさせ…直様《スグサマ》朝鮮征伐に遣《や》り…役に立たぬ者は血税とやら云うて血液を絞り（軍服・軍帽の赤色を染めるというが、なんにでも税をかけたうえに）…少若者《ワカモノ》の血液を絞って税にとるとは、ホンニ阿修《あしゅ》羅《ら》の地獄とはこの事でござる。

（横河秋濤《よこかわしゅうとう》『開化《かいか》の入口《いりぐち》』）

徴兵逃れと精兵主義

兵役には三種類あった。一七歳から四〇歳の男性全員が登録される国民軍、二〇歳から三年間の常備軍（現役）、その後の後備軍である。徴兵検査（身体検査と簡単な読み書き計算）を受け、これに合格すると、番号を書いたコヨリを引いて一定数が選び出された。その人数は全国で約一万人にすぎなかったが、籤《くじ》に当たれば除隊後も定期的に訓練を受ける第一後備兵（予備役）、訓練のない第二後備兵（後備役）となり、常備・後備合わせて一〇年前後も拘束《こうそく》され、有事には真っ先に動員される。しかし、官吏や官立学校生、戸主《こしゅ》（世帯主）や嗣子《しし》（跡継ぎ）、代人料二七〇円を納めた者などは免除され、その後も戦争に駆り出される心配はなかった。この落差は大きかった。

だから人びとは懸命に徴兵逃れの道を探った。情報・交通網が未発達で「個の特定」が難しかったから、鉱山や漁業に潜り込んだり、徴兵制のない北海道に逃げ込む者も多かった。しかし、分家や形式的な結婚、養子縁組みで戸主か長男になるのがいちばん確実で、たとえば東京近郊の田無《たなし》町では、明治一三年（一八八〇）の徴兵適齢者一六名のうち、戸主一人、長男七人、養子長男七人の計一五人が免役になり、ただひとり徴兵検査を受けた次男は「逃亡」した（『田無市史』）。長崎県長崎区も明治一四年に〈全区中一人として徴集に応ずる者なし〉というありさまだった（大山巌《おおやまいわお》「徴兵忌《き》避《ひ》に付《つ》き建議《けんぎ》」）。兵役逃れは役場を含めた地域ぐるみで行なわれていた。

ただし、朝鮮をめぐる清国《しんこく》との対立が深まる明治一〇年代後半になると、陸軍は年間徴集人員を二万人に引き上げた。政府も徴兵令を改正して、非常時には現役経験者でなくても動員できる徴集猶予制に変え、長男でも親が六〇歳未満なら猶予を認めないなど、条件を厳しくした。そのため、親が隠居して子どもを戸主にする者が急増したが、未成年の戸主には町村議会の選挙権がなかった。そこで活用されたのが「死籍《しせき》」だった。死籍とは跡継ぎのいない絶家《ぜっけ》の戸籍で、この家を「再興」すれば戸主になれた。東京では「徴兵免否鑑定所《ちょうへいめんぴかんていじょ》」といった看板の店があり、死籍は二〇円以上で売買されたという。しかも、軍隊

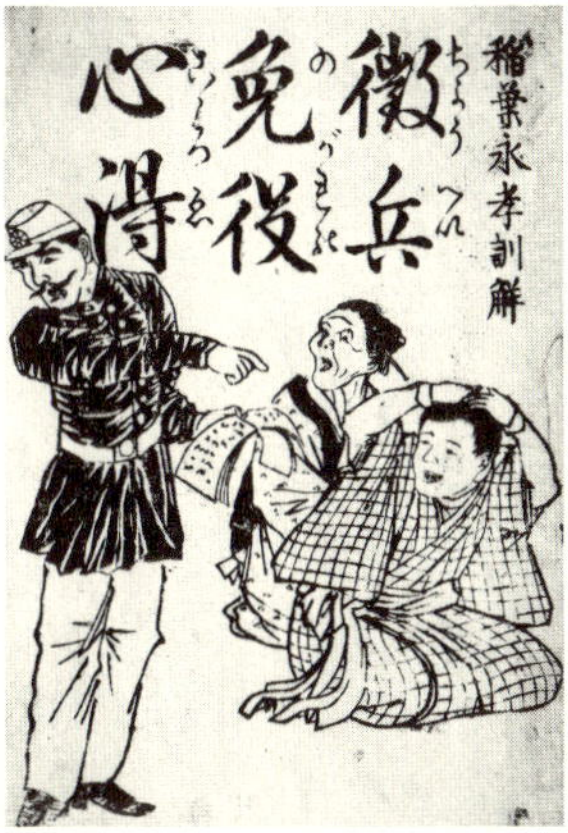

2

◉徴兵逃れの指南書
徴兵令の解説という形をとりながら、免役・猶予の条件などをくわしく解説した本がたくさん出版された。（稲葉永孝訓解『徴兵免役心得《ちょうへいのがれのこころえ》』）

第三			
濱松縣	下等	敏捷ノ者多シ	兵役志願ノ者十一名
愛知縣	上等	朴直ノ者多シ	兵役志願ノ者十六名
筑摩縣	仝	頑固ノ者多シ	兵役志願ノ者三名アリ 詐識ヲ以テ苦情ヲ訴ヘ兵役ヲ避ントスル者多シ
石川縣	仝	朴直ノ者多シ	兵役志願ノ者二十七名
新川縣	中等	惰弱ノ者多シ	兵役志願ノ者三十四名
敦賀縣	仝	狡黠ノ者多シ	兵役志願ノ者十五名
大阪府	下等	輕薄ノ者多シ	兵役志願ノ者甚タ稀ナリ
名東縣淡路國	上等	朴直ノ者多シ	兵役志願ノ者二名

3

◉敏捷・朴直・狡猾・軽薄…明治九年の徴兵状況をもとに、各府県の特徴を示した表。上から、軍管区・府県・体格・性質・雑報の順。（『陸軍省第一年報附維新以来諸沿革』）

の日給は明治九年時点で、歩兵大佐の六円一四銭《せん》八厘《りん》、少尉《しょうい》の七二銭三厘に対して、一等兵は五銭、二等兵は四銭二厘（年間一五円三三銭）にすぎなかった。三食・宿舎付きとはいえ、除隊時の一時金もない。家柄や苗字《みょうじ》へのこだわりがなければ、死籍に金をかけても気ままに働いたほうがよかっただろう。

それにしても、国民皆兵を建て前にしながら、陸軍はなぜ年に一、二万人しか徴集しなかったのか。兵役期間を一年にすれば大量の兵士を訓練できるし、庶民の反発も弱まったはずだ。だが、少数でも徹底的に訓練した兵士を予備役に繰り入れていけば、一〇年で一〇万人以上の「精兵」を確保できるし、当面重要なのはむしろ指揮官となる士官の養成だというのが山県有朋陸軍卿《やまがたありともりくぐんきょう》らの考えだったと、加藤陽子《かとうようこ》は指摘している。それに、少数なら壮健な者を選抜できる。明治一九年の身体検査合格者は壮丁《そうてい》の一四パーセントにすぎなかったが、徴兵された一万五〇〇〇人余はみな身長五尺三寸（約一五九センチメートル）以上で、砲兵には五尺五寸以上をあてることができた。量より質、徴兵逃れをするような者をあえて兵士にする必要はなかった。

陸軍幼年学校、陸軍士官学校では、入学試験による人材の選抜が実行された。ただし、広田《ひろた》照幸《てるゆき》によれば、一八九〇年代の陸士採用者の六割を士族が占めた。これは帝国大学や高等学校とほぼ同じ比率だが、平民と士族の人口比を考えれば格差は大きい。明治三一年の陸軍在職軍人軍属（下士以下を除く）も約五八パーセントが士族だから、徴兵制軍隊の中核はなお士族が握っていた。

文明的生活

不運にも籤《くじ》に当たってしまった若者にとって、軍隊はどんなところだったろうか。ここでは、それまでの生活との落差に絞って簡単に触れておこう。

入営した若者がいちばん驚いたのは、おそらく「ベッド」だろう。次ページの写真は愛知県犬山《いぬやま》市の明治村に復元された名古屋鎮台《ちんだい》歩兵第六連隊の兵舎で、写真では見えないが右側にもベッドがあって八人部屋である。貧しい農家や職人の次、三男がどんな声をあげたか、すぐに眠れたかなどと想像してみたくなる。しかも、起床ラッパで起こされたあとは、洋服や靴を手早く身につけ、分単位で決められた日課をこなしていかねばならない。田植えのような共同作業はあっても、一日中誰かに細かく指図されることはなかった彼らが、突然「時計に基づく生活」を強《し》いられたのである。

それでも、最初のころは優遇されていたようだ。〈力自慢で身長五尺四、五寸、しかも寅《とら》年生まれだから早速採られた〉という須田藤七は、新潟分営の様子をこう語っている。

被服類は充分過ぎて…靴下は常に五、六足は新しい物を持っていた。少し垢《あか》染みてもいかぬという掟《おきて》であった。また、食物は紳士も及ばぬ程贅沢《ぜいたく》で、鱒《ます》や鮭《さけ》など町の人々の口へのぼらぬ時から食した。鴨《かも》などは四人に一羽位で…米はひとり六合で食い余る処から協議して賄費《まかないひ》を余すようにし、除隊の時に分配することにしたところ、東京から松本《まつもと》（良順《りようじゅん》）大軍医巡視の時、それを見つけて金は余さず必ず食料に使えとの厳命には驚いた。

（『新潟古《にいがたこ》老雑話《ろうざつわ》』）

しかし、まもなく食費は一人一日「精米六合、金六銭」の定額になり、西南《せいなん》戦争後には毛布・靴下などの支給が減り、食器を壊すと弁償させられた。食費もしだいに切り下げられた。もっとも、通常の庶民の食費も同じくらいだったから、白米が食えるのはありがたかったかもしれない。ただ、そのために脚気《かっけ》患者が続出し、早くからパン食や米麦混合食に切り替えた海軍に対して、白米にこだわった陸軍が日清《にっしん》・日露《にちろ》戦争

4

5

で多大な犠牲者を出したことはよく知られている。

隊列行進とナンバ歩き

毎日の訓練も初体験の連続だったが、まずは「整列して行進する」のが大変だった。整然と列をつくり歩調を合わせて歩くには、前後左右の間隔に注意し、号令に即座に対応できる身体感覚が必要である。隊列行進は「集団のなかの一員」を自覚させるための「装置」なのだ。しかも、右足と左腕、左足と右腕をそろえて前に出す、西洋流の歩き方でなければならない。

江戸時代は、大名行列でさえ、それぞれが適当に歩いていた。野《の》村雅《むらまさ》一《かず》によれば、両手をハの字に動かしながらちょこちょこ歩く「丁稚《でっち》歩き」を別にすれば、腕を振って歩く習慣もなく、右足と同時に右肩を出す、俗に「ナンバ」と呼ばれる歩き方がふつうだった。これは農民が鍬《くわ》を使うときの姿勢に由来するといわれるが、前かがみで身体を揺するようになりがちだった。初年兵教育ではこれを改めさせるのに半年かかったといわれる。一八八〇年代後半からは小学校の体操に「隊列運動」が導入されたが、一九二〇年代になっても、〈正しき姿勢、正しき歩法、殊《こと》に直線歩行を完全に実施しうるものはきわめて少数〉で、〈前後左右の動揺、屈

◉名古屋鎮台兵舎
白壁と大きなガラス窓も文明的。廊下側に銃。枕もとの棚については、145ページの図が示している。明治六年の建設（移築復元）。

6

◉ナンバ歩きの飛脚
飛脚の速さ、疲れ知らずには外国人も驚いたといわれる。浮世絵《うきよえ》や絵巻《えまき》なども、よく見るとナンバで歩いている姿が多い。

曲および上下の高低、実に不規則にして〉〈二等国以下にある国人の姿勢・歩行〉と変わらないと、陸軍戸山《とやま》学校の岡千賀松《おかちかまつ》中佐は嘆いている（『国家及国民の体育指導』）。ナンバは踵《かかと》のある靴を履かない習慣とも関係していたから、「歩行の文明化」はなかなか進まなかった。

もっとも、近年は末續慎吾《すえつぐしんご》選手のような短距離走やバスケットボールなどでナンバ走法が成果をあげており、西洋式は身体をねじるので合理的でないともいわれる。また、ナンバは日本だけのものではなく、古代ギリシャの壺絵やインド・インドネシアの舞踊にもみられるから、かならずしも西洋人式の歩き方が一般的とはいえないようだ。

兵隊帰りは生意気

もう一度兵舎に戻ろう。ベッドの上に棚がある。兵士はこの棚に支給された夏服・冬服などをきちんとたたんで積み上げ、背嚢《はいのう》・飯盒《はんごう》・手箱・軍靴などを所定の位置に置かねばならない。「軍隊内《ない》務書《むしょ》」の「起居の定則」は、〈毛布・敷布を振るい、丁寧《ていねい》に畳みて寝台の上に置き、而《しか》して洗面の後、武器を清拭《せいしき》し被服を整頓すべし〉〈室内または廊下に痰《たん》を吐き、煙草《タバコ》の吸い殻を棄《す》つべからず〉〈顔面・頭髪を洗い、爪を剪《き》り、歯を磨き、総《すべ》て身体を清潔にすべし〉などと細かく規定していた。

整理・整頓・清潔は工場・学校など集団的規律を要する場でも繰り返し強調されるが、成沢光《なるさわあきら》によれば、江戸時代は禅僧など特別な修行者以外には、ほとんど縁のない観念だった。しかも、毎月回、〈綿密に清潔・修理の整否〉を調べる〈細密検査〉があり、銃の細かな部品まで調べられた。

このように、明治初年の民衆にとって「軍隊で生活する」とは、ベッド・洋服・肉食といった西洋風生活を体験するとともに、時計（ラッパ）に基づく日課や集団行動に順応し、身辺をつねに点検される生活に耐えられる身体と精神を身につけることだった。それだけに、三年の兵役を終えて戻ったとき、彼らと村人との落差は大きく、「不潔だ」「だらしない」といった苛立《いらだ》ちと、「兵隊帰りは生意気だ」といった反発が交差し、小さなトラブルが絶えなかった。近代的軍隊をつくるには報国意識をもった規律正しい「文明的国民」が不可欠だが、明治前半期はむしろ軍隊が「文明的国民」を養成する場になっていたのである。

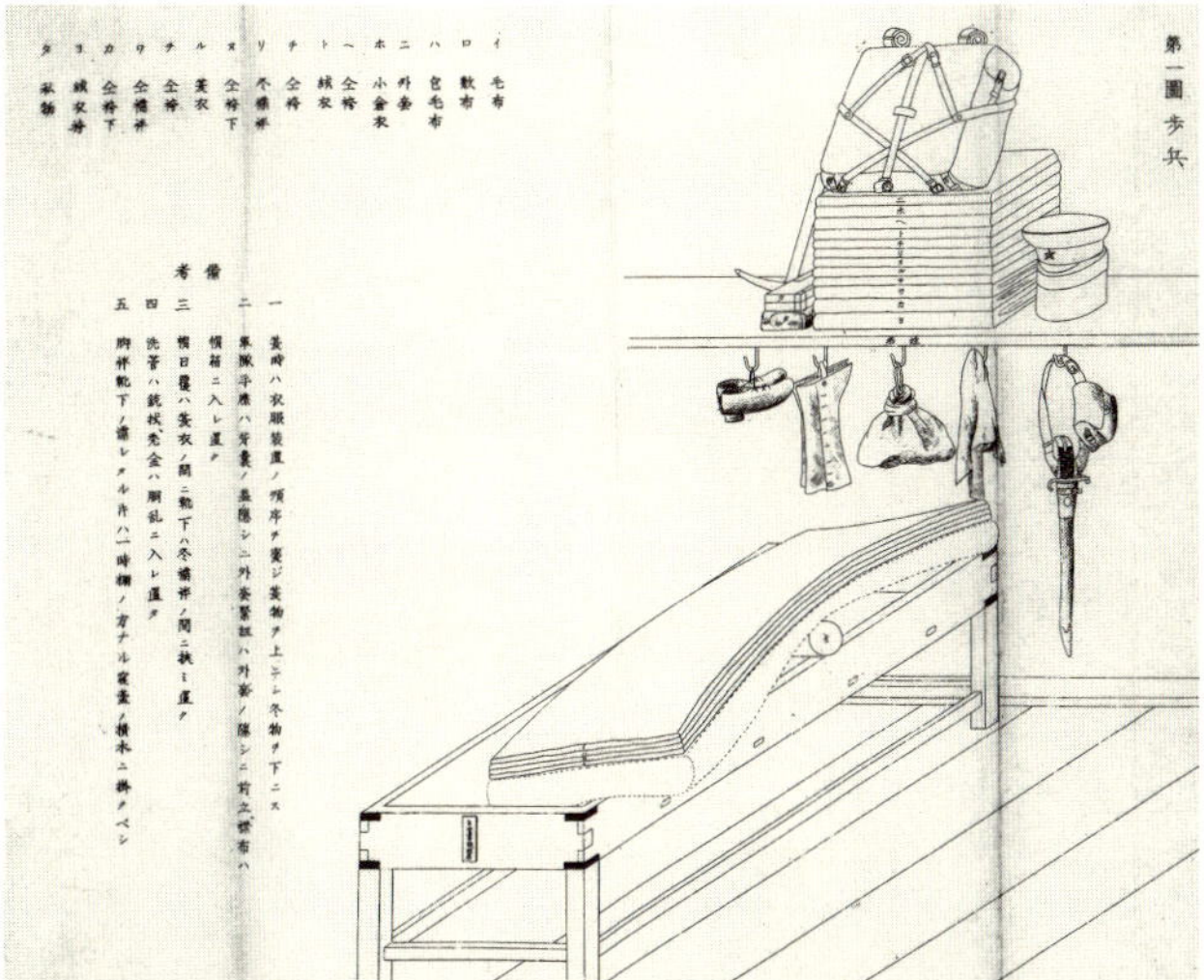

7

●**整理整頓の鉄則**
頭の上に靴があるのはどんな感じだろうか。『軍隊内務書』は、連隊長の職務、経理・外出などの規則、上官の呼称は「殿」であるといったことを細かく定めている。（明治二一年版『軍隊内務書』付図第一）

維新の勝者は誰か

士族兵制の一挙両利

徴兵制はまた、華士族は平民の居候《いそうろう》だ、扶持米《ふちまい》にこびりついた蝿武士《はえぶし》めといった非難を呼び起こした。〈愛国憂世郡自主自由村農・独立不羈郎《ふきろう》〉と名のる者は、〈封建政体の遺物なる華士族と云う重荷を背負い込んだる我々平民は…日本政府に差し出した膏血《こうけつ》（税金）の三分の一を両種族に呈上している。家禄《かろく》を返上しなければ〈竹槍《たけやり》を携えて士族狩りを為《な》す〉かもしれぬぞと警告している（『郵便報知新聞』）。

華士族に支給される家禄が膨大な金額になることは政府も公表しており、当時の米価一石《こく》四円で換算すると、士族はひとり平均約九石で三六円、華族は約二二四〇石で八九〇〇円の年収になる。これに戊辰《ぼしん》戦争の賞典録《しょうてんろく》を加えた総額は二千数百万円となり、国家財政の三割を超えていた。

華族数　四三二人　　　総禄高　九六七、八四六石余
士族数　四二〇、五七九人　総禄高　三、七八六、九〇五石余
（『東京日日《にちにち》新聞』明治六年一一月九日）

ところが、民衆が徴兵逃れに懸命な姿をみて士族は自信を取り戻し、惰弱な平民に兵役を課すのは〈牛馬の重担《じゅうたん》を犬猫に負わせる〉ようなものだ、一身を国事に委《ゆだ》ねる覚悟のある士族に任せるのが〈仁政〉であり富国強兵の道だ（熊本県士族）といった建白が相次いだ。軍隊は「戦争のプロ」に任せよという士族兵制論は平民からも出された。〈致命の軍官〉つまり生命の危険がある軍人は〈食禄の者〉に任せて、〈保命の文官〉は農工商から試験で抜擢《ばってき》すれば、〈遊惰《ゆうだ》の逸民〉もなく、富国強兵はたちまち成就するというわけである（東京府商人・小林権一）。岩倉具視《いわくらともみ》右大臣や島津久光《しまづひさみつ》左大臣なども徴兵制を非難した。士族兵制なら士族も平民も満足する。もしこの時期に国民投票をすれば、徴兵制は確実に否決されただろう。

しかし、士族兵制はほんとうに〈一挙両利〉の策（石川県士族の建白）だったか。建白書を審査した左院は、結局は〈封建の旧制に復〉するものであり、〈目前の小利害〉に目がくらんで〈永世の大典を動揺〉させてはならないと断言した。自由民権派もまた、一国の兵力を少数者に帰せば人民の自由・権利は危うくなる。今日の士族はたちまち維新以前の武士となり、平民は封建時代の町人百姓となる。〈一時の自由〉はかえって〈永遠の圧制〉を生み出すと指摘している（『朝野《ちょうや》新聞』）。

8

◉解体された小田原城の天守閣
明治三年の撮影。財政難や旧習打破を理由に、廃藩置県前から各地の城が壊されはじめ、跡地には県庁・兵舎・公園などがつくられた。

たしかに、この時期に士族兵制や志願兵制を導入すれば実質的な士族復権となり、「人権斉一《せいいつ》」という近代国家の大前提を突き崩しかねなかった。士族の軍隊は一個大隊に二個大隊の見張番《みはりばん》をつけねば何をしでかすかわからぬというのが大村益次郎《おおむらますじろう》の口癖だったといわれる。だからこそ政府首脳は、〈血税の殷鑑《いんかん》（失敗の教訓）遠からず、民の訛言《かげん》（誤ったうわさ）畏《おそ》るべし〉（山県有朋《やまがたありとも》）といいながらも、徴兵制を撤回しようとはしなかった。明治政府が近代国家を建設しようとするかぎり、民衆と士族の双方から非難される「専制政府」であるほかなかったのである。

士族だって皇民だ

徴兵制と並んで地租改正もまた、士族にとっては理不尽きわまりない政策だった。

「〈維新の功を奏せる者〉は農民か、華士族か。また〈智愚《ちぐ》を較するに、いずれが智、いずれが愚〉か。〈今全国の官地を挙げてこれを農民の私有地となし〉、華士族の家禄《かろく》を廃止するに至れば、〈有功有智の華士族に奪うて、これを無功無智の農民に与うるなり。嗚呼《ああ》、華士族、農民と斉《ひと》しく皇国の人民にあらずや〉」（南部義籌《なんぶよしかず》の建白。明治七年〔一八七四〕八月）

明治維新で幕藩体制を解体できたイデオロギー的な根拠は、すべての土地と人民が本来天皇のものだという「王土王民」論にあった。しかし、廃藩置県《はいはんちけん》のあとは、明治五年五月の壬申《じんしん》地券の発行によって、農民・商人らの土地私有権が認められた。すでに質流れなどの名目で田畑の売買が行なわれており、町場の土地はもともと売買できたから、これは現状を追認するものでしかなかった。

だが、高知士族の南部義籌はこの現実に承服できない。王政復古はわれわれ武士が必死に戦って実現したものだ。それなのに「官地」がすべて平民の私有になり、維新の功労者であり見識もある士族が無視されるとは何事か。士族だって「皇国の人民」ではないかというわけである。そのうえで彼は、百姓はもともと皇室や藩主の土地を預かっていたにすぎず、少なくとも年貢《ねんぐ》の部分、六公四民なら六割の土地は華士族に配分すべきだと主張した。

年貢部分を士族に配分せよという声は政府内外から出されており、たとえば森有礼《もりありのり》は、家禄は数百年間世襲してきた〈家産〉であり、〈諸人固有の権利を剝奪《はくだつ》〉するのは、所有権保護の経済学にも反すると非難した。また、国学者からは、すべての田畑を奉還させて戸別に均等配布せよといった建白が出された。いわば口《く》分田《ぶんでん》への復古である。実際、王政復古直後から「土地均分」のうわさが流れ、農民の不安をかきたてていた。士族・商人が含まれるのであれば農民の取り分は激減し、小作農にとっても災難でしかなかったからだ。

ただし、南部義籌の建白はこうした復古的なものではなく、ヨーロッパの土地改革に関する知見に基づいていた。日本の百姓は〈西洋諸国の荘僕《しょうぼく》（農奴《のうど》）に類する者〉であり、近年農奴制を廃止したロシアでも一定の「償金」を支払ったのに、わが

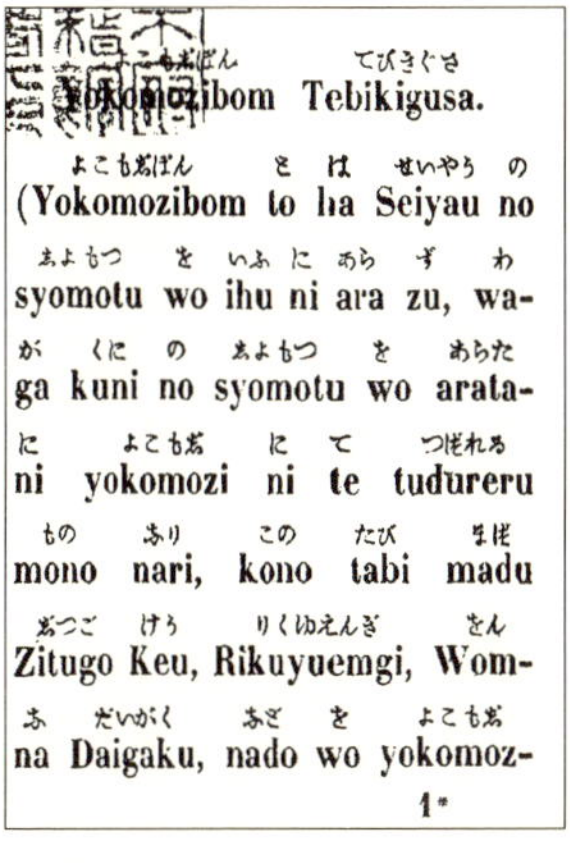
もじぼん てびきぐさ
Yokomozibom Tebikigusa.
よこもじぼん とは せいやう の
(Yokomozibom to ha Seiyau no
しよもつ を いふ に あら ず わ
syomotu wo ihu ni ara zu, wa-
が くに の しよもつ を あらた
ga kuni no syomotu wo arata-
に よこもじ に て つづれる
ni yokomozi ni te tudureru
もの なり この たび まづ
mono nari, kono tabi madu
じつご けう りくゆえんぎ をん
Zitugo Keu, Rikuyuemgi, Wom-
な だいがく など を よこもじ
na Daigaku, nado wo yokomoz-
1*

9

●『よこもじぼん てびきぐさ』
南部義籌はローマ字論者としても知られている。ただし、西洋志向というより、中国からきた漢字を廃止するのが目的だった。明治五年刊。

国の百姓は〈償《つぐな》わずして自主の民〉となり、すべての耕地を手に入れた、こんなことは西洋諸国にもなかったというのである。

領主から大地主へ

たしかに、ロシアの農奴《のうど》解放令（一八六一年）は、農民に人格的自由と土地の有償取得を認めたが、その金額を負担しきれない農民が多く、地主（領主）の支配が続いた。そこに「ロシアの後進性」を読みとる歴史学的評価も生まれた。しかし、イギリスでも市民革命によって廃棄されたのは国王の上級領有権のみで、領主の土地支配権（下級領有権）がそのまま近代的土地所有権に転化した。また、フランス革命でも、農民の小土地所有とともに、総土地所有面積の六割以上を占めた〈地主的土地所有（領主直領地と市民地主の平民保有地）〉が〈自由な私的土地所有権〉として法的に確認された。そのため、フランス革命の土地改革は〈むしろ明確に「地主的なもの」だった〉と原田《はらだ》純孝《すみたか》は指摘している。領有制を解体したといわれるイギリス・フランスでも、革命の最大の受益者は、小農民よりも封建領主や領地を買収した市民地主（上層商工業者・新興貴族）だったのである。

なぜ領有権が私有権（近代的土地所有権）に転化できたのか。ヨーロッパの領主は一般に広大な直営地をもっていたからだ。実際の耕作者は農民でも、農場の経営主体は領主だった。それゆえ、市民革命後も大きな館と広い農地を私有する大地主・貴族として存続することができた。

日本の領主制はまったく違っていた。兵農分離の結果、ほとんどの農地を百姓が占有し、検地帳《けんちちょう》に名請人《なうけにん》が明記された。城下町に居住する領主階級は、年貢の取り立てはできても、「ここがおれの土地だ」と具体的に指差せる耕地はなかった。国替えになった領主さえいた。武士階級が「革命」の主体でありながら地主に転化できなかったのは、そのためだった。むろん、土着した郷士《ごうし》の土地は私有権が認められたし、廃藩置県前に富農や寺院から土地を収奪して藩士を帰農させたところもあるが、全体からみれば、わずかな面積にすぎない。王土王民論によって幕府・諸藩の領有権は剝奪《はくだつ》できても、農民の土地を取り上げるのは不可能であり、もし強行すれば全国的大動乱となり、どのような権力も崩壊するほかなかっただろう。

結局、日本では領有権の私有権への転化は実現せず、農民的土地所有のなかから地主制が本格的に成長していく。御一新の「勝者」は南部義《なんぶよし》籌《かず》のいうように農民であり、その意味では、明治維新は西欧以上に「近代的」な変革だったといえるのではなかろうか。

刻苦勉力ゆえの所有

もちろん、実際の地租《ちそ》改正《かいせい》作業にはさまざまな問題があった。地租は地価の三パーセントとされたが、殖産興業政策の財源に苦しむ政府は、旧貢租《こうそ》額以上の税収を確保するため、地価の算定にあ

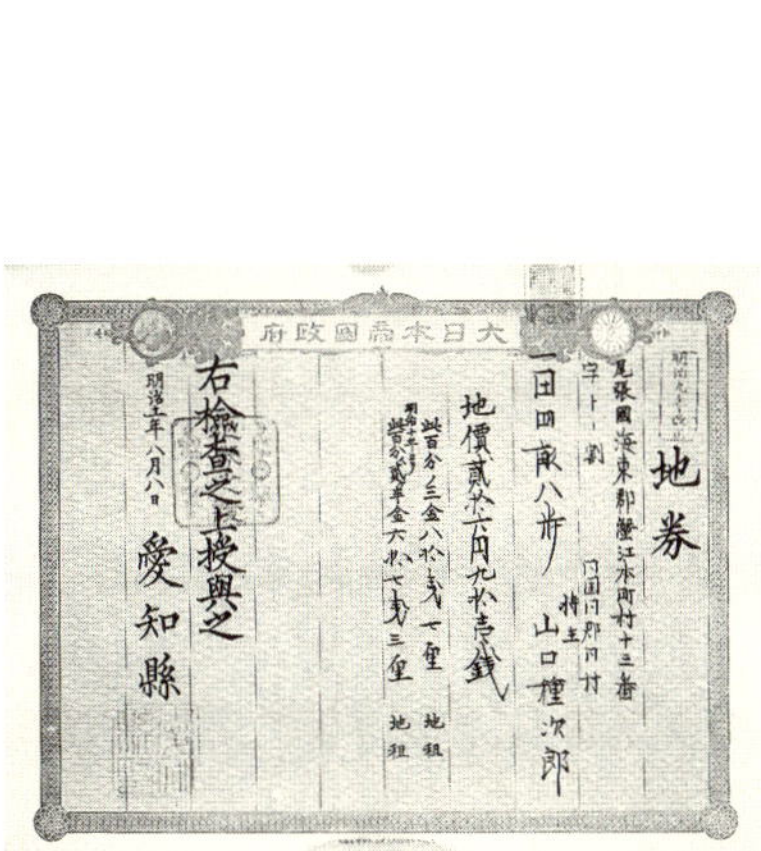

10
◉改正地券
地租改正後に発行された地券。地租が明治一〇年に地価の三％から二・五％に減額されたことを示す。

たって実際の収穫高や肥料代などを無視したうえに、府県ごとの地租総額を一方的に設定し、農民に押しつけた。そのため浜松・愛知・岡山・岐阜・鳥取など各地で強い反発を招いた。さらに、明治九年（一八七六）一一月には茨城、一二月には三重・愛知・岐阜などで大規模な民衆蜂起《ほうき》が起きた。〈慣習を察せず情実を省みず〉〈法律の威を藉《か》りて漫《みだ》りに国民を抑圧〉してきた政府の責任だと木戸《きど》孝允《たかよし》が痛論したように、地租改正のみならず開化政策全般に対する激しい異議申し立てだった。

明治一〇年一月、政府はあわてて地租を地価の三パーセントから二・五パーセントに減額し、民費（地方税）の地租割も一パーセントから〇・五パーセントに引き下げた。国税・地方税合わせて地価の四パーセントから三パーセントへ、じつに二五パーセントの大減税だった。それでも農民の抵抗は続き、地租改正の完了は明治一三年までずれ込んだ。

ただし、奥田《おくだ》晴樹《はるき》によれば、地租改正前に比べて、田畑・宅地・市街地の面積は一五九万町歩、山林原野は六九八万町歩、その他の土地を含めた合計で約八六三万町歩も増えた。他方、地租は、三パーセントで計算しても、田畑・宅地・市街地が三四八万円の減額、山林原野は五八万円の増額で、差し引き約二九〇万円の減額になった。さらに、二・五パーセントで計算すれば、田畑などの減額は一一六一万円に拡大し、山林原野の四六万円増を引いても、全国の地租は約一一一五万円の大幅減額になったのである。最終的に江戸時代より増税になったのは、東京・埼玉・岩手の三府県だけだった。

もっとも、研究者のなかには、華士族に支給された家禄《かろく》や秩禄《ちつろく》公債の財源は地租だから、無償廃棄ではないという見解もある。だが、農民は従来の年貢以外に特別な賠償金（身分解放金）を払ったわけではなく、地租不納で百姓身分に戻されることもなかった。しかも、政府が農民の私有権を認めたのは、一揆《いっき》の心配だけが理由ではなかった。士族への土地配分を要求した建白を審査した左院は、これを〈実に採るに足らざるの暴仕法《ぼうしほう》〉と切り捨て、つぎのように明言している。

農民等数年（長年の意）の刻苦勉力《こっくべんりき》を以《もっ》て得る所の家産を押し買いして、世襲坐食の有禄者に分賦する、何ぞそのことの暴なるや、彼に奪って此《これ》に恵み、此を悪《にく》んで彼に恤《めぐ》むは、政府の敢《あ》えて為《な》さざる所なり。

労働こそ所有の根拠だというのは、いうまでもなく「近代」の基本論理である。本来誰のものでもない土地を囲い込んで私有権を宣言できるのは、〈ひとが耕し、植え、改良し、開墾し、そうしてその産物を使用しうるだけの土地は、その範囲だけのものは、彼の所有である〉と、イギリスの思想家ジョン・ロックも『市民政府論』（一六九〇年刊）のなかでいっている。ただし、政府が私有財産に租税をかけるには所有権者の同意が必要であるという租税共議権が実現しなければ、私的所有権は完全な権利といえない。議会開設を要求する自由民権運動に地域指導層が参加していく基本的な理由はここにあった。

モラル・エコノミーの否定

それにしても、〈刻苦《こっく》勉力《べんりき》〉が私有権の基礎でありながら、地主制が近代になって拡大していくのはなぜか。この問題をつきつめると、「市民革命とはなんだったか」という難問にまで戻ってしまうが、ここでは、私的所有の自由を法認することを通して、経済的強者の自由、つまりは地主制と資本主義の自由な発展を保障する体制をつくること、それが市民革命の歴史的役割だったと述べるにとどめたい。ただし、その際に重要なのは、市民革命期の民衆が要求したのは、私有権の自由よりもモラル・エコノミー（日本流にいえば仁政や徳義）だったことである。

イギリスでもフランスでも、王権の強化をめざす君主に反発した治者階級（貴族や大商人など）の反乱が革命の起点であり、それを機に蜂起《ほうき》した民衆のエネルギーが国家体制を流動化させた。だが、民衆の行動は貴族や封建議会への支持というよりは、食糧危機・生活難を放置する王政への異議申し立てだった。それゆえ、イギリスでは革命の進行につれて、救世主が出現し理想の王国が誕生するという千年王国的ユートピアの想念が広まるとともに、平等主義を掲げて大農場の分割を要求したり、私有を否定し共有地の共同耕作をめざす運動が起きた。しかし、彼らは革命政権によって抑圧され、地主・小作関係も耕作農民に有利な長期借地から、地主の意向が貫徹しやすい短期の契約に切り替えられ

11

●徳義をわきまえた借金取り　大声も出さず静かに座り込むだけ。これが日本の流儀だとワーグマンはいう。（『ザ・ジャパン・パンチ』一八八二年一一月）

ていった。椎名重明《しいなしげあき》や戒能通厚《かいのうみちあつ》の研究によれば、これはイギリス革命が不徹底だったからではなく、〈総じて資本主義発展に対する障害を十分にとり除いたという点で…フランス革命よりもむしろすぐれてブルジョワ革命としての本質を備えて〉おり、小農民の要求を〈ほぼ完全に否定した点で、資本=賃労働関係の推転に適合的な関係を確定した典型的な市民革命〉であったといわれている。

また、フランスの都市民衆は食糧価格の統制などを強く要求し、農村では貧農・借地農が大農場の分割や借地関係の規制などを求めた。だが、こうしたモラル・エコノミー的要求は拒否され、愛国者税など、さまざまな名目の税金が課された。そのため、徴兵令を機に、フランス西部ヴァンデ地方では大規模な農民蜂起が起きた。平等といいながら、官吏や代人料を納めた者が兵役免除になったことも原因のひとつだった。「ヴァンデの反乱」(一七九三〜一八〇一年)は革命政府の残虐《ざんぎゃく》なまでの弾圧にあったばかりか、この地の住民はつい最近まで「反革命者」と非難されてきたという。しかし、〈旧体制に抵抗し、そして革命の進行にも抵抗した〉彼らは、〈自分たちの幸福さえ政治権力が保障してくれれば、それで満足〉で、〈権力奪取などという発想はなかった〉と森山軍治郎《もりやまぐんじろう》は指摘している。まさに客分《きゃくぶん》としての異議申し立てである。また、藤澤房俊《ふじさわふさとし》によれば、一八六一年に成立したイタリア王国でも、徴兵逃れや反乱、山に逃げ込んで「匪族《ひぞく》」になるといった抵抗が続いた。

市民革命で認められた地主制は、たんなる「封建的なものの残存」ではなく、王権による統制や地域社会のモラル・エコノミーで抑制されていた「強者の自由」が革命で解放されたからこそ、急速に拡大できたのである。

共同性からの解放

日本の地主制も同じである。江戸時代は村請制《むらうけせい》だから、他村の土地を大量に所持するのは難しく、村内でも強引に小作料を取り立てれば「不徳なる者」と見なされかねなかった。何年たっても借金を返せば土地を取り戻せる無年季請戻慣行《むねんきうけもどしかんこう》や、一〇年ごとに質地証文《しっちしょうもん》を書き替えて流地《りゅうち》にしないといった村議定《むらぎじょう》が有効であるかぎり、安定した地主経営は成り立たない。

富裕農の「私欲」が許されなかったのは、農山村の土地が「百姓の土地」であると同時に「村の土地」でもあったからだ。深谷克己《ふかやかつみ》に倣って、村の共同的所持と百姓の個別的所持という二つの「所持」の複合といってもよい。定期的に耕地を籤《くじ》引きなどで交換する割地《わりち》制《せい》や、百姓＝土地所持者を優先しつつ、その他の者の利用も認めた入会地《いりあいち》はその典型だろう。そしてその外側に、誰のものでもない山野河海＝無縁・無主《むしゅ》の地が広がっていた。

地租《ちそ》改正《かいせい》は村請制と共同的所持を否定し、原則として貢租《こうそ》納入者に地券を与えた。質地に関しては、質取主《しちとりぬし》（地主）の同意がなければ質入主《しちいれぬし》（小作人）の所有権は認められなかった。たとえば、請戻慣行のあった神奈川県真土《しんど》村では、ある質取主だけが頑として質入主の要求を拒否したため、質入主は裁判所や司法省に訴えたが却下されている。

ただし、この村では明治一一年（一八七八）、憤慨した村民がその地主一家を襲撃するという事件に発展した。殺された人物はたんなる強欲な地主ではなく、戸長《こちょう》をつとめたときには断髪や神社統合などを推進し、小字《こあざ》名を番号制に変え、自宅の文蔵《ふみぐら》を開放するなど、開化政策の果敢な遂行者だった。だから、この面でも村民と対立していたように思われる。

　ところが、殺人罪で村民が起訴されるや、三郡一三〇か村以上の住民が、これは〈私怨《しえん》〉ではなく〈一村一郷の公怨〉だと嘆願運動に立ち上がり、神奈川県令《けんれい》までが〈寛典《かんてん》の御詮議《ごせんぎ》〉を内務省に要請した。「徳義」の理念がなおも生きていたのである。明治一七年にこの地域から八王《はちおう》子《じ》・津久井《つくい》に至る一帯で、借金の年賦返済を要求する武《ぶ》相困民党《そうこんみんとう》の事件が起こるのも、こうした基盤があったからだろう。

　とはいえ、地租改正自体に反対する農民はいなかった。と同時に、地租は個人に賦課され、滞納すれば強制執行が原則になったから、深刻なデフレになった明治一五年以降、小作農に転落する農民が急速に増えていく。他方、請戻慣行や村議定から解放された地主は、村内外の土地を買い集め、高率小作料をとるのも小作地を取り上げるのも「自由」になった。むろん、小作料を払えば土地を追われない永小《えいこ》作《さく》や、小規模な割《わり》地《ち》制、村外地主に対する村の規制などを存続させた地域もあるが、それらは当事者の合意に基づく局地的慣行にとどまった。そして、地主が蓄積した小作料は株券・社債などの形で商工業の資本となり、高率小作料に苦しむ小作農家は、低賃金労働力の供給源となって工場生産を支えていくことになる。

12
◉真土村事件での農民の減刑嘆願　絵《え》草紙《ぞうし》『相州奇談真土廼月畳之松《そうしゅうきだんまどのつきたたみのまつ》蔭《かげ》』（明治一三年）の一場面。この事件は世間の注目を集め、泉鏡《いずみきょ》花《うか》の処女作『冠《かんむり》　弥左衛門《やざえもん》』の題材にもなった。

私有の排他性

私有権の設定はまた、入会地《いりあいち》の秣場《まぐさば》や山林に及んだ。大蔵省は当初、分割・私有を推奨していたが、明治九年（一八七六）には、労働力の投入（植林など）を証明できない土地はすべて官有地に編入した。そのため、幕府御料林《ごりょうりん》ですら二割を占めるにすぎなかった木曾《きそ》山林のじつに九割が官有林となり、山梨では小物成《こものなり》（山年貢《やまねんぐ》など）を払ってきたにもかかわらず、入会地の九九パーセントが接収された。こうして、明治二三年頃には全山林の半分以上が官有地（国有地）になった。

私的所有権は排他性を本質とする。所有権への侵害を拒否できるからこそ租税共議権が成立し、政府の土地収用にも抵抗できる。しかし、入会地が私有されれば、下草・小枝の刈り取り、木材の伐り出しを財産権の侵害だと訴える地主が出てくる。官有林・皇有林でも不法侵入や窃盗《せっとう》として処罰される者が続出した。このため、入会権の復活、林野の払い下げを要求する運動が各地で展開されるようになるが、ある程度の成果を得るまでに長い時間がかかった。その一方で、士族授産や殖産興業政策の一環として、広大な林野が一括《いっかつ》して払い下げられた。日光《にっこう》山林の良木が足尾《あしお》銅山の燃料に使われ、煙害とあわせて無残な岩山になったのはその一例である。官有（国有）とは国民の共同所持ではなく、政府・官僚が勝手に処分できる「官の私有」にすぎなかった。

山野はまた、狩猟《しゅりょう》で暮らすマタギや、鉢《はち》・椀《わん》などをつくる木地師《きじし》のような「山の民」の生活の場でもあった。彼らは幕府領・藩領の境を越えて山々を自由に移動できたが、明治になると取り締まりの対象にされはじめた。立木を伐採した跡に火入れをして畑をつくり、数年後に耕作をやめて林に戻していく焼畑《やきはた》は、生態系を生かした山野利用の一形態だったが、これもしだいに困難になった。さらに、丹羽邦男《にわくにお》によれば、江戸時代の漁村は地先《じさき》の海面と背面の畑・林野を所持しており、海岸沿いの山林は焼畑・薪炭《しんたん》のほか、魚附林《うおつきりん》（漁業資源の保護を目的とする保安林）・防風林の役目も果たしていた。陸海一体で生活と生態系を守ってきたのだ。だが、地租改正で漁業権と土地所有権が分離され、そうしたシステムも崩壊していかざるをえなかった。

　結局、地租改正は幕府・藩の領有権とともに村の共同的所持を否定し、個別的所持を排他的な私的所有権として法認した。それは近代的な自由権・参政権などの基礎であり、近代国家を確立するうえで不可欠の措置だった。入会地を否定する政府の論理、すなわち、私有でないと土地が荒れる、労働力の投下がなければ無主地であり官有地だという論理も、近代的な所有権論と矛盾しない。しかしながら、共同利用だからこそ「孫子《まごこ》のための配慮」、つまり目先の利益（現世代の私益）よりも、長期的・持続的な利用可能性を重視するルールがつくられたのではなかったか。誰のものでもない無主地だからといって、官が私有し、勝手に払い下げていいとはいえない。そもそも、自然がつくりだした土地や山野河海を囲い込み、排他的な私有財産権を設定することが許されるのか。地租改正は、そうした問いをわれわれに投げかけている。

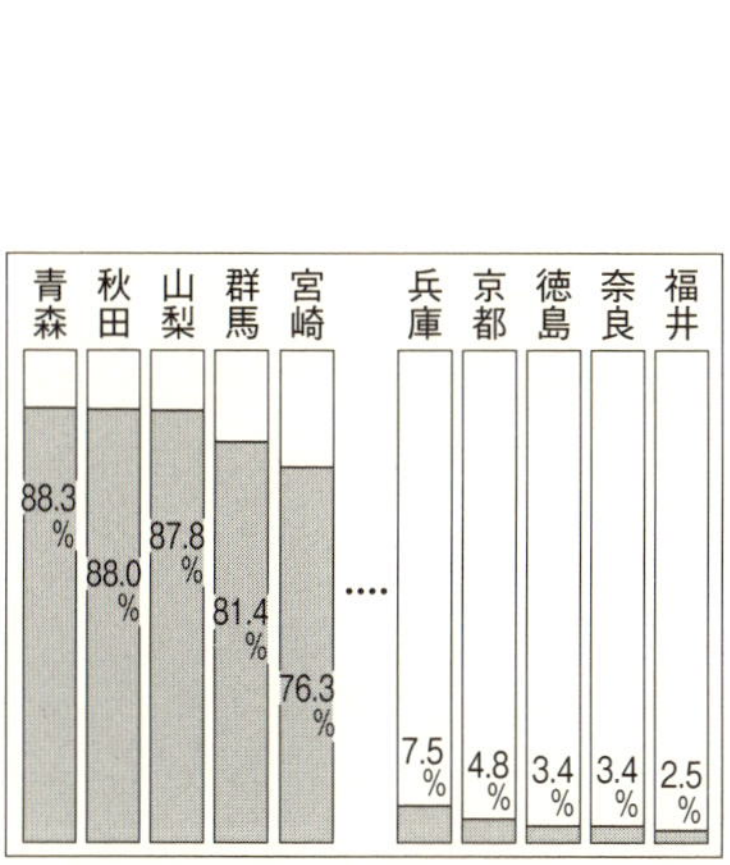

●官有林の多い県・少ない県
大きな格差ができた原因には、自然条件などのほかに、地方官の姿勢や住民との力関係もあったようだ。（北条浩《ほうじょうひろし》『林野入会の史的研究』より作成）

近代ゆえの差別

新政反対一揆の矛先

土地私有権を確保し、士族からは明治維新の「勝者」とさえ見なされた農民は、しかし、地租のほかに血税（兵役）まで負担させられたことに、強い不満を抱かざるをえなかった。ところが、その憤懣《ふんまん》は、現実にはまったく別の方向に向けられた。

明治六年（一八七三）五月、北条県《ほうじょう》（岡山県）西西条郡《にしさいじょう》の村々に「白衣の男が血税を取りに来る」といううわさが流れ、「白衣の男を見た！」の声があがるや、法螺《ほら》貝《がい》や寺の鐘が鳴り響き、やがて他郡を含め数万人の農民が竹槍などを手に波状的に蜂起《ほうき》した。彼らはあらかじめ明確な要求を掲げてはいなかったが、五か年間の年貢《ねんぐ》免除、地租改正の費用負担反対、断髪反対、屠牛《とぎゅう》禁止、徴兵廃止、「穢多《えた》」は従前どおりなどを要求したといわれる。〈御政事《ごせいじ》向き、旧幕府お立て戻しのこと〉、つまりはすべてを江戸時代に戻せというわけだ。

この年は、こうした騒動が京都・岡山・広島・鳥取・島根・香川・愛媛・長崎・熊本など西日本で続発した。民衆の行動形態や波及の仕方は幕末以来の一揆・騒動と共通するが、開化政策の拒否に主眼があったことから「新政反対一揆」と呼ばれる。福岡県ではわずか数日で一〇万人以上に達し、福岡城の県庁を壊し官舎を焼く大一揆になった。そして、福岡県六万四〇〇〇人、北条県二万六七〇〇人など、大量の処罰者を出した。北条県の人口は二二万人、約六万戸だから、江戸時代の一揆のように一戸一人の参加とすれば、全世帯の四割以上が処罰されたことになる。

ただし、彼らの攻撃対象は「官」だけではなかった。福岡では戸長《こちょう》・米会所《こめかいしょ》・富商などのほか、被差別民の一五〇〇戸以上が焼き打ちにあい、北条県でも襲われた民家の大半は被差別民の家で、しかも二九人が殺傷された。じつは、これ以前にも兵庫・岡山・広島・高知・愛媛などで襲撃事件が起きており、岡山では四人が殺されていた。

直接のきっかけは明治四年の賤民制《せんみんせい》廃止令だった。これを機に「かわた」の人びとは床屋・風呂屋・酒屋に入ろうとしたり、入会地《いりあいち》の利用や神社の氏子《うじこ》への加入を求めた。だが、「町内風呂」の札を掲げるなど、さまざまな口実を設けてこれを排除する動きが生まれ、北条県庁のように、〈穢多の者共は御趣意に甘えて倨傲《きょごう》の所業《しょぎょう》（傲慢《ごうまん》な振る舞い）〉があってはならないといった布達を流す役所も少なくなかった。そのうえ、近隣の農民からつぎのような「お詫書《わびがき》」を強要された村もあった。

「御一新《ごいっしん》により天朝様から平民同様にとの仰せがあり、この御

●解放令反対一揆
大きな一揆や騒動になったのは西日本に限られたが、他の地域で差別やトラブルがなかったわけではない。（上杉聰《うえすぎさとし》『部落を襲った一揆』より作成）

趣意を戴《いただ》いて、格別に慎まねばならないところ、かえって心得違いを致し申し訳ありません。今後、ご門内では履物《はきもの》を脱ぎ、道の途中でお出会いしたときは、従前どおり履物を脱ぎ、厚く礼譲《れいじょう》を尽くしますので、平にお許し下されたく、ひとえにお詫び申し上げます」

北条県で殺されたのは、こうした理不尽な差別を拒否した人びとだった。ここに新政反対一揆を考えるうえで、見落としてはならない深刻な問題があった。

富裕な「かわた」

「かわた」の人びとの解放要求は、賤民制《せんみんせい》廃止令ではじめて出てきたわけではなかった。安政《あんせい》四年（一八五七）の渋染《しぶぞ》め一揆《いっき》は有名である。岡山《おかやま》藩は倹約令の一環として、「かわた」の衣服を紋無《もんな》し・柿渋《かきしぶ》による染色に制限し、顔見知りの百姓には下駄を脱いでお辞儀せよなど、新たな差別を課した。だが、「かわた」の人びとは、「御百姓同様」に自分たちの役目を果たしてきたのに差別されるのはおかしいと主張し、実質的に命令を無効にさせた。前にも述べたが、身分制は生業と役《やく》負担からなっており、百姓と「かわた」は生業の違いであり、ことさら差別されるいわれはないという自負が渋染め一揆を支えていた。

しかも、「かわた」以外の者が牛・馬や猪・熊などの獣皮を売買したり、熊の胆《い》、牛黄《ごおう》（牛の胆石）など生薬《しょうやく》の原料を取り出すことは禁じられた。社会全体の生活水準の上昇につれて履物（雪駄《せった》）などに使う皮革の需要も高まった。だから、「かわた」村が貧しいとは限らなかった。彼らは牛馬の獣医でもあったし、病気や飢饉《ききん》のときにはひそかに肉汁を求める農民も少なくなかった。

とりわけ、皮革のなめし・加工業の元締めとなった摂津国渡辺《せっつのくにわたなべ》村は、西日本各地の「かわた」村から年一〇万枚の生皮が送られ、朝鮮からも対馬《つしま》藩経由で毎年牛皮一万五〇〇〇枚が届いたといわれる。また、関東の弾左衛門《だんざえもん》は、三〇〇〇石の旗本《はたもと》並みの格式を認められ、大きな門構えと白洲《しらす》や牢獄を備えた広大な屋敷では、百数十人の役人が「かわた」支配の政務に従事していた。しかも、「かわた」のすべてが皮革業に従事したわけではなく、灯心を販売したり、百姓が放棄した田畑を少しずつ買い入れて年貢を納める者も増えていた。水戸藩内の「かわた」頭五兵衛《ごへえ》は天保《てんぽう》期（一八三〇～四四）に三町《ちょう》六反《たん》の田畑を所持し、幕末には五〇〇俵《ぴょう》の供出を命じた天狗党《てんぐとう》とわたりあった。とはいえ、死牛馬の処理に対する「殺生《せっしょう》」「不浄」の観念や、百姓の家柄意識の高まり、藩による差別の強化などが重なって、江戸後期に賤視《せんし》が強まったのも確かだった。「かわた」村内の貧富の格差も大きかった。

なお、「かわた」と「非人《ひにん》」の区別や両者の関係は地域によって異なるが、窮乏の末の浮浪人や罪人などが「非人小屋」に集められ、街路の清掃・治安維持・物乞いなどで生活していた。そのほか、猿まわしなど各種芸能民の多くも賤民身分とされた。また、非人は「かわた」頭の支配下に置かれることが多

13

◉「かわた」の仕事
仏師・医師をはじめ、さまざまな職人を描いた職人絵には、皮なめしの「かわた」も登場する。（『江戸職人尽歌合《えどしょくにんづくしうたあわせ》』）

かったが、一定の条件を満たせば「平人《へいにん》」に戻ることができた。

幕末の激動は「かわた」の人びとにも大きな影響を与えた。奇兵隊《きへいたい》をはじめ武士以外を軍隊に動員した萩《はぎ》藩（長州藩）は、「かわた」も諸隊に参加させた。幕府もまた、長州戦争に人足五〇〇人を費用持ちで供出した弾左衛門や、その配下六五人の「身分引き上げ」を認めた。幕府の措置は関東の「かわた」が薩長側につくのを恐れたためといわれるが、これも戦争が平等を引き寄せた一例といえるだろう。さらに、渡辺村からは慶応《けいおう》三年（一八六七）、つぎのような嘆願書が幕府に出された。

「私どもは獣類を処理し獣肉を食べるゆえに不浄の者といわれ、悲歎《ひたん》残念の至りでしたが、外国人は獣肉を食しても四民の外に遠ざけられもせず、私共ばかり遠ざけられるのは嘆かわしき次第であり、なにとぞ『穢《え》多《た》』の二字をお除きいただきたい」

これまで賤視・忌避の根拠とされた肉食や皮革業が、一転して文明的生活の代表になったのだ。荷車や馬車を引く馬の需要も増え、牛馬や皮革の価格が急騰した。にもかかわらず、賤民制廃止令が出ると、「かわた」の人びとの多くは皮革業の放棄を選択した。彼らにとって、この布告はたしかに「解放」令であった。

14

◉弾直樹《なおき》（弾左衛門）の製靴工場
西洋的な皮なめし技術の習得は容易でなく、弾は破産したが、多くの靴職人を育てた。佐倉《さくら》藩士西村勝三の製靴場とともに、近代的皮革業の基礎を築いた。

清め役のゆくえ

だが、死牛馬の処理を突然拒否された農民は当惑した。しかも、明治五、六年（一八七二、七三）は伝染病のため全国で五、六万頭の牛が死んだ。埋めるか棄《す》てるほかないが、それでは河水を汚染し人民の健康を害する（新潟県）とか、〈種々の物品に製造〉できる骨角皮爪を〈空《むな》しく腐朽《ふきゅう》〉させるのは〈天賦《てんぷ》の利益を損耗〉するものだ（千葉県）などとして禁じられた。

もともと賤民《せんみん》の仕事の多くは「掃除役」といわれたように、「清め」にかかわるものだった。死者の埋葬はもちろん、大黒舞《だいこくまい》・猿まわしのような遊芸も邪気を払うものであり、大きな神社の祭礼が賤民による「露払い《つゆはら》」なしには始められなかったのもその一例である。罪人の処刑や牢番《ろうばん》・辻番《つじばん》も、安寧《あんねい》を脅かす者を捕捉《ほそく》し、社会から排除する仕事である。稲田耕一《いなだこういち》によれば、地方によっては、牛馬の死んだ小屋を「かわた」が清掃して新しい藁《わら》を敷き、鹿谷権現《かやごんげん》などの御札を貼《は》り直して死体を持ち去った。牛馬の所有者は、この「清め」が終わるまで家の外に出られなかったという。「かわた」役には物理的な掃除を超えた聖なる「清め」の役割があったのだ。だから、被差別民襲撃事件を起こした農民のなかには、抜き差しならない差別意識とともに、「かわた」のおかげで維持されてきた「清浄な生活世界」が崩壊するという不安があったと思われる。

廃止令はまた、なんの準備もない大半の「かわた」を、突然、自由競争の社会にほうり出すことにもなった。民部省《みんぶしょう》は経済的自立のための授産事業を検討したが、太政官《だじょうかん》はこれを認めなかった。廃止令は国土と人民の均質化や地租改正、職業の自由化といった近代化政策の一環であり、被差別民のためではなかったのである。

営業資金も技術もなければ、わずかな耕地や日雇い仕事で飢えをしのぐか、食肉処理や皮革業に戻るほかない。しかし、もはや経済的特権はなく、採算のとれるところには外部の資本が進出してきたから、かつては皮革業で経済的に余裕のあった村ですら、しだいに貧窮化を余儀なくされていった。そのうえ、就学・就職はもとより、道路・水道・下水などの予算配分を含めた公然・非公然の差別による居住環境の悪化が、これに追いうちをかけた。

文明化のなかで、皮革業や肉食を口実にした差別は通用しなくなったが、同時に「清め」の聖性も否定された。そして、「穢《けが》れ」は「不潔」に置き換えられ、差別の結果である貧困・不潔・無知・怠惰《たいだ》といった反文明的状態が、あたかも固有の資質であるかのような言辞さえ生み出された。出自が異なるといった一種の「人種」論によって差別を固定化し正当化する意識も強められた。もともと平人《へいにん》への道が開かれていた非人は、「生まれ」で差別はされなかった。「地域と生まれ」が固定された「部落」の差別が、ほんとうに苛《か》酷《こく》になるのは文明開化期以降であり、こうした差別の論理は、アイヌや琉球《りゅうきゅう》・朝鮮・中国の人びとにも投げつけられていく。

15

◉猿まわしの配った御札
猿は厩《うまや》の守護神で、牛馬の無病息災を祈って、猿まわしなどが御札を配った。本物の猿の頭骨や手を厩に祀《まつ》る風習もあった。

生まれによる差別はまた、天皇制とも深く関連している。名東県《みょうどう》（徳島県）農民の藤江二良三郎は、華族が皇族にならず、〈穢《え》は農に登らず〉という、上下二つの〈不可登《ふかとう》の梯《きざはし》〉こそ〈皇国の正政〉だと主張し、〈人権斉一《せいいつ》〉を強調する徴兵告諭が、〈しきりに国恩を挙げて、君恩を言わざるは…皇国をして共和に至らしむるの遠謀〉ではないかと非難した（明治七年の建白書）。たしかに、徴兵告諭には「天皇」が出てこないし、近代の徴兵制は国民国家を前提にしているから、そこに共和制の危険を見てとった藤江の嗅覚は鋭い。だが、彼の危惧《きぐ》は杞憂《きゆう》に終わった。明治一五年の「軍人勅諭」などによって日本の軍隊は「天皇の軍隊」となり、しかも黒川《くろかわ》みどりの指摘するように、地域民衆による差別が強まるにつれて、被差別部落の人びとのなかに、「解放」令を出した天皇の「一視同仁」「一君万民」の理念に依拠しながら平等を求める動きが出てくるからである。

他方、一般農民にとって四民平等とは、仁政を拒否した明治政府のもとで、「かわた」からの「礼譲」と「掃除役」の提供を失い、血税まで負担させられることでしかなかった。もとより、だからといって襲撃が正当化されるはずもない。にもかかわらず、この事件についてやや詳しく述べてきたのは、民衆の被害者意識が暴力の激発を生み、理不尽な加害者になっていく典型的な事例として、いつまでも想起されつづけねばならないと考えるからであり、さらには、掃除役を他者に押しつけておきながら、その人たちを「汚い」と嫌悪し、あるいは、「穢れ」を自己の生活空間から排除さえすれば、あとはどうなろうと関係ないと目をつぶる——そうした心性が、私自身を含めてこの社会の根底に、いまなお流れつづけていると思うからにほかならない。

コラム3

ももんじや

文明開化を象徴するものに牛鍋がある。〈牛鍋食わねば開化不進奴〉（仮名垣魯文《かながきろぶん》『安愚楽鍋《あぐらなべ》』）などといわれて、恐る恐る食べはじめたといった話も多い。仏教の殺生《せっしょう》や神道の穢《けが》れの観念、家族の大切な一員である牛馬を食うことへの抵抗感などが、その理由にあげられる。

しかし、武士の世界では肉食のタブーは弱く、近江国彦根《おうみのくにひこね》藩は毎年、牛の味噌漬を将軍家や水戸家・老中《ろうじゅう》などに贈っていた。また、一九世紀初めの江戸では、冬場を中心に、「ももんじや」「けだものや」と呼ばれる獣肉店が猪・鹿・熊・猿などの肉を鍋にして出していた。「薬食《くすりぐい》」と称されてはいたが、一八四〇年代ともなれば、獣肉を煮売りする商人が増えて、〈婦女子に至るまで肉味を知らざるはなし〉といわれるほどになった。

開港場やその付近で牛鍋、豚鍋の店がにぎわったのは、いうまでもない。そして、横浜に供給する牛や豚の飼育が北関東の農村にまで広がり、越後《えちご》からも子牛の売り込みがあったという。庶民は「けがれ」をいいたてながらも、うまければ肉も食うし、もうかるとなれば肉用牛も飼うのである。

第五章

近代天皇制への助走

西洋近代と日本古代

開化の模範

「分外《ぶんがい》に尊大《そんだい》ではならぬ」と大久保利通《おおくぼとしみち》に注意され、「下《しも》の苦《く》を知らないのか」と民衆から冷ややかな眼を向けられた若き天皇はどうしていただろうか。

まずは、外国人との面会が増えるなかで、文明的君主への変身を余儀なくされた。明治二年（一八六九）七月、世界周遊中のイギリス王子エジンバラ公が来日した。清国《しんこく》皇帝は王子との接見を拒否しており、国賓級の人物にいかに対応するか、明治政府も苦慮したが、結局、大広間で天皇が起立して王子を迎え、皇居内の御茶屋や浜離宮《はまりきゆう》では、天皇が王子と直接会話をしながらもてなした。「イギリスでも適当と認められる方法で迎える」（岩倉具視《いわくらともみ》）ほかなかったのだ。当然、これを非難する者が続出し、王子が皇居に入るときや接見のあいだ、神官らは「穢《けが》れ払い」の祈禱《きとう》を懸命にやっていた。しかし、御簾《みす》の内で沈黙している「天子」は完全に過去のものとなり、明治五年にはロシア王子アレクセイと馬車に同乗し、アメリカ人医師へボンから英文聖書を受け取るなど、〈天皇自身が、外国人の機嫌を取るのに、懸命であった〉といわれるまでになる（ブラック『ヤング・ジャパン』）。

公家《くげ》・女官の抵抗で停滞していた宮中の改革も、廃藩置県《はいはんちけん》直前に西郷隆盛《さいごうたかもり》が吉井友実《よしいともざね》を宮内省《くない》に送り込んでから、大きく前進した。侍従に士族が加わり、天皇自身も陸海軍の演習に積極的に臨席したほか、毎日馬に乗り、みずから号令をかけて小隊を調練するなど、〈尊大の風習〉が少なくなったと西郷を感激させた（『明治天皇紀』）。古い女官もようやく一掃され、皇后が「奥」を掌握できる態勢が整えられた。また、福羽《ふくば》美静《びせい》・元田《もとだ》永孚《ながざね》とともに教育係（侍読《じどく》・侍講《じこう》）をつとめた加藤弘之《かとうひろゆき》は、『国法汎論《こくほうはんろん》』『西国立志編《さいごくりっしへん》』などを通して西欧の政治制度や西欧的君主像について講義し、やがて皇后も天皇以上に熱心に侍講の講義を受けるようになる。

明治天皇が日本の民衆にはじめて生身《なまみ》をさらしたのは、明治三年四月一七日である。この日、金巾子《きんこじ》の冠・直衣《のうし》・紅袴《べにはかま》といった姿で馬に乗った天皇は、一万八〇〇〇名の歩兵・砲兵らを率いて皇居から駒場野《こまばの》まで行進し、諸隊を親閲した。大勢の群衆がつめかけたが、特別な規制はなく、外国人のための観覧席を用意した外務省役人に下賜《かし》金が出された。「見せること」が意識的に行なわれたわけだ。

また、明治五年九月の鉄道開業式では、新橋《しんばし》駅午前一〇時発の列車に乗って横浜の開業式に臨席し、一二時の列車で新橋に戻って午後一時からの開業式に臨むという「便利さ」を見せつ

◉外国人を謁見する天皇
明治五年九月、フランス軍事顧問団を謁見した天皇。和装で椅子に座っている。（『ル・モンド・イリュストレ』一八七三年二月）

ける演出の主役となった。関係者の労をねぎらう勅語などのほかに、庶民向けの勅語も読み上げられた。見物人に囲まれた皇居外の公式行事でも、重要な役割を果たしはじめたのである。

さらに、肉食を始めた、断髪をした、牛乳を飲みはじめた、皇后がお歯黒《はぐろ》・点眉《てんび》をやめた、天長節《てんちょうせつ》の晩餐会《ばんさんかい》が西洋料理になり、奏楽も雅楽《ががく》から海軍軍楽隊の洋楽になったといったことが、そのつど公表された。

「民情風俗視察のため、騎馬・馬車などの軽装で出かけるが、商家などは平日の如《ごと》くせよ」とか、「土下座は不要、脱帽・立礼でよい」といった布告も出された。江戸時代の「将軍御成《おなり》」では、道筋は朝から火気厳禁で、看板・植木鉢などの「御目障《おめざわ》り」を除き、二階の窓は閉め切り、一五歳以下の子どもや「犬猪鳥の類」は表に出さないといった詳細な指図があり、名主《なぬし》・家主《やぬし》らは素足に藁草履《わらぞうり》で平伏した。だから、人びとはここでも「開化」を実感させられたはずだ。

2

◉鉄道開業式に臨む天皇
開業一年後の乗客は一日六〇〇〇人を超えた。なお、品川―横浜間は五月から仮営業しており、天皇は西国巡幸の帰りに利用した。（『ザ・イラストレイテッド・ロンドン・ニューズ』）

天皇・皇后の「御写真」もつくられた。欧米巡遊の岩倉使節団は、元首の肖像を交換したり在外公館に掲出する外交慣例を知らされ、国内でも天皇と面会した外国人や各国公使から君主の写真を求められた。江戸時代にも孔子《こうし》・孟子《もうし》の聖像や宗派開祖の肖像画を掲げる風習はあったが、のちに神格化される「御真影《ごしんえい》」も、西洋スタンダードへの順応として生まれたものだった。「御写真」は県庁などにも配布された。これまで政府は「人民告諭書」などの文書で「万世一系」や「神様より偉い」ことを説諭してきた。しかし、高村光太郎《たかむらこうたろう》の父光雲《こううん》が「御写真」を見て断髪したように、いまや天皇自身が開化の模範であり、文明開化推進の最高ブランドになったのである。

権威のない天皇

とはいえ、こうした開明化が期待どおりの成果をあげたとはいえなかった。たとえば明治六年（一八七三）六月、陸軍の演習を終えた天皇は騎馬で鎌倉《かまくら》・藤沢《ふじさわ》をまわり、神奈川から汽車で帰京した。だが、住民は、天子様が雨の中で閲兵するとは〈余り軽々しきことなれば…ご名代にては非《あら》ざるや〉と疑い、〈人数も少なく、かつ一文にもならず、路《みち》の掃除をしろの何《な》んのと面倒なる事のみなれば、天子様の御通行は甚《はなは》だ迷惑なり〉という声すらあったと、三条実美《さんじょうさねとみ》太政大臣《だじょうだいじん》の密偵は憤慨している。

明治五年五月には、のちに「六大巡幸」と呼ばれる全国視察旅行の最初となる西国巡幸が実行された。人民が朝廷より旧幕府を慕っている現状を打破するには、王政復古後の東幸のように、天皇自身が人民に存在をアピールして歩くほかない。そうすれば地方の開化も進み、君主としての天皇の自覚も高まるだろうと、政府は考えたのである。

巡幸では、大臣・参議を従えた天皇が、県令の案内で県庁・学校・病院・製糸場・軍隊などを視察し、戊辰《ぼしん》戦争や殖産事業の功労者、高齢者などに下賜金を与えていった。田植えや漁業の様子を見物したり、名産品を買い上げることもあった。天皇の行在所《あんざいしょ》（宿所）には開化の拠点である学校や地域の有力者宅が選ばれ、小学校の生徒が沿道に整列して行列を歓迎した。道路・橋の整備、数百人に達する随行者の宿舎・食事の手配などを含めて、天皇の来訪は地域社会にとってたいへんな出来事だったが、それなりの効果を発揮したことは確かだった。しかも、新聞を通して天皇の言動や歓迎ぶりが全国に報じられたから、巡幸と直接関係ない地域の人びとにまでその影響は及んだ。

ただし、明治五年の巡幸は、政府の開化政策を頑として認めない旧鹿児島（薩摩《さつま》）藩主の父・島津《しまづ》久光《ひさみつ》を懐柔することが主眼で、そのためにわざわざ鹿児島まで出かけたのだった。それでも、途中の京都・大阪などでは、船形帽《ふながたぼう》に燕尾《えんび》型ホック掛けの洋服を着た天皇が、馬や馬車で造幣寮《ぞうへいりょう》などの近代的工場や洋学校を視察し、女子生徒一五〇人が英語で天皇を称《たた》えるといった光景がみられた。ところが、伊勢《いせ》や鹿児島では、沿道に座って行列を迎えた民衆が洋服姿の天皇に気づかず、〈その内に御列はおしまいになり、天子は御輿《みこし》のはず、偽物じゃといった騒ぎになった〉（『明治五年西国中国御巡幸』）。

3

◉整列して天皇を迎える
学校ごとに盛装、整列して天皇を迎える福島県の小学生。この図はその後の「奉迎」に大きな影響を与えた。（『東京日日新聞』）

民衆だけではない。天皇の権威は支配層内部でも未確立だった。明治六年政変で参議《さんぎ》を辞職した西郷隆盛《さいごうたかもり》に同調する動きを抑えるため、天皇は二度も近衛《このえ》将校らを〈親諭《しんゆ》〉しようとしたが、篠原《しのはら》国幹《くにもと》近衛局長はじめ、呼び出しに応じない者が続出した。翌年の佐賀事件では、〈特旨を以《もっ》て支那《しな》緞《どん》子《す》五巻〉を下賜し〈暴徒鎮撫《ちんぶ》〉を託した侍従の島義勇《しまよしたけ》自身が反乱の先頭に立った。また、明治九年三月、日朝修好条規《にっちょうしゅうこうじょうき》を締結して帰国した黒田清隆《くろだきよたか》・井上馨《いのうえかおる》の慰労宴に一時間待っても二人は現われず、それでも彼らは罰せられなかった（『明治天皇紀』）。

天皇も未熟だった。天子の職分は万民に君臨することであり、瑣末《さまつ》なことを譴責《けんせき》せず〈度量広闊《どりょうこうかつ》〉を心がけ、〈呉服・厩馬《きゅうば》〉のことより国事に関心をもっていただきたい、学問も〈役目のように表面ばかりにては上達〉できない、飲酒もご節制を、などと侍従長東久世通禧《ひがしくぜみちとみ》に諌《いさ》められた（明治七年一二月）。明治天皇が君主の自覚をもつのは、明治一一年の大久保利通《おおくぼとしみち》暗殺事件ののちである。

皇居の聖域化

君民の距離が近くなったともいえなかった。江戸時代の京都御所は低い築地塀《ついじべい》に囲まれた小さな空間で、庶民は禁裏御所《きんりごしょ》（内裏《だいり》）に入って節分の豆をもらい、正月の舞楽《ぶがく》や三月三日の闘鶏《とうけい》、お盆の灯籠《とうろう》などを見物した。正月には千秋万歳《せんしゅうまんざい》・猿まわしなどの賤視《せんし》された遊芸人が祝い芸を披露《ひろう》した。御所はまた、見慣れぬ装束《しょうぞく》で出入りする公家《くげ》たちをおのぼりさんが眺める「観光スポット」であり、慶応《けいおう》二年（一八六六）二月の東宮殿《とうぐうでん》造営の「踏み固め」では、〈例に依《よ》り市中の男女群集し〉〈変装狂躍〉した（『明治天皇紀』）。

他方、江戸城は濠《ほり》と高い城壁に囲まれていたが、それでも神田明神《かんだみょうじん》・日枝《ひえ》山王社《さんのうしゃ》の「天下《てんか》祭《まつ》り」では、御輿《みこし》・山車《だし》・練物《ねりもの》が城内へ繰り込んだ。城の門前はやはり、登城する諸大名らを眺める観光名所で、幕末には伝手《つて》があれば城内の見物もできた。だが、天皇の居城になると、年中行事に庶民や遊芸人が招かれることもなく、明治三年、久々に山車を復活させた江戸っ子は城内に繰り込もうとして阻止され、明治六年五月の火災では、深夜、東京府の旗を掲げた消防方《しょうぼうかた》がポンプを引いて二重橋《にじゅうばし》に駆け付けたが、門兵は通行を許さず、皇居は全焼した。理由は「入城許可の印鑑がない」だった（『日新真事誌《にっしんしんじし》』）。前年に開化政策や天皇の肉食に反発した御嶽講《みたけこう》信者数人が武装して皇居に乱入する事件があったにせよ、徳川《とくがわ》の世では考えられないことだった。

江戸時代の将軍や天皇は見えない存在でありながら、その居所ではある程度の交流があった。明治の天皇はしばしばその姿を見せながら、皇居は庶民と隔絶した聖なる空間になったのだ。しかも、およそ「仁君」とはほど遠いご政事であり、明治七年には天皇の立ち寄りを機に、神田明神の主神平将門《たいらのまさかど》が境内の末社に落とされた。いうまでもなく、将門

4

●明治二一年完成の新宮殿
明治六年の焼失後、赤坂の旧和歌山（紀州）藩屋敷跡を仮皇居としていたが、憲法発布を前に新築された。（三代歌川広重《うたがわひろしげ》『大日本帝国造営御所之図』）

はみずから「新皇《しんこう》」を名のるなど朝廷に対する最大の反逆者だったが、これに憤った神田っ子が神田祭《かんだまつり》を一〇年間ボイコットしたのも無理はなかった（ちなみに、将門の主神復帰は一九八四年である）。

カンナガラはフレイ

そのうえ、〈御城内悉《ことごと》く西洋の由《よし》、下方の心得とは雲泥《うんでい》の違い也《なり》〉と大和国《やまとのくに》の高瀬道常《たかせみちつね》が日記に書きつけたように、依然として西洋化に反発する者も多かった。静岡県庁に掲げられた「御写真」を見て、〈定めて衣冠《いかん》御束帯《ごそくたい》の事と思いしに、あにはからん、外国風の戎服《えびす》なれば、もはや日本も西洋の属国となりたると見えたり〉と、〈高声〉をあげる士族もいた（『静岡新聞』）。開化の切り札のはずが、「属国」の証拠写真になったのだ。もし彼らから、「これでは攘夷《じょうい》・復古のために命を落とした同志が浮かばれない」と詰め寄られたら、なんと答えればよいのか。「神武創業《じんむそうぎょう》」の論理では、中・近世の「伝統」を否定はできても「開化」の正当化は難しい。「時勢だから仕方がない」という弁解では逆効果だろう。そこで登場したのが、つぎのような論法だった。

散切りを〈外国人の真似《まね》じゃと思うは大きな了簡違《りょうけんちが》い〉で、室町《むろまち》時代は〈今のような野郎あたま〉ではなく、皇帝様《みかど》はずっと惣髪《そうはつ》だった。衣服も〈今のような惰弱な、とり締《しま》りのない形《ナリ》〉（いわゆる和服）ではなく、筒袖《つつそで》・股引《ももひき》は洋服と同じだ。また、神道では魚や肉を供える。住居も昔は板敷きで、禁裏《きんり》も礼式では椅子を使った。つまり、〈日本も三百年ばかりの前へ立ち戻ったら、外国人に笑わるる様な風俗ではなかったのじゃ〉（加藤祐一《かとうゆういち》『文明開化』）。

もっとも、フランス革命でも古代ローマ共和制の復活を思わせる演出がなされた。山田《やまだ》央子《えいこ》によれば、一九世紀イギリスの議会改革論争でも、〈無知な人びとに法を認めさせ〉るために、改革は〈古代の制度の再現に過ぎず、変化は復古であり、革新ではない〉との論法がとられたという。したがって、改革・革命がじつは復古なのだという論法は日本固有ではなかった。とはいえ、経済的自由主義と神道の「カンナガラ」を結びつける発想は並大抵《なみたいてい》ではない。経済統制によって貧富の差をなくすことを求めた建白に対する左院の反論である。

各《おのおの》その業を分けて世を渡り…政府もまた各人の自由に任せ、自主の権を保有せしめ…これ、国語にて言えばすなわち随神《カンナガラ》なり、洋語にて云えばすなわち自由《フレイ》の理なり。

「随神」とは、辞書によれば〈神の御心のままで人為を加えないさま〉である。それゆえ、〈随神の心を体し…強《し》いて他に及ぼすの念を絶《た》やし、自己の業に汲々《きゅうきゅう》たらば、必ず報国の志を表し、父母に孝〉となるという論法は、たしかに、イギリス古典派経済学の祖アダム・スミスのいう「神の見えざる手」、つまり、自由な市場で各人が自己の利益を追求していけば、おのずと社会全体の発展に帰結するという論理に通じている。

いずれにせよ、「西洋近代＝日本古代」「開化＝復古」という図式は、攘夷・復古を錦《にしき》の御旗にした新政権が復古派の論難を突破するための切り札になった。徴兵制は〈我朝上古《じょうこ》の制〉と〈西洋諸国数百年来〉の研究実践が合致した〈天然の理にして偶然作為の法に非《あら》ず〉と力説した徴兵告諭はその典型であり、この論理の「発見」によって、天皇みずからが率先して文明化の模範になることもできたのである。これはまた、天皇が攘夷のシンボルだった幕末とも、「日本固有の文化」の根拠とされた明治二〇年代以降とも異なる、文明開化期に特有の「天皇のあり方」であった。

与える神、奪う神

天皇への崇敬《すうけい》がなかったわけではない。行列が近づくと騒がしかった群衆が急に静まり返ることに驚いたという外国人の証言は多い。また、明治五年（一八七二）の西国巡幸でも、柏手《かしわで》を打ったり家の前に鏡餅《かがみもち》を供える姿がみられた。鹿児島では行在所《あんざいしょ》に残された夜具や、涼櫓《すずみやぐら》の飾りに使われた杉の葉が争ってむしり取られた。〈御糞〉を床の間に置いた国学者もいた。鉄道開業式後の横浜駅でさえ、玉座が粉々に壊され、〈その破片を持ちかえることができた者は、幸運であったと感じているようであった〉と、イギリス代理公使ワトソンは外相に報告している。一八八〇年代の巡幸でも、馬車が通ったあとの石を拾ったり、風呂の湯を大事にもらい受ける者が跡を絶たなかった。

しかし、静粛や土下座《どげざ》は長年の習い性であり、杉の葉には悪魔払いの力があるとされた。また、天皇に限らず、領主・貴人や「マレビト」には何か尋常でない力があると信じられており、出雲大社《いずもたいしゃ》の千家尊福《せんげたかとみ》や本願寺《ほんがんじ》の門主《もんす》はもちろん、巡幸の準備に来た内務省の役人にまで賽銭《さいせん》が投げられた。

また、民衆が求めたのは御利益《ごりやく》を与えてくれる神様であって、生命を投げ出せと命じる超越的な神ではなかった。他方、政府は狐憑《きつねつ》きや祈禱《きとう》による病気治しを否定しており、しかも、先に触れた御《み》嶽講《たけこう》信者が皇居に乱入できたのは、銃弾に決して当たらないと信じていたからだった。士族反乱の佐賀事件で処刑された江《え》藤新平《とうしんぺい》の墓にも、病気が治るとのうわさが立って参詣《さんけい》人が殺到した。この時期の迷信には政治的に危険な力さえ秘められていた。だからこそ、賽銭を投げられた内務省の役人は県の役人に〈注意〉を促し、堺《さかい》県は〈通御《つうぎょ》のせつ、かしわ手打つ事相ならず〉と布達したのである(『浪花《なにわ》新聞』)。

ただし、神武《じんむ》天皇の像を入れた紙幣の発行が、〈皇祖の聖影〉を〈車夫・博徒《ばくと》〉も手にする紙幣に使うとは何事だとクレームがついて中止される(一一年)など、神聖性を強める動きも現われはじめた。また、天皇の地方巡幸は、九年(東北・函館)、一一年(北陸・東海道)、一三年(山梨・長野)、一四年(北海道・秋田・山形)、一八年(山陽道)と続けられた。それでも、天皇が「与える神」から「奪う神」になるのは、まだ先のことである。

5

●「ヒ靴」を載せて土下座　住民の頭に「ヒ」のついた靴(卑屈)。巡幸の天皇でさえ土下座を禁じたなかで、圧政を続ける三島通庸《みしまみちつね》山形県令を痛烈に批判している。(『驥尾団子《きびだんご》』明治一二年一二月)

西洋の時間と天皇の時間

太陽暦と定時法

明治五年(一八七二)一二月九日、太陽暦を採用し、一二月三日を明治六年一月一日にするという布告が突然出された。暦を決めるとは時間の流れを区切ることであり、天体の運行＝神意を把握することである。したがって、古来、暦の確定は統治者の特権であり、東アジアでは中国の帝王が変わるごとに「正朔《せいさく》」(一月一日、つまり暦のこと)を定め、周辺の王朝はその「正朔を奉じる」ことを服属の証《あかし》とした。西洋でも〈時間はラテン語でtemp、時間を支配する神のいるところが神殿templeである。その神が作物の種子を蒔《ま》く時、収穫の時など、暦象《れきしょう》や農作業の年中行事を示したものが「暦」〉だったと角山栄《つのやまさかえ》は述べている。明治天皇も新暦を伊勢神宮《いせじんぐう》に奉納した。

日本の王朝では推古《すいこ》天皇一二年(六〇四)に中国の暦を採用したが、遣唐使《けんとうし》の廃止もあって、貞観《じょうがん》四年(八六二)の宣明暦《せんみょうれき》が約八〇〇年間使われた。しかし、貞享《じょうきょう》二年(一六八五)から天体観測に基づく貞享暦に変わり、その後は幕府の天文方《てんもんかた》が暦を改定し、朝廷が名目的な発行者になった。

これらは太陰暦《たいいんれき》だった。月の公転周期は約二九・五日だから、一二か月は三四五日となり、三年で一か月以上も地球の公転周期とずれる。そこで閏《うるう》月を入れて、立春のころに正月がくるように調節した(太陰太陽暦)。また、儀式の最中に日食になることは絶対に避けねばならない。暦の作成には専門的な技能が必要だったが、伊能忠敬《いのうただたか》の地図が示すように、蘭学《らんがく》を学んだ天文方の技術は優秀だった。ところが、西洋諸国と交渉が始まると太陽暦の併記が不可欠になり、時には行き違いも起きた。しかも、官庁は明治四年九月から月給制になり、閏月のある明治六年は一三か月分の給料を払わねばならない。それに気づいた大隈重信《おおくましげのぶ》の決断で改暦が断行されたといわれる。

改暦と同時に、時刻の区切り方も変わった。江戸時代は日の出・日の入りを基準に昼夜をそれぞれ六等分する一二時制の不定時法で、「一時《いっとき》」の長さは夏と冬、昼と夜で異なっていた。日の出・日の入りの時刻は地域によっても違う。日の出とともに働きはじめ、歩く速度で移動する社会ならこれで十分だが、電信や鉄道は全国一律の時刻でなければ不便だ。そこで、一日を機械的に二四等分する定時法に転換したのである。ただし、戊辰《ぼしん》戦争の幕府軍・朝廷軍はともに西洋時計で統率されており、官庁の勤務時間も早くから定時法が採用されていた。

しかし、定時法には標準時が不可欠である。明治一九年の万国子午線会議《ばんこくしごせんかいぎ》で東経一三五度が日本の基準線となり、二一年から東京天文台が電信で各地に正午を報知した。明治四年から始まった郵便は六年に全国均一料金制となり、電信線は八年に函館—東京—長崎と日本を縦断し、一二年には

6

◉正午のドン
明治四年から昼の一二時に空砲を撃って時刻を知らせた。「もうドンになった」などといわれた。写真は現在の東御苑で使われた午砲。

基本的な全国網が完成していた。そして、長崎・函館から上海《シャンハイ》・ウラジオストクを介して世界的なネットワークに接続し、郵便も明治一〇年の万国郵便連合加盟で、国際的な郵便網に参加した。不定時法という地域ごとの、いわば分権的な時間を否定した定時法は、これらと相まって、全国一律の均質な時空間の形成を大きく促進したのである。

西暦・元号・皇紀

他方、太陽暦の採用は「西洋の正朔《せいさく》」の受容である。〈新しい日本のアジアからの独立宣言は、一八七三年（明治六）一月一日の暦の改編を通して行なわれた〉（グリフィス『ミカド』）。この年の正月、皇后がはじめて天皇と並んで外国公使夫妻と握手し「御詞《おことば》」を述べるなど、西洋の王妃と同じように振る舞いはじめたのも、だから、偶然とはいえない。もっとも、朝廷が最先端の「文明」を積極的に取り込んで、政治的・社会的主導権を確保しようとしたのは、これがはじめてではなかった。

遣唐使《けんとうし》といって今の全権公使の様で…朝廷の儀式、衣装の制、法度《はっと》類、諸器械、言語に至るまで、たいてい支那《しな》の隋《ずい》の代、唐《とう》の代の制にて、その方を学び取って用いられたのだ。…今、親・先祖より有難《ありがた》がっている釈迦《しやか》や孔子《こうし》は、黒奴《クロンボ》や毛唐《けとう》の巨魁《オヤダマ》で、やっぱり昔からその尻を拝んでいたのだ。されば遠いが近い、西洋といっても五十歩百歩、何さえ、今度新たに腰のぬけたわけではねえわな。

（松田敏足《まつだびんそく》『文明田舎問答《ぶんめいいなかもんどう》』）

とはいえ、キリスト降誕を起点にする西暦だけは認められない。日本には元号があるが、治者の交替や大災害などでたびたび改元され、時間がこま切れになった。そこで、明治の元号を定めたときに「一世一元《いっせいいちげん》」、つまり「一天皇、一元号」にした。しかし、これでも一代ごとに時間が途切れて、西暦のような悠久な時の流れを表わせない。そこで浮上したのが皇紀《こうき》（神武紀元《じんむきげん》）だった。

皇紀は、「辛酉《しんゆう》年の春正月庚辰朔《こうしんついたち》」に神武天皇が橿原宮《かしはらぐう》で即位したという『日本書紀《にほんしょき》』の記述から、西暦の紀元前六六〇年を神武元年としたものである。すでに『神皇正統記《じんのうしょうとうき》』『大日本史《だいにほんし》』や江戸時代の文芸でも使われており、幕末の来日外国人でさえ、日本には〈年号〉と、〈六〇年周期〉の暦（干支《かんし》）、そして〈紀元前六六〇年〉を起点とする暦があることを知っていた（『モンブランの日本見聞記《にほんけんぶんき》』）。だが、なぜ紀元前六六〇年なのか。中国には干支の辛酉年に「革命」が起こり、それを二一回繰り返した一二六〇年ごとに大変革があるという讖緯《しんい》説があり、これをもとに、推古《すいこ》天皇が斑鳩《いかるが》に都を置いた辛酉年（西暦六〇一年）から一二六〇年前にしたといわれる。

だから皇紀も中国由来なのだが、明治政府はさらに、「春正月庚辰朔」つまり神武元年元旦を西暦に換算し、紀元前六六〇年二月一一日を「神武天皇即位日」とした。神武はグリフィスのいうように、〈仮に彼が存在したとして、それより千年以上も後になってはじめて名前を与えられた人物〉にすぎなかった。それでも、キリスト紀元に対抗する天皇紀元を定めたことで、明治政府は天孫降臨《てんそんこうりん》と万世一系《ばんせいいっけい》に基づく「国家の起点」を設定することができた。

もっとも、イギリス公使パークスが明治天皇に提出したヴィクトリア女王の信任状には、〈紀元千八百六十八年　我即位後三十一年〉といった表記があり（『日本外交文書』）、紀年・在位年・誕生日は、西洋王家の三点セットだった。また、一世一元制は明《みん》・清《しん》の王朝がすでに実施していた。その意味ではどれもが日本固有ではなかったが、明治政府は太陽暦・一世一元制・神武紀元の組み合わせを選びとったのである。

挟みうちにされた「近世」

明治政府はさらに、改暦と同時に新たな国家祝祭日を定めた。新穀を神に供える新嘗祭《にいなめさい》と神嘗祭《かんなめさい》は以前からあったが、新嘗祭は皇室だけの行事、神嘗祭は伊勢《いせ》神宮《じんぐう》の行事で、庶民とは関係なかった。天長節《てんちょうせつ》は明治天皇誕生日を太陽暦に換算したもの、紀元節《きげんせつ》は神武《じんむ》天皇即位日、元始祭《げんしさい》は天皇が先祖に感謝する儀礼、新年宴会は天皇が皇族・大臣らに酒を振る舞う行事、また孝明《こうめい》天皇祭・神武天皇祭は天皇の亡くなった（とされる）日（太陽暦に換算）である。つまり、すべてが天皇にかかわるもので、春秋のお彼岸《ひがん》まで皇霊（歴代天皇の霊）を祀《まつ》る日にされてしまった。

その一方で、人日《じんじつ》（一月七日）、上巳《じょうし》（三月三日）、端午《たんご》（五月五日）、七夕《たなばた》（七月七日）、重陽《ちょうよう》（九月九日）の五節句《ごせっく》は廃止され、雛祭《ひなまつ》りや七夕《たなばた》などの行事にまで禁令が出された。近世の庶民が慣れ親しんできた年中行事や生活のリズムは、西洋の正朔《せいさく》と天皇の祝祭日という、いわば「開化」と「復古」の両方向から挟みうちにされたのであり、近代天皇制の「時間支配」は、ヨーロッパ・スタンダードへの順応と結びついて実現されたわけである。

「暦を変える」ことはフランス革命やロシア革命でも行なわれた。正義と平等を信じるフランスの革命派にとって、キリスト暦は残酷・虚偽・奴隷状態を表わすものでしかなく、民衆の意識を変革するには古い祭日を廃止する必要があったからだ。バチコの研究によれば、〈新国家は教育的国家であろうとする。それは道徳的政治的言説を常に投げかけ続けるものであって、暦こそはこの言説を伝達する〉ための〈特別な道具〉であり、〈時間を奪い取ろうという意志と、この時間を生きる集団のあり方を根本から変容させようという意志〉の具現化であった。

ただし、日本では明治天皇の即位日である「宝祚節《ほうそせつ》」の創設が、明治八年、一度は決定されながら取り消された。欧米なら王政復古か即位の日は当然「革命記念日」になったはずだが、「皇国連綿《れんめん》」のこの国で「革命」を祝うわけにはいかなかったのだろう。

官の暦・民の暦

しかし、民衆にしてみれば、お上《かみ》の命令だからといって、生活のリズムを簡単に変えるわけにはいかない。不定時法や太陰太陽暦は自然の変化で時間を区切ったが、太陽暦の元日には特別の意味

●明治時代の祝祭日
天長節は明治元年の制定当初、九月二二日とされていたが、明治六年の新暦施行に伴い、太陽暦に換算して一一月三日に改められた。

祝祭日	由来・内容など	月日	現在の名称
元始祭	皇位の元始を祝う	1月3日	—
新年宴会	新年を祝う宮中行事(休日)	1月5日	—
孝明天皇祭	孝明天皇崩御の日	1月30日	—
紀元節	神武天皇即位の日	2月11日	建国記念の日
春季皇霊祭	神武天皇をはじめとする皇霊を祭る	3月21日頃	春分の日
神武天皇祭	神武天皇崩御の日	4月3日	—
秋季皇霊祭	神武天皇をはじめとする皇霊を祭る	9月23日頃	秋分の日
神嘗祭	天皇が伊勢神宮に新穀を奉る	10月17日	—
天長節	天皇誕生日	11月3日	文化の日
新嘗祭	天皇が新穀を神と共食する	11月23日	勤労感謝の日

がなく、カレンダーがなければ何日か見当もつかない。また、旧暦の元旦は立春の前後で「新春」の名にふさわしいが、新暦ではこれから「寒《かん》」に入る。七夕《たなばた》は梅雨《つゆ》の真っ最中であり、お盆の七月一五日はまだ農繁期だ。農作業の目安となる二十四節気《せっき》はどちらの暦でも同じだと役所は説得したが、何しろ、神嘗祭《かんなめさい》を旧暦と同じ九月一七日と定めた政府自身が、初穂《はつほ》の収穫がまにあわなくて明治一二年（一八七九）から一〇月一七日に変更したのだ。「月遅れ」という便法に、日本の季節と一致しない太陽暦の無理が現われていた。

それゆえ、改暦を機に松飾りや豊年踊《ほうねんおど》り・盆踊り・花火・灯籠《とうろう》祭りまで廃止になり、人民は鬱々《うつうつ》として楽しめない。〈賑々《にぎにぎ》しく渡世し易きように御沙汰《ごさた》〉するのが治者のつとめではないのか（青森県士族の建白）といった批判が数多く出された。東京近辺では、〈傾城《けいせい》に誠ないとは、そりゃ嘘《うそ》の皮、今は晦日《みそか》に月が出る、禁《きん》さん帰して徳《とく》さん呼んで、元の正月してみたい〉という歌が流行《はや》った。江戸川柳《せんりゅう》に〈傾城に誠あれば晦日に月が出る〉というが、いまはほんとうに月末に月が出る。こんな嘘っぱちな世の中にした禁裏《きんり》（天皇）を京都に帰して、徳川《とくがわ》の世に戻りたいというわけだ。

実際、明治一〇年代でも紀元節《きげんせつ》や天長節《てんちょうせつ》がなんの日か知らない者のほうが多かったし、新暦の正月は公式行事や役人・小学教師などだけで、村人は旧正月を祝うという状態が長く続いた。ヨーロッパでもユリウス暦からグレゴリオ暦への切り替えはなかなか困難だったから、複数の暦の併存を不自然と思うのは「均質化」の論理に染まった現代人の感覚かもしれない。それでも、統治の要《かなめ》であるはずの暦が、「天朝の暦」と「民の暦」に分裂していたところに、文明開化期の天皇・政府と一般民衆の関係が鮮明に現われていた。

これに対して、定時法への批判はほとんどなかった。季節による変動は不便だったのだろう。それに、大半の庶民は「お天道様と一緒に働く」生活を続けていた。〈大阪のすべての公共施設の時計と同様、この塔（大阪府庁舎）の時計の針も…まったく動いていない〉という証言もある（明治一一年。G・クライトナー『東洋紀行《とうようきこう》』）。

だが、江戸時代はせいぜい「四半時《しはんとき》」（約三〇分）が時間の最小単位であり、しかも、punctuality（時間厳守）に対応する日本語がなかったため、中村敬宇《なかむらけいう》は『西国立志編《さいごくりっしへん》』を訳すにあたって、〈定期〈約束したる時〉を愆《あやま》らざるの徳〉と説明しなければならなかったとキンモンスは指摘している。そんな時間感覚の生活に、分や秒という単位が持ち込まれたことは、やはり画期的な出来事だった。「神奈川県小学生徒心得」は〈課業の始まる時限より十分前〉には登校せよといい、鉄道の時刻表や停車場には、つぎのような注意書があった。

> 乗車せんと欲する者は、遅くともこの表示の時刻より十五分前に「ステイション」に来たり、切手（切符）買い入れ、その他の手都合《てつごう》を為《な》すべし…発車時刻を惰《おこた》らざるため、時限の五分前に「ステイション」の戸を閉ざすべし。

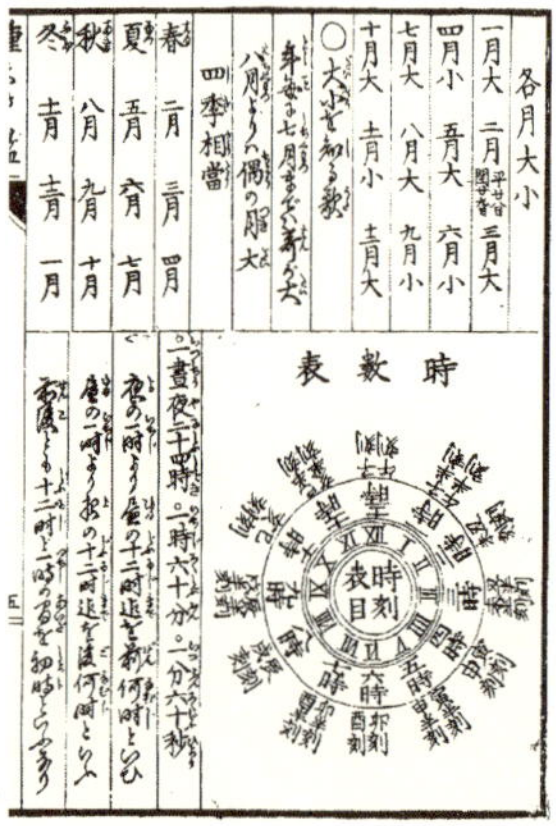

●太陽暦の農事暦
種の播《ま》き時などを太陽暦で示し、時計の見方なども解説している。（『種まき鑑』明治一二年）

昔の渡し舟なら「待ってくれ〜」と叫べば乗せてくれただろうが、「陸蒸気《おかじょうき》の船頭」にそんな配慮はなかった。五分単位の時間を意識しながら、客のほうが準備して待つほかない。小学生のいる家では、時間を否応《いやおう》なく意識させられる。それが文明的生活というものだった。学校・軍隊だけでなく、会社や工場などでもしだいに始業時間が厳格に定められ、それに遅れると「遅刻」となって罰則を科されるようになる。自然のリズムに基づく生活から時計に基づく生活への転換である。明治四年に来日したグリフィスは、〈日本の生活はニューヨークの秒刻みの生活とは大いに違う…日本では時は金でなく、二束三文の値打ちもない〉（『明治日本体験記《めいじにほんたいけんき》』）と苛立《いらだ》ちをつのらせたが、やがてその日本人が、同じような苛立ちをさまざまな「現地」の人びとに抱くようになっていく。

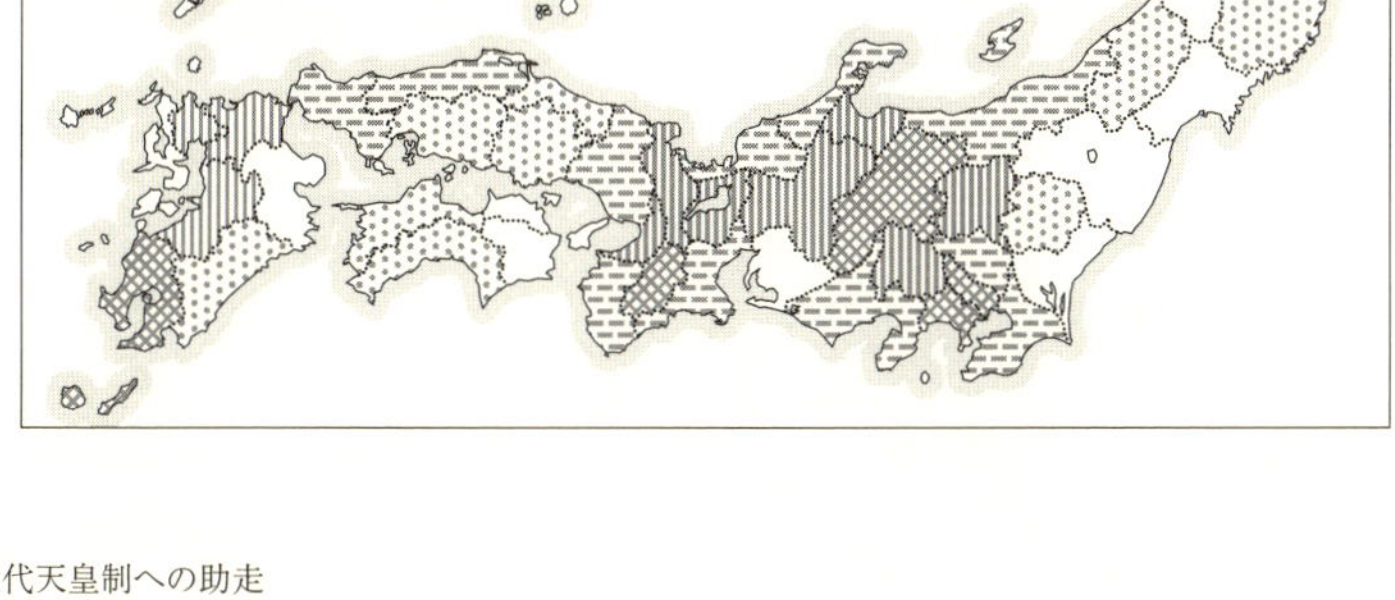

◉府県別新旧正月の分布（一九四六年）
中央気象台の調査。戦時中の新暦正月励行の命令にもかかわらず、旧暦は根強く生きつづけていた。（岡田芳朗《おかだよしろう》『明治改暦』より作成）

国民教化の曲折

新たな神仏混淆

文明開化のなかで、宗教政策はどうなっていっただろうか。

キリスト教の浸透阻止と神道の国教化（祭政一致）をめざす基本線は変わらず、天照大神《あまてらすおおみかみ》―天皇―人民をつなぐものとして、明治五年（一八七二）から伊勢《いせ》神宮《じんぐう》の大麻《たいま》（御《お》札《ふだ》）が役場を通して配布された。しかし、地方神社の再編は進まず、戸籍制度ができて氏子《うじこ》調べは廃止された。また、三月には、島地《しまじ》黙雷《もくらい》など長州派につながる浄土真宗《じょうどしんしゅう》勢力の働きかけで、神祇省《じんぎしょう》が教部省《きょうぶしょう》に再編され、東京に大教院《だいきょういん》、府県に中教院、各地に小教院を置き、神官・儒者《じゅしゃ》・僧侶などを教導職に任命する、新たな国民教化体制がつくられた。神道の「独裁」が崩れたのである。説教の基本とされた「三条の教則」も、〈敬神愛国の旨を体すべき事〉〈天理人道を明らかにする事〉〈皇上を奉戴《ほうたい》し朝旨《ちょうし》を遵守せしむべき事〉という抽象的・一般的なものになり、明治七年末には教導職のうち神道系約四二〇〇名、仏教系約三〇〇〇名という構成になった。

それでも、教部省の主導権は依然として復古神道派・薩摩《さつま》派が握っており、地方では神職を兼任した県吏や教部省の官員らが、神仏分離《しんぶつぶんり》を名目に仏教抑圧を推し進めた。多くの地方で石仏の破壊などが進み、民衆の信仰を集めていた吉野《よしの》山《やま》（金峯《きんぷ》山《せん》寺）・出羽《でわ》三山《さんざん》・秋葉《あきば》山《さん》などの修験《しゅげん》が全面的に神道に組み込まれたのもこの時期である。

だが、明治六年に続発した新政反対一揆《いっき》が、教化政策の転換を余儀なくさせた。それをよく示すのが、教導職試験や説教のテーマとして定められた「兼題《けんだい》」の変化である。六年一月の「十一兼題」は、神徳皇恩・天神造化・鎮魂・大祓《おおはらえ》など神道色濃厚な一一項目だったが、一〇月の「十七兼題」には、皇政一新・不可不学・万国交際・権利義務・政体各種・文明開化・富国強兵といった項目が並んだ。

そして、大教院が示した「説教論題十七則」の「文明開化説」は、朝廷はすでに〈文明の極み〉に達したにもかかわらず、一令の下るごとに〈民心疑惑《ぎわく》し〉〈軽挙妄動《けいきょもうどう》〉する者が少なくない、目下の急務は〈下民の惑《まどい》を解く〉ことであると述べていた（『日新真事誌《にっしんしんじし》』）。これでは地方官と少しも変わらない。西欧化との対決を目的とした教導政策が、一転して開化政策を民衆に浸透させるものになったのだ。

しかも、説教は僧侶のほうが手慣れていた。「仏教にいう極楽・地獄は神道の高天原《たかまがはら》・黄泉《よみ》のことだ」といった混淆論《こんこうろん》も復活し、真宗僧侶の説く〈伊勢大神の神徳〉に聴衆は〈涙を流

8

◉「三条の教則」の解説本
仮名垣魯文《かながきろぶん》『三則教の捷径《さんそくきょうしょうけい》』の一場面。〈三か條の旨を奉戴《ほうたい》して、朝夕《ちょうせき》拝し敬《うやまい》たてまつるところ〉とある。

し、念仏を唱え賽銭《さいせん》を投じ〉るといった光景さえ出現した（『東京日日《にちにち》新聞』）。これでは〈三条教憲の車に仏教を乗せて運輸〉するようなものだと、和泉大鳥《いずみおおとり》神社の神官は悲憤に満ちた建白を出している。また、加藤弘之《かとうひろゆき》・西周《にしあまね》ら明六社《めいろくしゃ》同人も神道国教政策を批判した。強制的に買わされた伊勢神宮の御札が川に捨てられたり、焼かれることもあった。そのうえ、民衆への浸透をあせるあまり、落語家・講釈師などまで教導職に任命したから、ますます訳がわからなくなった。『報知新聞』をネタにした松林伯円《まつばやしはくえん》の講談や、『朝野《ちょうや》新聞』を読む三遊亭圓朝《さんゆうていえんちょう》は大人気だったが、神道の国教化政策はほとんど破綻《はたん》したというほかなかった。

火葬は親不孝

神道派の巻き返しがなかったわけではない。明治七年（一八七四）七月の火葬禁止令である。布告は〈火葬の儀、自今禁止候条《いまよりきんしそうろうじょう》、この旨《むね》布告候事〉というだけだったが、〈[illegible]すべき父兄の遺体〉を平然と〈火燼《かじん》〉する仏教が伝来してから、〈博識の君子〉は長く慨嘆《がいたん》して[illegible]、の〈野蛮の弊習《へいしゅう》〉を禁止したことは〈感佩《かんぱい》[illegible]に余りある〉といった投書が新聞紙に寄せられた。江戸時代にも高知藩（土佐《とさ》藩）の野中兼山《のなかけんざん》、会津《あいづ》藩の保科正之[illegible]を出したが、寺請制《てらうけせい》のもとでは限度があった。「親への孝」を絶対視する儒学者《じゅがくしゃ》・国学者にとって火葬禁止は悲願であり、王政復古後の公議所《こうぎしょ》でも火葬禁止の建白が一九〇対一三で可決されたが、実現はしなかった。

しかし、文武《もんむ》天皇四年（七〇〇）の僧道昭《どうしょう》から火葬が始まると『続日本紀《しょくにほんぎ》』は記しているが、それ以前に火葬された人骨が出土しており、そもそも釈迦《しゃか》の火葬もインドの風習で、仏教の教義と直接の関係はないといわれる。実際、仏教徒の大半は土葬であり、江戸時代の江戸・大坂・京などで火葬が広まったのは、墓地不足が原因だった。ただし、浄土真宗《じょうどしんしゅう》は例外で、祖霊信仰を否定した親鸞《しんらん》が簡易な葬礼として火葬を勧めていた。そのため、禁止令が出ると、各地の門徒は土葬した墓のうえで薪《たきぎ》を燃やして心を慰めるほかなかった。なお、大阪では千日前《せんにちまえ》の火葬場が撤去され、跡地はやがて有数の繁華街になっていく。

もっとも、布告の発端は、東京の千住《せんじゅ》・深川《ふかがわ》などの火葬場の煙が〈悪臭不潔〉だから郊外に移転させよという司法省の「文明的」な提議だった。ところが、これを審議した太政官正院《だじょうかんせいいん》が、火葬は〈惨刻《ざんこく》〉〈野蛮〉にして〈人類の忍び難き〉悪習であるとして〈禁止〉にまでエスカレートさせたのだった。野蛮で人道に反するという「文明の論理」は神道の側からも使えたわけだが、この時期の火葬は薪と藁《わら》で長い時間をかけて焼くしかなかったから、彼らの主張にも一理はあった。

9

◉薪の上に棺桶を置いて
江戸時代の火葬。左側に焼香台があり、参列者の服装や屋根・囲い幕などからみて上流階層の事例だろう。（アンベール『日本図会《にほんずえ》』）

埋葬の自由

こうして神道派の巻き返しは功を奏したかにみえたが、そうはいかなかった。きっかけは明治七年（一八七四）六月に布告された東京の朱引内《しゆびきない》（市街地）埋葬禁止令だった。大蔵省・内務省が、土葬による墓地の拡大は都市計画の障害になり、〈腐敗の悪気〉は〈人身の健康〉を妨げると主張したのである。しかし、埋葬禁止になれば家族の墓が別々になり、市内の寺院は経済的打撃を受ける。浄土真宗以外の宗派にも動揺が広がり、火葬派は反撃に転じた。

・物を清めるのに熂《う》ち火《び》を用いるように、火より清いものはない。〈五尺汚臭の体もたちまちに変じて至清至潔《しせいしけつ》、一団の骨珠《こつじゆ》〉となる（佐竹慧昭《さたけえしよう》の投書。『郵便報知新聞』）。

・火葬ならどこで死んでも郷里の墓に入れる。火葬は残酷だというが、〈大切なる体を泥土中に埋め、漬物《つけもの》の様に大石を置き、ゆるゆると腐らし、そろそろと蚯蚓《みみず》責めにする〉のはどうなのだ（緑街清史の投書。『郵便報知新聞』）。

・欧州では土葬の害毒を指摘する医家の説で火葬が増えている。何より、葬礼は〈人情愛念《あいねん》〉の問題で〈政務治道《せいむちどう》〉とは関係ない（大内青巒《おおうちせいらん》の建白）。

緑街清史（明六社《めいろくしや》の阪谷素《さかたにしろし》の筆名）の言は露骨にすぎるが、「あの世」に還《かえ》る儀式に優劣はなく、遺体の「始末」という意味でも土葬・火葬・鳥葬などに差がないのは確かだろう。しかも、「復活」に備えて遺体を保存してきたキリスト教国でさえ、都市の墓地不足や衛生を理由に火葬論が盛んになり、イギリスでもこの年に火葬協会が設立された。

全集

日本の歴史

第13巻 文明国をめざして

月報13（2008年12月）

小学館

東京都千代田区一ツ橋 2-3-1

今月の逸品

この猫、まもなくスターになります！

宮川香山《みやがわこうざん》『高浮彫《たかうきぼり》牡丹《ぼたん》ニ眠猫《ねむりねこ》覚醒《かくせい》蓋付《ふたつき》水差《みずさし》』

二〇〇八年春、神奈川県立歴史博物館で「横浜・東京　明治の輸出陶磁器」展が開催された。チラシのキャッチコピーは「ハマヤキ・故郷へ帰る」。このニュアンス、わかりますかね……。「ハマモノ」という言い方がある。輸出で稼ぐことを念頭に置いた、かなりキッチュな品物の総称。安っぽい刷りの浮世絵が「横浜絵」、モノクロ写真に手彩色《てさいしき》されたものが、「横浜写真」。そういえば、「ハマトラ」というのもあった。こちらは卑下《ひげ》するのではなく、私の青春時代、フェリス女学院のお嬢様たちが身につけた、お上品なトラッドのスタイルだった。

さて、この「ハマヤキ」の立て役者が、初代・宮川香山（一八四二〜一九一六）。京都の陶工の家に生まれた、のちの香山こと宮川虎之助《とらのすけ》は、明治四年（一八七一）、横浜に移住して真葛《まくず》窯《がま》を開き、試行錯誤ののち、スタイルを確立する。欧米の万国博覧会につぎつぎと出品し、「マクズ・ウェア」は、ブランドとして確立していく。

超絶技巧による高浮彫りの焼物は、欧米の観客の度肝《どぎも》を抜いただろう。香山は、明治政府の殖産興業政策を担う職人として、しっかりした地歩を築き、帝室技芸員にもなった。

この猫の蓋がついた水差も、長らく海外のコレクションにあったもの。長年、香山の蒐集《しゅうしゅう》に心血を注いだコレクター・田邊哲人《たなべてつんど》氏によって、近年買い戻され、横浜に戻ってきた。

学芸員は、この猫でグッズをつくりたかったらしいが、予算難でかなわず、私は手づくりの缶バッジをもらった。なんとも愛嬌のある、歯がチキチキした猫、いつか私がプロデュースして、スターにしますよ。香山の再評価は、これから本格化していくと思う。

山下裕二（明治学院大学教授・日本美術史）

今月の質問

原点となった読書体験は？

第13巻「文明国をめざして」

牧原憲夫
（東京経済大学講師）

　東京出身なので故郷がなくてつまらないのですが、当時の東京はまだ原っぱがたくさんあって、ガキ大将もいたし、いろいろな年代の子どもたちが一緒になって、野球をしたりして遊んでいました。中学生のときに住んでいた世田谷からは、自転車なら一〇分くらいで多摩川《たまがわ》に出ることができました。糸と釣り針を買ってきて、棒切れで簡単な釣竿《つりざお》をつくります。そのころは多摩川の水もきれいで、小さなクチボソなどがたくさん釣れました。

　家ではほとんど本を読まず、外で遊んでばかりいたので、親が心配するほどでした（笑）。

　中学のときの先生が、絵本や児童文学に詳しくて、日本のファンタジーの先駆けともいえる佐藤さとるの『だれも知らない小さな国』を薦《すす》めてくれたのです。中学で体を壊してやむなくということもありましたが、読書っておもしろいなあと思ったのは、あれが最初かもしれません。その後は、高校や大学、そして勤めはじめてからも、児童文学や絵本を月に一冊は買って読んでいました。灰谷健次郎《はいたにけんじろう》や斎藤惇夫《さいとうあつお》などの意欲的な作品がつぎつぎに出てきたいい時期で、ある意味で哲学や歴史の本よりもおもしろかった。そういう読書生活が一〇年くらい続きました。

　印象に残っているのは、オランダの絵本作家レオ・レオニの『フレデリック』という作品。変わり者の野ねずみフレデリックの存在の意味について考えさせる本で、イメージをいろいろと広げてくれた一冊です。

　もうひとつは、絵も文章も書くドイツの作家ライナー・チムニクの『タイコたたきの夢』。中世のある町の話で、ある日、ひとりのタイコたたきが「ゆ

「励まされ、優しくなれる児童文学の世界です」

こう　どこかにあるはずだ　もっとよいくに　よいくらし！」と叫びながら練り歩くと、その声に誘われて人々が一団となってついていくわけです。

途中、さまざまな苦労をして、ついに黄金のあるところに行き着きます。ところが、最初は喜んで満足しているのですが、みんなが金の冠をかぶった王さまになると、畑を耕す者がいなくなってひどい飢饉《ききん》に襲われる。そうすると「これではだめだ」という人が出てきてまたタイコをたたき、「もっとよいくに　よいくらし」を求めてそこから脱出する。そして、森の向こうにすてきな町を見つけます。これこそユートピアだ、と行ってみると、自分たちが捨ててきた町だった。

ユートピアはどこにも存在せず、それを素直に求めているプロセスのなかにしかない。一方、日常というのは一見変わらないようにみえて、ある種の進歩や豊かさが積み重ねられている、ということなんですが、この絵本では、敗残のタイコたたきが森に追い返されたつぎの日に、町のなかでまたタイコが鳴りだすのです。そういう二重、三重の屈折した人間の歩みを、子どもにもわかる短い言葉と絵ですぱっと語っているところに感心しました。絵本ってすごいと思いますね。

歴史の主人公は民衆なのか？

近代史を選んだきっかけは、基本的に外国語がダメ、古文がダメというところでしょうか（笑）。六〇年安保のあと、高度経済成長があって革新都政が出てきましたけれど、「今」という時代がいい時代だとは思えなかった。それと「なぜ日本の国民はあの戦争を止められなかったのか」という疑問をもったのが、歴史学を選んだ理由のひとつでしょうね。

たとえば、日本は日清《にっしん》戦争で朝鮮の鉄道敷設権を得ますが、国内ではまだ機関車がつくれなかったし、資本も十分になかった時期です。社債や株式を募集しても、三井や三菱などの財閥は消極的だった。でも地方の地主や商工業者に「おまえの親や兄弟が、戦争で命がけで分捕った鉄道の利権を放棄してもいいのか」と訴えると、応募者が殺到した。つまり、そういう形で植民地支配が進んだという一面がある。そんなことを卒論でやりました。

もうひとつ、六〇年安保のあとの政党と民衆の意識のズレみたいなものには、すごく考えさせられました。政治運動の側は、平和と民主主義を民衆が望むのは当然であり、だから自分たちの理論を支持するのだと思っている。でも、人びとが実際に求めているものは、たぶん違うと感じました。

それでも、世の中を最終的に変えるのは、ふつうの人が一歩踏み出したときであり、その動いた結果が戦争へ行く場合もある。僕は最終的には「歴史の主人公は民衆」だと思いますが、それだけでもない。そんなことを考えていたころですから、チムニクの『タイコたたきの夢』はとても刺激的だったのです。

今でも本棚のいちばん目立つところに児童書が置いてあるのですが、最近は手に取る余裕がなくて埃《ほこり》をかぶっています。これから時間ができたら、藤《ふじ》沢周平《さわしゅうへい》なんかとともに、またゆっくり読みたいですね。

今月の おすすめ博物館

広島平和記念資料館

原爆被災から知る平和の尊さ

昭和二〇年、広島に壊滅的な被害をもたらした原子爆弾。その原爆被災に関する資料を収集・公開し、被爆体験と平和の尊さを後世に伝えるため、広島平和記念公園内に昭和三〇年に開館した。戦争前の広島の歴史や被爆後の広島の様子を展示する「東館」と、被爆者の遺品や写真などを展示する「本館」からなる。広島平和記念公園とその周辺には、原爆ドームなど被爆建物や慰霊碑などが数多く点在している。

広島県広島市中区《なかく》中島町《なかじまちよう》 1-2
☎ 082-241-4004（代）

ＪＲ山陽本線ほか広島駅からバス、または路面電車

島根県立古代出雲《いずも》歴史博物館

神々の国・出雲に親しめる施設

平成一九年、出雲大社のすぐ近くに、特色ある島根の歴史と文化を紹介するために開館。出雲大社境内遺跡から出土した巨大な柱「宇豆柱《うずばしら》」を展示したロビーに始まり、出雲大社・出雲国風土記・青銅器と三つの古代文化を紹介するテーマ別展示や、『古事記』や『出雲国風土記』を迫力ある映像で再現するシアター、古代から現代に至る島根の人々の生活を紹介する総合展示と多彩な構成で、島根の歴史に触れられる。

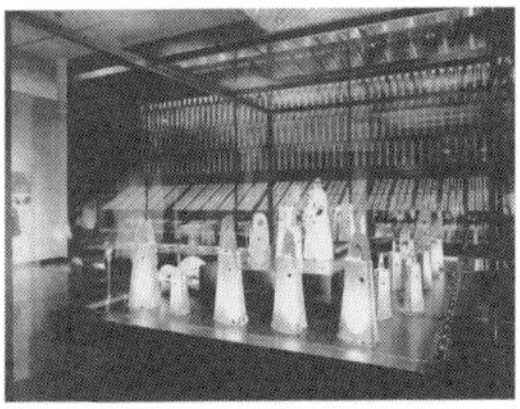

島根県出雲市大社町《たいしやちよう》杵築東《きづきひがし》 99-4
☎ 0853-53-8600

一畑《いちばた》電車大社線出雲大社駅から徒歩

毛利《もうり》博物館

歴史を彩った毛利家伝来の宝物

旧萩藩主・毛利家の本邸を博物館として公開。館内では毛利家に伝来する美術工芸品・絵画・歴史資料など約二万点を収蔵・展示する。雪舟《せつしゆう》筆『四季山水図《しきさんすいず》』をはじめ、国宝や重要文化財など貴重な品も多く、収蔵品保護のため、定期的に展示品の入れ替えが行なわれている。大正五年完成の江戸時代の書院造を踏襲した建物や、当時の造園技術の粋《すい》を尽くした約二万五〇〇〇坪の国指定名勝毛利氏庭園も見どころ。

山口県防府《ほうふ》市多々良《たたら》 1-15-1
☎ 0835-22-0001

ＪＲ山陽本線防府駅からバス

今月の

歴史博物館・資料館ガイド

【広島県】

◆海上自衛隊呉《くれ》史料館「てつのくじら館」

呉市宝町《たからまち》5・32

☎0823・21・6111

＊JR呉線呉駅から徒歩

平成一九年開館。「海上自衛隊の歴史」「掃海艇の活躍」「潜水艦の活躍」の三つのテーマで展示が行なわれる。自衛隊で使われていた潜水艦に乗艦する貴重な体験もできる。

◆紙ヒコーキ博物館

福山《ふくやま》市御幸町《みゆきちょう》中津原《なかつはら》1396

☎084・961・0665

＊JR山陽本線ほか福山駅からタクシー

紙飛行機専門の私設ミュージアム。一枚の紙を折るだけでつくられる「おりがみヒコーキ」をはじめ、愛好家などの作品を多数展示。体験教室も開催される。土曜のみ開館。

◆呉市入船山《いりふねやま》記念館

呉市幸町《さいわいちょう》4・6

☎0823・21・1037

＊JR呉線呉駅から徒歩

入船山公園内にあり、旧呉鎮守府司令長官官舎を中心に、郷土館・歴史民俗資料館・旧東郷《とうごう》家住宅離れなどが点在。和洋折衷の木造平屋建ての建物は、重要文化財に指定。

◆呉市海事《かいじ》歴史科学館「大和《やまと》ミュージアム」

呉市宝町5・20

☎0823・25・3017

＊JR呉線呉駅から徒歩

戦艦大和を建造し、東洋一の軍港として栄えた呉の歴史と、その近代化の礎《いしずえ》となった造船・製鋼などの技術を紹介。また、戦艦大和を通して戦争や平和のテーマにも触れる。

◆長門《ながと》の造船歴史館

呉市倉橋町《くらはしちょう》171・7

☎0823・53・0016

＊JR呉線呉駅からバス

桂浜《かつらはま》を望む海岸に、平成四年開館した施設で、造船や海運業に関する資料を収集・展示する。数多くの木造船模型が展示され、なかでも復元された遣唐使船に圧倒される。

◆日本はきもの博物館・日本郷土玩具博物館

福山《ふくやま》市松永町《まつながちょう》4・16・27

☎084・934・6644

＊JR山陽本線松永駅から徒歩

田下駄から宇宙靴まで約一万三〇〇〇足のはきものと、国内外から収集された約五万点の郷土玩具を収蔵する二つの博物館が隣接する。三号館では塩づくりと下駄産業で栄えた松永の産業史を紹介している。

◆広島県立歴史博物館

福山《ふくやま》市西町《にしまち》2・4・1

☎084・931・2513

＊JR山陽本線ほか福山駅から徒歩

中世の港町として知られる草戸千軒町《くさどせんげんちょう》遺跡を中心に、瀬戸内地域の交通・交易や民衆生活を紹介。三つの常設展示室があり、草戸千軒の町並みの実物大復元が見学できる。

◆広島市交通科学館

広島市安佐南《あさみなみ》区長楽寺《ちょうらくじ》2・12・2

☎082・878・6211

＊広島高速交通広島新交通1号線（アストラムライン）長楽寺駅から徒歩

乗り物と交通をテーマに、国内外の車・飛行機・電車などの模型展示物が多彩にそろう。三・四階の吹き抜けでは、未来の交通システムの模型・ビークルシティを見学できる。

◆福山自動車時計博物館

福山市北吉津町《きたよしづちょう》3・1・22

☎084・922・8188

＊JR山陽本線ほか福山駅から徒歩

クラシックカーやアンティーク時計をはじめ、懐かしい品々を収集・展示。実際に車に触れたり、乗ったりできるほか、年に数回、ボンネットバスの試乗会が開催される。

◆筆の里工房
安芸《あき》郡熊野町《くまのちょう》中溝《なかみぞ》5・17・1
☎082・855・3010
＊JR山陽本線・呉線海田市《かいたいち》駅からバス
熊野は約一七〇年の歴史を誇る伝統的工芸品「熊野筆」の産地。筆の歴史や筆づくりの工程のほか、書道・絵画・化粧など筆にまつわる文化を紹介。世界一の大筆も展示。

◆ホロコースト記念館
福山市御幸町中津原《なかつはら》815
☎084・955・8001
＊JR福塩《ふくえん》線横尾《よこお》駅から徒歩
ナチスによるユダヤ人の大虐殺について、子供たちが学べるように開設された施設。アンネ・フランクの隠れ家の再現やアウシュビッツ収容所の遺品などが見られる。

◆マツダミュージアム
安芸郡府中町《ふちゅうちょう》　新地《しんち》3・1
☎082・252・5050
＊JR山陽本線・呉線向洋《むかいなだ》駅から徒歩
懐かしいオート三輪など車の展示とともに紹介されるマツダの社史に始まり、ロータリーエンジンの技術や自動車の製造工程などが見学できる。見学には予約が必要。

【島根県】

◆出雲《いずも》市立平田《ひらた》本陣記念館
出雲市平田町515
☎0853・62・5090
＊一畑《いちばた》電車北松江《きたまつえ》線雲州平田《うんしゅうひらた》駅からバス
江戸時代、松江藩主の本陣宿を務めた本木《ほんき》佐《さ》家の旧宅と枯山水《かれさんすい》の庭園を移築・公開している施設。白壁と黒瓦が調和した豪壮な造りの建物で、展示館や茶室も備えている。

◆出雲文化伝承館
出雲市浜町《はまちょう》520
☎0853・21・2460
＊一畑電車大社《たいしゃ》線浜山《はまやま》公園北口駅から徒歩
出雲地方の伝統を今に伝えようと開館された施設。出雲地方特有の構造を残す大地主・江角《えずみ》家の屋敷や庭園、松江藩主・松平不《ふ》昧公《まいこう》が愛用した茶室「独楽庵《どくらくあん》」などがある。

◆石見《いわみ》銀山資料館
大田《おおだ》市大森町《おおもりちょう》ハ・51・1
☎0854・89・0846
＊JR山陰本線大田市駅からバス
江戸幕府の天領であった石見銀山が、平成一九年、世界遺産に登録された。幕府の代官所跡に建つ資料館では、採鉱工具や生活用具、古文書などを展示している。

◆雲州《うんしゅう》そろばん伝統産業会館
仁《に》多《た》郡奥出雲《おくいずも》町横田《よこた》992・2
☎0854・52・0369
＊JR木次《きすき》線出雲横田駅から徒歩
伝統的工芸品「雲州そろばん」で知られる奥出雲横田に、平成二年、その拠点として設立された。そろばんの歴史や伝統的技術、製造工程、名工の作品などを紹介する。

◆鉄の歴史村
雲南《うんなん》市吉田《よしだ》町吉田892・1
☎0854・74・0311（鉄の歴史村地域振興事業団）
＊JR木次線木次駅からタクシー
たたら製鉄による和鋼の生産地として栄えた吉田町。日本で唯一残る「菅谷《すがや》たたら」と二つの博物館などを中心に、出雲地方の鉄づくりの歴史と文化を学ぶことができる。

◆仁摩《にま》サンドミュージアム
大田《おおだ》市仁摩町天河内《あまごうち》975
☎0854・88・3776
＊JR山陰本線仁万《にま》駅から徒歩
鳴き砂で名高い琴《こと》ケ《が》浜《はま》の近くに建つ、「砂」がテーマの博物館。大小六基のガラス張りのピラミッド型の建物で、館内には巨大な一年計の砂時計や砂のオブジェなどを展示。

◆益田《ますだ》市立雪舟の郷記念館
益田市乙吉町《おとよしちょう》イ1149
☎0856・24・0500
＊JR山陰本線・山口線益田駅からバス
画聖と称《たた》えられる室町時代の水墨画家・雪舟の終焉《しゅうえん》の地とされる益田市にある施設。雪舟と益田の歴史を紹介している。

◆松江市立出雲玉作《たまつくり》資料館
松江市玉湯町玉造《たまゆちょうたまつくり》99・3
☎0852・62・1040
＊JR山陰本線玉造温泉駅からバス
古代において玉の産地であった玉湯町。出雲玉作史跡公園にある資料館では、周辺に多数存在する玉作り遺跡から発掘された勾《まが》玉《たま》や原石、玉の未完成品、道具などを展示。

◆モニュメント・ミュージアム来待《きまち》ストーン
松江市宍道町《しんじちょう》東来待1574・1
☎0852・66・9050
＊JR山陰本線来待駅から徒歩
宍道町の伝統工芸品「出雲石灯籠《いずもいしどうろう》」の材料「来待石」の歴史・文化を紹介する施設。江戸時代は、御止石《おとめいし》として藩外への持ち出しが禁じられた。体験工房も併設。

◆八雲《やくも》立つ風土記の丘展示学習館
松江市大庭町《おおばちょう》456
☎0852・23・2485
＊JR山陰本線松江駅からバス
数多くの遺跡や古墳が点在し、奈良時代の出雲国府跡も残る「八雲立つ風土記の丘」の中心施設。周辺の遺跡からの出土品やこの地域の奈良時代の復元模型などを展示。

◆和鋼博物館
安来市《やすぎ》安来町1058
☎0854・23・2500
＊JR山陰本線安来駅から徒歩
中国山地は、砂鉄を原料としたたたら製鉄でつくられた和鋼の産地。館内では、製鉄用具の展示や映像、体験コーナーを通して、たたら製鉄を中心とした安来の歴史を紹介。

【山口県】

◆伊藤《いとう》公資料館
光《ひかり》市大字束荷《つかり》2250・1
☎0820・48・1623
＊JR山陽本線岩田《いわた》駅からタクシー
初代内閣総理大臣・伊藤博文《いとうひろぶみ》の遺品などを展示し、その業績や幕末から明治期の歴史を紹介。伊藤公記念公園にあり、生家や旧伊藤博文邸として保存される記念館も隣接。

◆石城《いわき》の里 三国志城《さんごくしじょう》
光市塩田《しおた》2585・1
☎0820・48・4600
＊JR山陽本線岩田駅からタクシー
平成一〇年開館した、中国の三国時代をテーマにした日本で唯一の常設展示館。四つの展示場に、遺構・出土品の復元品や「赤《せき》壁《へき》の戦い」など戦場のジオラマなどを展示。

◆岩国徴古館《いわくにちょうこかん》
岩国市横山《よこやま》2・7・19
☎0827・41・0452
＊JR山陽本線ほか岩国駅からバス
昭和二〇年に完成した石造りの重厚な建物。内部では、旧岩国藩主・吉川《きっかわ》家ゆかりの歴史資料や、日本三名橋として知られる錦帯橋《きんたいきょう》の欄干《らんかん》や模型などを展示している。

◆下関《しものせき》市立考古博物館
下関市大字綾羅木《あやらぎ》字岡454
☎083・254・3061
＊JR山陰本線梶栗郷台地《かじくりごうだいち》駅から徒歩
国の史跡・綾羅木郷遺跡に隣接し、館内では、土器や装身具などの出土品や、弥生《やよい》時代の貯蔵用竪穴のジオラマなど展示。屋外では、復元された竪穴住居も見られる。

◆下関市立長府博物館
下関市長府川端《ちょうふかわばた》1・2・5
☎083・245・0555
＊JR山陽本線長府駅からバス
「下関の歴史と文化」をテーマに、長府毛《もう》利《り》家遺品や幕末維新資料を中心に収蔵品がそろう。博物館本館（旧長門尊攘堂《ながとそんじょうどう》）は、平成一一年に有形文化財に登録された。

◆土井ヶ浜《どいがはま》遺跡・人類学ミュージアム
下関市豊北町《ほうほくちょう》大字神田上《かんだかみ》891・8
☎083・788・1841
＊JR山陰本線長門二見《ながとふたみ》駅からバス
国指定史跡である、弥生時代の埋葬跡「土井ヶ浜遺跡」から出土した弥生人骨や副葬品などを展示し、日本人のルーツともなる弥生人の謎に迫る人類学専門の博物館。

◆萩《はぎ》博物館
萩市堀内《ほりうち》355
☎0838・25・6447
＊JR山陰本線東萩駅からタクシー
江戸時代の面影を残す萩の町全体を博物館ととらえる取り組み「萩まちじゅう博物館」の拠点となる施設。企画展や講座などを開催し、萩の自然・歴史・民俗・文化を紹介。

◆山口県立山口博物館
山口市春日町《かすがちょう》8・2
☎083・922・0294
＊JR山口線山口駅から徒歩
理工・天文などの自然部門と考古・歴史など人文部門を併せもつ総合博物館。歴史展示室では、山口県に関連するテーマを設けて、年二回ほど展示替えが行なわれている。

次回配本二〇〇九年一月二五日頃発売予定

第14巻「いのち」と帝国日本

明治時代中期から一九二〇年代

小松　裕
（熊本大学教授）

日清・日露両大戦の「いのち」の実相

帝国日本の発展の陰で、懸命に生きる市井の人々の声に耳を傾け、地に足の着いた新たな近代史を掘り起こす。

●帝国日本の歴史過程は、国益や国家目的の前に人びとのいのちを選別し、日常的に序列化して管理・支配・動員してきた。国益の前にいのちは蹂躙《じゅうりん》され、価値がないとされたいのちは抹殺された。（はじめにより）

●近世以来、日本の民衆は、暴力という最後の手段を武器に、政治の客体と主体の間を自在に行き来してきた。日常的には政治の客体の地位に甘んじていながらも、政治が機能していないために自分たちの生存の基盤が脅かされていると確信したときには、政治の主体として歴史の表面に躍り出たのである。米騒動はその最後の舞台であった。（第二章より）

当時の小学生が描いた日本海海戦の様子（開智学校蔵）

【目次の一部】

●編集後記　13巻をお届けします。長年の研究に基づくことはもちろん、みずからに課した歴史家としての倫理感が端々に表出する牧原先生の編集会議における発言には、いつも集中して耳を傾け、その言葉に私は勇気づけられ、励まされました。視線がぶれることなく、毅然とした姿勢に貫かれたこの巻を通して、牧原先生の歴史観に学ぶ幸せ、読者の皆さまにもぜひ味わっていただきたく存じます。（芳）

葬礼と政治は関係ないという建白に対して、左院の土葬派は、相応の墓地に永眠できる保証があってこそ人民は安心して国家社会に誠を尽くすことができる、葬儀を正すことは〈人民保護上の一義務〉なのだと力説した。だが、明治八年五月、ついに火葬禁止令は廃止された。それどころか、東京・京都などの都市部では、一転して衛生を理由に土葬が禁止になり、神葬祭用に設置された東京の青山《あおやま》・谷中《やなか》などの墓地まで、宗派と関係ない公営墓地になった。衛生と人道をめぐる神道派と開化派のせめぎ合いは、結局、極端に走った土葬派の完敗に終わった。『朝野《ちょうや》新聞』（明治八年五月二五日）には、こんな記事も載った。

世の論客様方がやかましく仰せられた火葬も、トウトウ人民の自由に御許しが有りまして…新聞に出る事も善《よ》い事は御採用になると見えます。論客様方、この上は人民の為《ため》になる事はたくさん書いて御出しなさい。民撰議院も今に建ちましょうし、出版自由も御許しになりましょう。

いうまでもなく、葬儀は信仰の根幹である死後の世界と密接

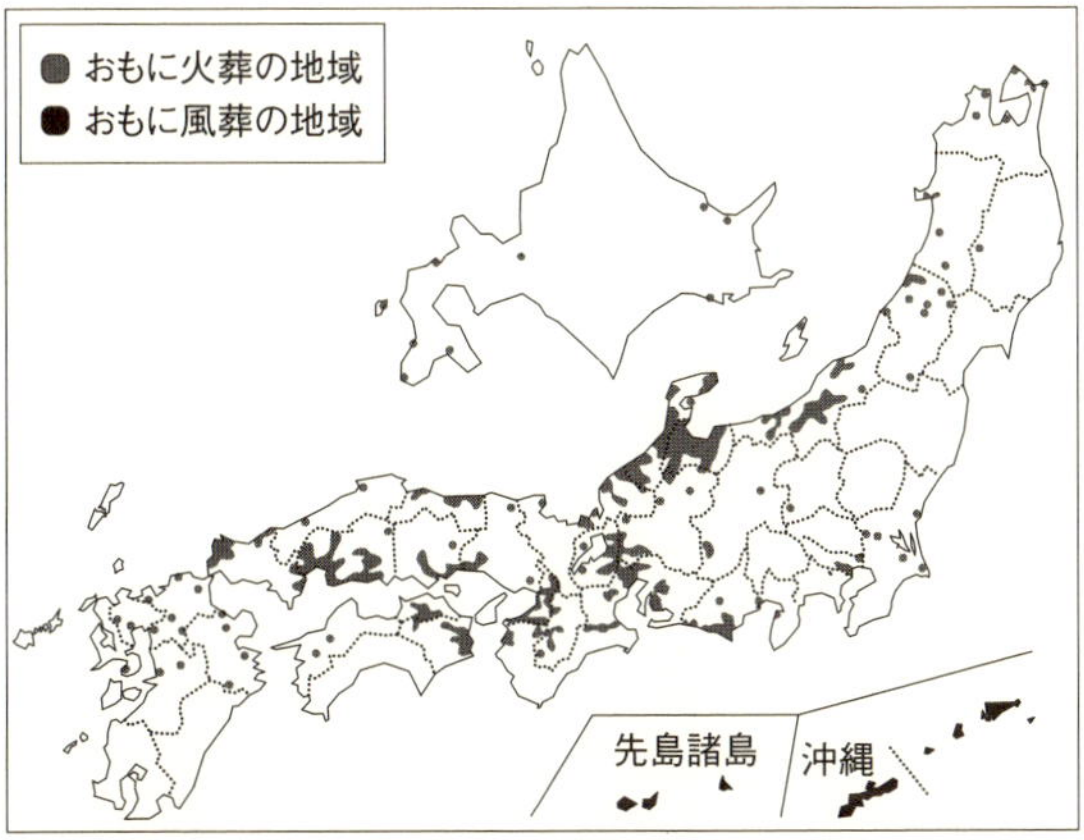

◉火葬・風葬の多い地域
昭和三七～三九年の調査。土葬・火葬の混在する地域が多い。畿内・瀬戸内海沿岸や、北陸など浄土真宗が盛んな地域に火葬が多いことがわかる。（文化庁編『日本民俗地図Ⅶ』より作成）

にかかわっている。幕末に浦上《うらかみ》の隠れキリシタンが捕縛されたのも、仏式葬儀の拒否が発端だった。明治政府は幕府以上に苛《か》酷《こく》に弾圧し、欧米巡遊の岩倉《いわくら》使節団も、アメリカ大統領、ヴィクトリア女王などから批判された。そのため、明治六年、キリスト教禁止の高札《こうさつ》を撤去し、拷問《ごうもん》を生き延びた信徒二千数百人を釈放したが、宣教師たちは各地で妨害を受け、キリスト教式の葬儀や墓地をめぐるトラブルも少なくなかった。しかし、明治八年一一月、キリスト教を含めた信教の自由が公式に認められた。そして、教部省《きょうぶしょう》は一〇年に廃止となり、役場による伊勢神宮大麻《たいま》の配布も翌一一年に中止された。

神道は宗旨にあらず

とはいえ、これで宗教の自由がほんとうに実現したのだろうか。

神道国教化に対する批判の先頭に立ったのは、浄土真宗《じょうどしんしゅう》系の知識人だった。とくに西欧視察から戻った島地《しまじ》黙雷《もくらい》や、西本願寺《にしほんがんじ》門主《もんしゅ》の侍《じ》講《こう》大内青巒《おおうちせいらん》などには、一神教こそ真の宗教であり、キリスト教に対抗できるのは阿弥陀《あみだ》のみを信じる真宗しかないとの自負があった。そのうえで大内は、〈忠信《ちゅうしん》仁義《じんぎ》〉を説くだけで死後の世界と関係のない神道は宗教ではなく、せいぜい〈一つの雑神教《ざつしんきょう》〉にすぎないと断言した（明治七年〔一八七四〕の建白）。

また、儒学者の成島柳北《なるしまりゅうほく》は、わが国には太古から続く〈固有の宗旨〉は存在せず、〈皇上の祖先を敬するのみ〉の神道は、〈儒仏と抗峙《こうじ》〉するため本居宣長《もとおりのりなが》らが〈私に説を建て〉たものにすぎないと喝破《かつぱ》した（『郵便報知新聞』）。たしかに、「神道」の語が『日本書紀《にほんしよき》』にあるとはいえ、国学や平田《ひらた》学の主張は、それまでの民俗的な信心世界や朝廷の宗教的慣習とは異質であり、天照大神《あまてらすおおみかみ》の位置づけも論者によって異なった。復古神道は近世につくられた「私説」なのだ。

敬神愛国をとなえる神道が宗教でなければなんなのか。島地黙雷は、権利義務を知らしめるのは〈治教《ちきよう》〉であって、〈霊魂の去来〉を扱う〈宗教〉ではないといい、大内は〈モラリテイ〉（倫理）であって〈レリージョン〉（信仰）ではないと主張した。

これに対して神道派は、各地の神官を動員して神祇官《じんぎかん》の復活と祭政一致を要求する建白をつぎつぎに提出した。しかし、その一方で、稲葉正邦《いなばまさくに》・平山省斎《ひらやませいさい》・田中頼庸《たなかよりつね》ら神道派リーダー九人の建白（明治七年）は、英国はじめどこの国でも、国教は〈区々《くく》たる一宗教〉ではなく、国民を国帝に心服させる〈実際の方法〉であり、〈皇家の政典憲章〉こそ神道であると明言した。なんと、島地・大内らと田中・稲葉らとは、神道は宗教にあらずという点で一致していたのである。

田中らはさらに、得体の知れない祈禱師《きとうし》のお祓《はら》いや〈奇怪なる〉神典は本来の神道ではないと批判した。とすれば、巫女《みこ》の口寄《くちよ》せや狐憑《きつねつ》きのお祓いを禁止した教部省の布告や、〈神人の偶像〉を神体にしてはならぬ（熊本県）、お盆につくられる胡瓜《きゆうり》・茄子《なす》の牛馬は〈形容に付き禁止〉（静岡県）といった布告は、文明の論理や偶像排除のキリスト教のようにみえながら、じつは神道や、「怪力乱神を語らず」という儒学的合理主義から出されたことになる。ここでもまた「復古」と「開化」は通底していた。

国家神道への道

そして、神道は宗教にあらずというこの論理こそ、国家神道への道を切り開くものであった。神道国教化が国民の信仰世界をまるごとかかえ込もうとしたとすれば、国家神道は個人の生死や魂の救済といった私的な問題には関与せず、信教の自由や無宗教を認めた。だが、伊勢《いせ》神宮大宮司《じんぐうだいぐうじ》田中頼庸《たなかよりつね》らのいう〈皇家の政典憲章〉はたんなる法令ではなく、天御中主神《あめのみなかぬしのかみ》など「造化三神《ぞうかのさんじん》」による天地創造や、天照大神《あまてらすおおみかみ》に始まる天皇神話を大前提にしていた。この世界を誰がどのように創造したかという問題こそ、宗教の根源である。それゆえ、天皇神話を前提にした真の宗教の自由はありえず、その重圧は仏教・キリスト教ばかりか、神道系宗派にまで及んだ。

たとえば、大国主神《おおくにぬしのかみ》を祭神とする出雲大社《いずもたいしゃ》系の神官や、霊魂と死後の世界の実在を信じる平田派の人びとは、「幽界《ゆうかい》」（死後の世界）をつかさどるのは大国主であり、宮中でも「顕界《けんかい》」を主宰する天照と同等に祀《まつ》るべきだと主張した。火葬禁止に熱心なのもこのグループだった。多くの神官・国学者を巻き込んだこの「祭神論争」は、明治一四年（一八七一）、天皇の裁断という形で伊勢神宮派（水戸学派など）が勝利をおさめた。天照大神の一元的支配が確立したのである。明治四〇年には伊勢神宮に対する不敬罪までつくられた。幕末の志士たちを支えた平田派神道は、近代天皇制の成立とともに排除され、天照大神以外の神を重視する神道各派や山岳宗教・民衆宗教は、「教派神道《きょうはしんとう》」として存続を認められたものの、天照大神の優位を否定できなくなった。

また、天孫降臨が宗教上の神話であれば信じないこともできるが、現世的な「事実」にされてしまえば、その否定は天皇制の否定と見なされかねない。現に、神道は古代の人類に共通する「天神（太陽）信仰」のひとつだと論じた久米《くめ》邦武《くにたけ》の論文「神道は祭天の古俗」は、国学者・神官らの激しい非難を浴び、明治二五年、久米は帝国大学を追われた。歴史研究や政治思想にも大きな枠がはめられた。それだけではない。村ぐるみ、職場ぐるみの神社参拝や、当事者の信仰をまったく無視した形で推進された靖国《やすくに》神社への戦没者合祀《ごうし》が、個人の尊厳を踏みにじるものと意識されなかったところに、神道非宗教説の「威力」のほどを見てとることができる。

結局、島地《しまじ》黙雷《もくらい》・大内青巒《おおうちせいらん》らは、反キリスト教・天皇制支持を信念としつつ、治教と宗教を区別するという論理によって神道国教化政策を挫折《ざせつ》に追い込んだ。にもかかわらず、いや、だからこそ、彼らは国家神道への途《みち》を切《き》り拓《ひら》くことになった。

歴史は人びとの言動を梃子《てこ》にしながら、彼らの意図とは異なる結果を生み出していく。火葬禁止はまさにその好例であり、神道国教化の破綻《はたん》もまた、近代天皇制成立への大きなステップとなったのである。

10

◉久米邦武
佐賀藩出身。岩倉巡遊使節団の克明な記録である『特命全権大使　米欧回覧実記』を執筆した。帝国大学辞職後は早稲田大学教授となる。

コラム4

民衆宗教

歴史の転換期には新たな宗教が登場する。この時代に生まれたのは、天理《てんり》教・金光《こんこう》教・丸山《まるやま》教・蓮門《れんもん》教・大本《おおもと》教などのいわゆる民衆宗教である。これらが民衆宗教と呼ばれるのは、長年の修行の末に創始されたのではなく、打ちつづく不幸に見舞われた生活者の内面からほとばしり出た叫びだったからだ。

たとえば、天理教の中山《なかやま》みきは、子どもの死や難病、夫の横暴、地主の嫁としての重圧に苦悩し、天保《てんぽう》九年（一八三八）、神がかりした。その神（天理王命《てんりおうのみこと》）は「三千世界を救うためにみきの身体、屋敷をもらい受ける」と宣告し、やがて安産と病気治しを求める信者が集まりはじめる。また、金光教の川手《かわて》文治郎《ぶんじろう》は家族五人と牛二頭を失い、大病に苦しんだ末の安政《あんせい》年間（一八五四〜六〇）に「天地《てんち》金《かね》乃神《のかみ》」の声を聞く。大本教の出口《でぐち》なおも、少女時代に福知山《ふくちやま》藩主から表彰されたほどの働き者だったが、夫・息子の身勝手さと極貧の生活に苦しむなかで、明治二一年（一八八八）から神がかりを繰り返す。

彼らの神は貧しい者、弱い者を励ます。「貧に落ちきらねば難儀な者の味わいはわからない」という神の教えに従って家産を貧者に分け与え、窮乏生活を体験するなかで、中山みきは男女が平等に助け合う、豊かで平和な「陽気ぐらし」を構想した。また、陰陽道《おんようどう》で祟《たた》り神とされた「金神」も、金光教では天地の神、愛の神となり、川手文治郎は人の難儀を助けるのが人間であり、死んでから人が拝んでくれるように生きることが「生き通し」、つまり魂の不滅を得ることになると説いた。金光教が「ひとり信心」というように、新宗教を信じることは旧来の信心世界からの離脱であり、家人や村人の非難を覚悟しなければならない。無病息災の現世利益が入信の動機でも、こうした理想の世への共感があったからこそ、多くの信者が集まったのだろう。

しかも、イザナギ・イザナミノミコトも人間、〈天照大神《あまてらすおおみかみ》も人間なら、そのつづきの天子様も人間じゃろうがの…皆、天地の神から人体を受けて居《お》られるのじゃ〉と金光の神は明言し、天理の神も、「谷底」（民衆）のせり上げと「高山」（支配者）の崩壊を予言した。さらに、大本の神は、金銀の世、利己《ワレヨシ》主義の世を批判し、「世界の洗濯」「人民の心の洗濯」を願い、〈人の国を取ったり、人の物を無理しても強奪《ヒッタ》くりたがる悪道な世になりて居るぞよ〉と、近代文明国家への批判を強め、戦争に向かう日本の「立て替え」を求める。

祈禱《きとう》による病気治しやこうした教説を、明治政府が許容するはずはない。天理教や金光教はたびたび警察の干渉を受け、天理教にとって人間世界誕生の地である「地場」に建てられた甘露台《かんろだい》は繰り返し破壊された。また、病気治しに徹した島村《しまむら》みつの蓮門教は、明治二〇年代に、男女一緒のお籠《こも》りや堕胎を奨励する「淫祠《いんし》」だとする『万朝報《よろずちょうほう》』の執拗なキャンペーンで壊滅させられた。

それでも、中山みきや川手文治郎は妥協しなかった。しかし、国家神道体制のもとで教団を維持・発展させるには、教派神道として認定されねばならない。また、民衆宗教の教えは、教祖が神がかりしたときに書かれた「お筆先《ふでさき》」や、信者が聞き取った言葉だったから、それを独自の神学にまとめる必要も出てくる。そのため、教団幹部は教義を整えるなかで、天皇神話との妥協を余儀なくされるとともに、日清《にっしん》・日露《にちろ》戦争などでは積極的に戦勝祈願や献金運動を推進した。たとえば、明治一〇年代後半の関東・東海地方を中心に、世直しを求める民衆の熱狂的共感を集めた丸山教も、教祖伊藤六兵衛《いとうろくべえ》の死後は、〈国民奮《ふる》って軍役に従い〉、領土拡大という〈日本帝国建国の精神〉を実現せよ、と呼びかけた。

マイノリティ集団が社会的認知と差別からの脱却を求めるがゆえに、率先して戦争体制や天皇制を支えていく事例は少なくない。一九二一年、一九三五年に不敬罪や治安維持法違反で大弾圧を受けた大本教を別にすれば、多くの民衆宗教もまた、そうした屈折した国民統合の担い手になっていったのである。

第六章

「帝国」に向かって

「征韓」論争と明治六年政変

この頃、市街湯屋《ゆや》・髪結床《かみゆいどこ》等にての説に、日本と朝鮮と矛盾の事起こり、寅《とら》の年の男子を徴して兵と為し、朝鮮に役せしむると…

（『東京日日《にちにち》新聞』明治六年二月一二日）

復古ゆえの「征韓」

明治六年（一八七三）に始まった徴兵制がパニックを引き起こした一因は、朝鮮出兵のうわさだった。近江《おうみ》商人の小杉元蔵《こすぎもとぞう》は破産して郷里に戻っていたが、〈朝鮮討伐のため、東京より鎌倉まで十万人も繰り出すとのもっぱらの風聞〉と二月末の日記に記している。その後はいったん沈静化したが、一〇月頃からふたたび〈議士論客、紛々として喧《かまびす》し〉い状況になった（『新聞雑誌』）。

発端は、明治元年末に王政復古を通告した書契《しょけい》（外交文書）の受理を、朝鮮政府が拒否したことだった。ただし、朝鮮が〈日本の属国なることを知らざるは、未《いま》だ日本史を読まざるの過《あやま》りなり〉と『東京日日新聞』が断じたように、征韓論《せいかんろん》の根はもっと深かった。いわゆる「神功《じんぐう》皇后の三韓征伐」である。仲哀《ちゅうあい》天皇の死後、神託を受けた神功皇后が朝鮮に出兵し、新羅《しらぎ》・高句麗《こうくり》・百済《くだら》を服従させたと『日本書紀』は書いていた。四世紀から七世紀の朝鮮三国とヤマト王朝とのあいだには、戦争に限らずさまざまな交流があり、渡来人が先進的な技術・文化をもたらしたこと、そして『日本書紀』に朝廷の正統性と権威を誇示するための作為が多いことは、いまではよく知られている。

しかし、豊臣秀吉《とよとみひでよし》の朝鮮出兵でもこれが大義名分になり、国学はこれを事実と見なし、水戸学も「皇国の優越性」の根拠にした。幕末になると、朝鮮国王が徳川《とくがわ》将軍と対等の関係を結びながら、〈天朝の年号〉を用いず、天皇の即位礼に慶賀使《けいがし》を送らないのは〈無礼〉だ（吉田松陰《よしだしょういん》『外蕃通略《がいばんつうりゃく》』）とさえ主張された。幕末の志士が、〈国力を養い、取り易き朝鮮・満洲・支那を切り随《したが》え、交易にて魯国《ろこく》に失う所はまた土地にて鮮満（朝鮮・満洲）にて償うべし〉という松陰の主張（『獄是帳《ごくぜちょう》』）に共鳴したのも、欧米列強への屈辱感とともに、こうした「歴史」観を共有していたからだった。

要するに、征韓論の根底には、吉野誠《よしのまこと》のいう〈国体論によって理念化された朝鮮侵略論〉が流れており、それゆえ、王政復古となった以上、朝鮮は日本の属国であるべきだと主張されたのである。

そして明治六年、折衝・交易の場である釜山《プサン》の倭館《わかん》（日本公館）に、日本を「無法の国」と侮辱した張り紙が出されたとの報知があるや、板《いた》垣退助《がきたいすけ》は閣議で即時出兵を主張した。だが、西郷隆盛《さいごうたかもり》はまず全権使節を派遣して公理公道に基づく説得をすべきだと反論し、八月、西郷の使節派遣が内定した。ところが、一〇月に大久保利通《おおくぼとしみち》の強硬な反対で無期延期となり、西郷はじめ板垣・江藤新平《えとうしんぺい》・後藤象二郎《ごとうしょうじろう》・副島種臣《そえじまたねおみ》が参議を辞職する。有名な明治六年政変である。

◉神功皇后陵とされる五社神古墳《ごさしこふん》
奈良市山陵町《みささぎちょう》にある全長約二七五mの前方後円墳《ぜんぽうこうえんふん》。二〇〇八年二月、宮内庁がはじめて学術調査を認めた陵墓となった。

明治六年政変

これより前、岩倉具視《いわくらともみ》ら米欧巡遊使節団の留守政府は、予算をめぐる対立から、西郷隆盛《さいごうたかもり》・板垣退助《いたがきたいすけ》・大隈重信《おおくましげのぶ》に加えて後藤象二郎《ごとうしょうじろう》・江藤新平《えとうしんぺい》・大木喬任《おおきたかとう》が参議となり、参議ではないが絶大な権限をもっていた大蔵大輔《たいふ》（次官）の井上馨《いのうえかおる》（長州）は政府を追われた。その結果、留守政府参議は佐賀三（大隈・江藤・大木）、土佐《とさ》二（板垣・後藤）、薩摩《さつま》一（西郷）という構成になり、完全に非薩長派主導になった。大久保利通《おおくぼとしみち》は五月末に三条実美《さんじょうさねとみ》太政大臣《だじょうだいじん》の要請で急ぎ帰国したものの、手の出しようがなく、参議への就任も固辞した。一年半以上の外遊はあまりに長すぎた。七月に帰国した参議の木戸孝允《きどたかよし》も、西郷の〈朝鮮討伐建言〉は〈深憂に堪えず〉と日記に記しながらも閣議に出席せず、八月末に馬車から落ちたせいか、脳の不調を訴えて引きこもった。

この時期、西日本では新政反対一揆《いっき》が続発し、北条県《ほうじょう》（岡山県）や福岡県では多数の士族がこれに参加していた。四月には天皇の要請を受けた薩摩の島津久光《しまづひさみつ》が結髪・帯刀の二五〇名を率いて上京し、開化政策に真っ向から反対する建白書を出して守旧派士族を勢いづかせた。

そうしたなかで、西郷はなぜ朝鮮使節になろうとしたのか。敵対する相手の懐に飛び込んで事態を打開する手法は、第一次長州戦争や江戸城明け渡しで成功していた。だから、平和的解決が西郷の本心だったという見方もある。

しかし、朝鮮では一八六三年に即位した国王の高宗《こうそう》はまだ幼く、その父で復古・攘夷《じょうい》主義者の興宣《フンソン》が「大院君《デウォングン》《たいいんくん》」（国王の父の称号）として実権を握り、潜伏していたフランス人宣教師九名と信徒数千名を処刑した。一八六六年にはこれに抗議したフランス軍艦が江華島《カンファド》を一時占領し、また警告を無視して大同江《テドンガン》に侵入したアメリカの商船シャーマン号が焼き打ちにあい、乗組員全員が殺された。一八七一年にはアメリカの軍艦五隻が賠償を要求して江華島を占領したが、激戦の末に撤退を余儀なくされた。通商を拒否されたドイツ人商人は、大院君の父の墓を暴いて遺骨を奪った。大院君はいっそう硬化し、西洋との和議は国を売るものだという「斥和碑《せきわひ》」を各地に建てていた。だから、平和的解決の可能性はほとんどないと思われていた。

それゆえ、西郷は自分が殺されることで「征伐」の名分をつくり、不平士族の〈内乱を冀《こいねが》う心を外に移し〉（板垣宛《あて》書簡）、挙国一致の「道義」国家をつくろうとしたというのが、いまでも政治史の通説のようだ。もっとも、内戦回避のための出兵論は幕末の攘夷論や王政復古直後の木戸にもみられるもので、さして特異ではない。しかも、西郷は政府首脳の奢侈《しゃし》・堕落を糾弾し、征韓論を〈無名の師〉（名分のない戦争）と痛論《つうろん》して諫死《かんし》した横山正《よこやましょう》太郎《たろう》の碑文を書いている。〈名分条理を正し候《そうろう》義は、倒幕の根元、御一新の基〉（三条宛書簡）と本気で考えてもいた。横山の死に拮抗《きっこう》しうるだけの「名分」がなければ西郷は出兵できなかったと思われる。

他方、岩倉具視の米欧巡遊使節団が訪れたフランスは、一八

2

◉斥和碑
洋夷の侵犯と戦わず、和親を主とするのは国を売ることだとある。一八八二年の壬午《じんご》事変で大院君が清国に連行されると撤去された。

七一年に第二帝政がプロイセンとの戦争で崩壊し、パリ・コミューンの蜂起《ほうき》を招いてから一年半しかたっていなかった。フランスが「よりあい国」になったのを喜ぶロンドン市民が多いことに、イギリスの「ミニストル」（首相）は〈ひそかにおどろき…迂闊《うかつ》の政事はならずと云いたりとぞ〉といった記事もあった（『東京日日《にちにち》新聞』）。

また、大久保や木戸は、西洋文明国にはそれぞれ歴史的な特質や蓄積があり、留守政府のように急進的な制度改革を強行するのではなく、日本の現実にあわせた着実な施策が必要だと痛感させられていた。とくに大久保は、〈国の強弱は人民の貧富に由《よ》り、人民の貧富は物産の多寡《たか》に係る〉（「殖《しょく》産興業《さんこうぎょう》に関する建議」）という確信のもと、内務省による殖産政策こそ緊急かつ最大の政策課題であり、民衆の反政府感情が強く、経済的・軍事的に弱体な現状での戦争は国家を危機に陥れるうえに、清国《しんこく》・ロシアの介入を招きかねないと確信していた。

九月、岩倉が帰国し、大久保・副島種臣《そえじまたねおみ》を参議に加えた閣議は激論になったが、板垣・江藤らもいったんは使節派遣の延期を受け入れた。しかし、西郷が即時派遣に固執し、大久保も譲らず、進退きわまった三条は一〇月一九日朝、ついに卒倒した（ただし、『三条実美公年譜』によれば、夜には意識を回復して粥《かゆ》を食べ、翌日はかなり〈軽快〉した）。この機をとらえて太政大臣代理となった岩倉や大久保らの工作で天皇が延期の裁定を下し、西郷や反薩長派参議の一斉辞職となった。

こうした経緯から、大久保のねらいは政権奪回にあったとの見方もあるが、やはり穿《うが》ちすぎだろう。ただし、西郷が激しく大久保と対立したため、江藤・板垣らも行きがかりで辞任せざるをえなくなり、しかも西郷がすぐ鹿児島に戻ったために篠原国幹《しのはらくにもと》ら過激派兵士も大挙帰郷し、結果としてクーデターの危険分子を東京から引きはがすことになったようにも思われる。

もっとも、萩原延壽《はぎわらのぶとし》の研究によれば、イギリス公使パークスに朝鮮出兵を熱心に吹聴したのは副島で、朝鮮には鉱物資源と生糸があり、その収入で一〇万の兵を養うことができると豪語したらしい。一方、西郷は政変後に鹿児島を訪れた旧鶴岡《つるおか》(庄内《しょうない》)藩士酒井玄蕃《さかいげんば》に向かって、ロシアが〈近日襲い来るには相違なく、その節は小隊長となり、同志の者を率いて、死に候《そうろう》だけの事〉と語り、鹿児島医学校のイギリス人医師ウィリスは、〈戦争推進派の計画では、まず朝鮮と戦い、これがうまくゆけば、つぎに…ロシアと戦うつもりだったようです〉と故郷への手紙に書いている。萩原はまた、〈新政権は何をなすべきかを模索する〉大久保に対して、維新後の現実に失望し〈維新革命の意義を問いつづける〉ほかなかった西郷は、〈戦死者に対して面目なき〉(「南洲翁遺訓《なんしゅうおういくん》」)との思いにとらわれ、死に場所を求めていたのではないかと述べている。あざやかな対比である。

侮慢にあらず

それにしても、朝鮮政府は日本をほんとうに「侮慢《ぶまん》」したのだろうか。過激な征韓論者《せいかんろん》である佐《さ》田《だ》白茅《はくぼう》の後任として、明治三年(一八七〇)一一月から一年半も釜山《プサン》に滞在した外務省の吉岡弘毅《よしおかひろたけ》は、明治七年の建白書で、朝鮮は〈我を軽侮《けいぶ》するにあらずして、我を疑懼《ぎく》する〉にすぎないと明言している。そして、かつて豊臣秀吉《とよとみひでよし》が〈八道を蹂躙《じゅうりん》し〉〈流血満地、横暴至らざること〉なかった歴史の記憶が、いまなお朝鮮人を〈戦慄《せんりつ》〉させているのであり、国王の上位にある皇帝のみが使える「皇」「勅」の文字が入った書契《しょけい》を口実にして〈我を属国の体に陥れ〉ようとしているのではないかと疑い懼《おそ》れているにすぎないと力説した。後任の花房義質《はなぶさよしもと》も、朝鮮官吏には少しも〈拒絶の語意〉なく、〈古来朝鮮人は深く我が国人を畏懼《いく》〉するのみと、明治五年一〇月に報告している。

しかも、第一章で触れたように、幕府もまた、交渉—出兵の二段階論で朝鮮の「服属」を企図し、幕府軍の出兵説が中国の新聞に載った。朝鮮政府が警戒するのは、むしろ当然だろう。こうした朝鮮を〈征伐《せいばつ》〉せよというのは、日本の鎖国に怒った外国人の〈侵伐《しんばつ》〉を正当化するのと同じであり、使節を殺させて〈名義を製造〉する手法は〈不条理〉だと吉岡は批判した。

事態がこじれた要因のひとつは対馬藩《つしま》にもあった。対馬藩は幕府と朝鮮王朝の円滑な関係を維持するため、時には国書を改竄《かいざん》し、朝鮮国王の「藩臣」に準じる地位も受け入れた。しかし、その見返りである朝鮮との交易が衰退すると財政難になり、朝鮮からの借財も増えた。ロシアが対馬の一部を占拠したポサドニック号事件で対馬藩が強硬論を主張した背景には、積年の「屈辱」を跳ね返すとともに、対馬の戦略的重要性を幕府に認知させて財政援助を増やそうという思惑《おもわく》があり、その方針は明治になっても引き継がれた。倭館にはつねに二、三〇〇人の対馬士族・商人が滞在しており、朝鮮との関係は死活問題だった。明治一六年に、県立厳原中学校に韓語学部が設置されたことにも、その重みが現われている。

一方、明治政府は外交の政府直轄を望んだものの、朝鮮政府が対馬藩吏しか交渉相手と認めない以上、対馬藩を排除できない。そのため、朝鮮との交渉には長年の特権を死守しようとする対馬藩（版籍奉還後は厳原《いずはら》藩と改称）と外務省の確執がつきまとった。たとえば、佐田白茅らが対馬から朝鮮へ出港するときは、何者かに銃撃されて船頭が負傷した。倭館《わかん》でも対馬藩の通訳・役人は非協力的で、ひそかに朝鮮東萊府《トンネブ》とも連絡をとりあっていた。業を煮やした吉岡は、〈心附候《こころづきそうろう》次第は決して面従腹誹《ふくひ》なく、共に忠告する〉との誓約書までとった。また、対馬の士族・商人は朝鮮人に〈粗暴苛虐《かぎやく》の振る舞い〉をしてはならないと告示し、朝鮮に漂着した日本人が住民に食糧などを強要するのを禁じ、適切な代金を支払うようにしたいと外務省に上申している。日本人への〈畏懼《いく》〉は過去の記憶だけでなく、こうした日常的なかかわりのなかで再生産されていたのだ。

当然、交渉は進展しない。天皇・国王にかかわる国書ではなく、政府レベルの外交文書を朝鮮官吏に押しつけたただけで、明治五年七月、吉岡や部下の森山茂《もりやましげる》らは帰国した。

後任の花房は、倭館を接収し外務省の管轄（日本公館）とした。倭館は朝鮮側が提供した施設であり、いわば長崎の出島《でじま》をオランダが勝手に公使館にしたようなものだから、朝鮮政府はさらに硬化した。密貿易はなくならず、断髪・洋服姿の三井《みつい》の手代《てだい》が牛皮の買い付けに来たことも発覚した。日本を「無法の国」と非難したとされる張り紙は、日本公館を警備する官吏に監視の強化を命じた東萊府の「伝令書」だった。

吉岡弘毅

ところで、吉岡弘毅《よしおかひろたけ》とはどのような人物だったのか。彼はもともと過激な攘夷《じょうい》論者で、美作国《みまさかのくに》(岡山県)の蘭医の家に生まれながら森田節斎《もりたせっさい》から儒学を学び、急進派の公家壬生基修《みぶもとなが》に仕えて戊辰《ぼしん》戦争に参加した。そして、天皇の二度目の東京行きに抗議して、柳川《やながわ》藩の古賀十郎《こがじゅうろう》とともに切腹覚悟で三条実美《さんじょうさねとみ》の居所に座り込んだが、「勤王のため身命を抛《なげう》つ」精神を誉《ほ》められて弾正台《だんじょうだい》に登用された。行政監察機関の弾正台には、尊攘派を政府につなぎとめる役割もあった。案の定というべきか、古賀は明治四年に反政府派公卿愛宕通旭《くぎょうおたぎみちてる》の一味として処刑された。吉岡は外務省に引き抜かれて別の道を歩むことになったが、過激な攘夷論者であったからこそ朝鮮側の心情を理解し、さらには他国の攘夷主義を認めない「征韓《せいかん》」派の自己中心主義や、西郷隆盛《さいごうたかもり》の「名分」論の不条理を的確に批判できたのだろう。フランスが共和政になったのは、ナポレオン三世が名分のない戦争をしたからだとも指摘している。また、煙山専太郎《けむやませんたろう》『征韓論実相《せいかんろんじっそう》』は、つぎのように述べている。

> 吉岡は森田節斎の門人にして…往年遷都の議あるや、鳳輦《ほうれん》を抑えてその東下を諫止《かんし》せんとせし有名なる頑固党なり。また征韓論にくみせず。外務省が(吉岡を派遣したのは)…森山《もりやま》(茂《しげる》)等少壮者の急進論を制せんが為《ため》なりと云う。

たしかに、「征韓」派を抑えて交渉継続を主張したのは大久保利通《おおくぼとしみち》であり、その盟友吉井友実《よしいともざね》が自分を朝鮮使節に推挙したらしいと、吉岡は晩年に語っている。

だが、帰国後に官吏を辞めた吉岡は、明治六年政変後に出した建白書で、征韓論を批判しつつ、天皇が直接西郷らの参議復帰を要請するよう求めた。〈異議異見を集めて〉こそ真理を明らかにできる、〈一人議して衆人皆これに雷同すれば、真理不明となる〉という論理に基づくものだった。また、明治八年（一八七五）の投書では、〈国家の主人〉である人民の精神を変えられるのは〈ただ基督《キリスト》教あるのみ〉と入信を宣言して物議を醸した（『東京日日《にちにち》新聞』）。さらに、明治一五年には、今は競争世界だから〈遠慮に及ばぬ、〈支那の土地を〉サッサと取って〉しまえと演説した福沢諭吉《ふくざわゆきち》を、わが日本帝国を〈強盗国〉に変え、隣国の怨《うら》みを買い、救うべからざる災禍《さいか》を招く〈略奪主義〉だと批判した（『六合《りくごう》雑誌』）。

明治初年の「征韓」反対論では横山正太郎《よこやましょうたろう》や田山正中《たやませいちゅう》が知られているが、実際に朝鮮との交渉で苦い体験をさせられながらも侵略論の〈不条理〉を批判しつづけた吉岡弘毅の存在は、「あの時代にはまだ仕方がなかった」といって侵略主義を「弁護」することを許さないほどの重みがあるのではなかろうか。

3

●キリスト教のリーダーたち
キリスト教二派の合同協議委員。前列右端が吉岡弘毅。左は井深梶之助《いぶかかじのすけ》、後列右から押川方義《おしかわまさよし》、植村正久《うえむらまさひさ》、左端に金森通倫《かなもりみちとも》。吉岡はのちに高知教会などの牧師になる。

台湾出兵とその影響

佐賀事件

明治六年政変で西郷隆盛《さいごうたかもり》が政府を離脱し、明治七年（一八七四）一月の民撰議院設立建白書《みんせんぎいんせつりつけんぱくしょ》に板垣《いたがき》退助《たいすけ》・後藤象二郎《ごとうしょうじろう》・江藤新平《えとうしんぺい》・副島種臣《そえじまたねおみ》の四人が名を連ねたことは、まがりなりにも統一を保持してきた明治政府の正統性を大きくゆるがした。〈有司〉が権力を独占し、人民の辛苦を無視した政治をしているという建白書の文言は、板垣ら留守政府の参議四人にこそ向けられるべきだという冷笑もあった。だが、政変と建白が反政府行動に大義名分を与えたのは確かだった。

熊本鎮台《ちんだい》鹿児島分営での放火事件、本隊での暴動（約六〇名捕縛）に続いて、明治七年一月一四日夜には、「征韓《せいかん》」派の高知県士族九人が東京赤坂喰違見附《あかさかくいちがいみつけ》で岩倉具視《いわくらともみ》を襲撃した。岩倉は馬車から四《よつ》谷《や》堀《ぼり》に落ちて命拾いしたが、留守政府時代には影をひそめていた暗殺の復活だった。

佐賀では江藤新平の征韓党と、封建復古を求める憂国党《ゆうこくとう》が活発に動きはじめた。征韓党は戊辰《ぼしん》戦争に参加した下士層を中心に、「征韓」断行による国権拡張と有司専制打破を主張し、旧藩上層部中心の守旧派で島津久光《しまづひさみつ》に共鳴する憂国党とは対立していた。しかし、困窮した憂国党士族が政商小《お》野《の》組《ぐみ》に金を強要した事件などを機に政府が弾圧姿勢を明確にすると、両者は結束した。二月一六日、谷干城《たにたてき》の率いる熊本鎮台兵が県庁（佐賀城）に乗り込んだが敗退し、一時は周辺の士族が呼応する動きもあった。だが、まもなく政府軍が制圧し、江藤は鹿児島の西郷、高知の林有造《はやしゆうぞう》らに支援を求めたものの拒否され、捕縛された。

東京―長崎間の電信で現地の状況をつかんだ大久保利通《おおくぼとしみち》内務卿《ないむきょう》は、全権を委任されて鎮圧の指揮をとり、江藤と憂国党の島義勇《しまよしたけ》を梟首《きょうしゅ》（晒首《さらしくび》）に処した。これには政府内からも非難の声があがった。東京遷都《せんと》建白で抜擢《ばってき》された江藤は、制度設計に才能を発揮して三条実美《さんじょうさねとみ》・岩倉のブレーンとなり、留守政府時代も文部省・教部省《きょうぶしょう》・左院・司法省の要職を歴任して組織・政策の基礎を固め、明治六年政変の直前には井上馨《いのうえかおる》や山県有朋《やまがたありとも》の汚職を厳しく追及していた。鈴木鶴子《すずきつるこ》によれば、勝海舟《かつかいしゅう》は後年、つぎのように語った。

> 江藤新平は驚いた才物だよ。ピリピリしておって、実に危ないよ。だもんだから大久保の留守中に、何でもかでも片っぱしから自分でさばいてしまったよ。それであとで大久保と仲が割れたよ。そうしてとうとうあんな最期を遂げてしまった。

大久保にしてみれば、ここで武装反乱を一気に抑え込まなければ収拾がつかなくなると判断せざるをえなかっただろう。

4

◉**東海道も文明化**
人力車に電信柱。静岡県由井《ゆい》・興津《おきつ》付近。（三代歌川広重《うたがわひろしげ》『東海名所改正道中記《とうかいめいしょかいせいどうちゅうき》』明治八年）

万国公法と無主地の論理

政府はまた、明治七年（一八七四）二月六日、台湾出兵計画を決定した。問題の発端は、明治四年一一月、琉球《りゅうきゅう》の御用船が暴風で台湾南端の八瑤湾に漂着し、宮古島《みやこじま》住民ら六九人のうち、五四人が先住民（パイワン族）に殺された事件だった。明治六年には岡山の漁民も襲われた。この事件を知ったアメリカ公使やリジェンドル前厦門《アモイ》領事は、事件の場所が清国《しんこく》の支配地でなければ占領した国が領有権を主張できるし、アメリカも支援するとけしかけた。一七世紀末に始まった台湾への漢族の移民は西部に限られており、実際、清国政府は皇帝の感化が及んだ「熟蕃《じゅくばん》」ではなく「化外《けがい》」の「生蕃《せいばん》」だから責任はないと、明治六年に来訪した副島種臣《そえじまたねおみ》使節団に言明した。

リジェンドルには、アメリカ船員が先住民に殺された際に化外を理由に清国政府に逃げられた怨《うら》みがあったのだが、彼の主張は万国公法にいう「無主地《むしゅち》」の論理に基づいていた。万国公法とは一九世紀西欧の国際的慣習法のことで、中国在住のアメリカ人宣教師マーチンが漢訳した『万国公法《ばんこくこうほう》』（一八六四年刊）に由来する。原著はアメリカの国際法学者ホイートンの教科書（『Elements of International Law』）で、国際条約のような成文化されたものではないが、慶応《けいおう》元年（一八六五）には幕府の開成所《かいせいじょ》が翻刻し、外交関係の基本書になった。ほかに、オランダ法学者の講義を基にした西周《にしあまね》の翻訳書なども使われた。

一般に、近代国家の構成要件として領土・国民・権力の三つがあげられる。『万国公法』も、明確な国境線で囲まれた領土、定住する国民、それを統治する国家権力（君主）のうち一つでも欠ければ

「国家」と認めないと明記していた。だから、化外の地は国家の存在しない無主地であり、最初に占有したものが領有できるというわけだ。近代的土地私有権論における「囲い込み」と同じである。現にそこで生活してきた人びとにすれば、「化外」でも「無主」でもなく、余所者《よそもの》が勝手に取り合いできる道理もないが、それを道理だと強弁するのが近代文明というものだった。

万国公法が所有と排他の論理を基礎にしていたとすれば、一九世紀中ごろまでの東アジアの国際関係は、おおむね中国を中心とする朝貢《ちょうこう》・冊封《さくほう》関係に基づいていた。これは中国皇帝の「徳による支配」を理念とするもので、周辺の国王（藩国《はんこく》）は定期的に使節を派遣して皇帝に服属の儀礼を行ない、公文書に中国の暦（正朔《せいさく》）を用いた。他方、皇帝はその見返りに国王の統治権を承認し、下賜《かし》品を授け、事実上の交易を認めた。また、中国は藩国の内政だけでなく、中国の脅威にならなければ他国との関係にも干渉しなかった。

そして、琉球《りゅうきゅう》王国は中国と朝貢関係を結ぶとともに、鹿児島藩（薩摩《さつま》藩）の支配も受ける「両属」関係にあった。鹿児島藩も中国との交易で利益を得るために琉球の両属を認め、鹿児島藩・幕府に対しても朝貢に類似する儀礼を琉球国に求めた。ところが、明治政府は明治五年九月、琉球国王尚《しょう》泰《たい》を一方的に「琉球藩王」と呼び華族に編入するなど、琉球の囲い込み（領有）に踏み出した。また、鹿児島士族は台湾を「征伐」せよと叫び、政府もひそかに台湾の実地探査を始めた。

その一方で日本政府は、朝鮮との交渉を打開するねらいもあって、朝鮮が宗主国《そうしゅこく》と認める中国との条約締結を優先し、明治四年七月、日清修好条規《にっしんしゅうこうじょうき》を調印していた。不平等条約の特徴である領事裁判権や最恵国待遇などを相互に認め合うという奇妙な形の対等条約だったが、日本政府内には内地通商権を得られなかった不満があり、批准を引き延ばしていた。だが、台湾問題が浮上すると、「化外」の言質を取るため、条約批准を名目に副島使節団が派遣されたのである。修好条規では領土保全・相互援助を明記していたが、日本の対中国外交は最初から信義と無縁だった。

しかも、台湾が全体として清国の領土であることは欧米各国も認めており、琉球国も幕末には独自に各国と条約を結んでいた。また、台湾での遭難・殺害事件はこれまでも多発しており、慣例どおり生存者を清国が送り返し、琉球が「謝文」を送って落着していた。にもかかわらず、日本政府は万国公法的へりくつを盾に、解決済みの出来事を口実にして、東アジアの慣行的国際関係に殴り込みをかけたのである。

台湾出兵の誤算

日本政府の外交課題としてはこのほかに、安政《あんせい》元年（一八五四）の日露和親条約《にちろわしんじょうやく》で混住地とされた樺太《からふと》をめぐる、ロシアとの確執があった。そのため大久保利通《おおくぼとしみち》らは、明治七年（一八七四）一月、薩摩《さつま》派の強い要求があり、清国《しんこく》が「化外」と認めたことで比較的「安全」な台湾問題を先行させ、朝鮮の問題はロシアとの関係を解決してから取り組むという方針を定めた。したがって台湾出兵は、よくいわれるように、佐賀事件が起きてから計画されたものではなかった。

ところが、大隈重信《おおくましげのぶ》を長官とする蕃地事務局《ばんちじむきょく》は、出兵目的をたんなる報復から領地獲得に変更した。そのため木戸《きど》孝允《たかよし》は参議を辞職し、山県有朋《やまがたありとも》陸軍卿《りくぐんきょう》はじめ陸軍の長州系幹部も、文官が勝手に派兵計画を策定したことに反発した。さらに、イギリス公使パークスは清国の了解なしに派兵するのは不当な戦争行為だと警告し、頼りのアメリカも、新任のビンガム公使がパークスに同調して輸送船の提供を拒否した。両国の反対は日清間の戦争と台湾の植民地化に対する懸念だった。何しろ蕃地事務局の英訳は「Colonization Office」（植民地局）になっていたのだ。

化外・無主の地だからという安易で自己中心的な発想が通用しないと思い知らされた政府は、あわてて派兵中止を決めたが、五月二日、海軍の西郷従道《さいごうつぐみち》司令官は約三〇〇〇人の兵を長崎から出港させた。長崎に駆けつけた大久保は四日、大隈とも協議し、戦闘終了後は政府の指令に従う（占領地を勝手に拡大しない）と約束をさせただけで、西郷も残りの兵を率いて台湾に向かった。朝鮮に続いて出兵中止では、とても政府がもたないと思われたからだが、出先の軍隊が政府の決定を無視して突出し、政府も結局は追認するという、お定まりのパターンの始まりだった。

明治七年五月二二日に台湾南部に上陸した日本軍は、一か月

5

◉台湾の西郷従道と現地民
蕃地事務都督として出兵を主導した西郷従道（中央）。隆盛《たかもり》は実兄だが、明治六年政変・西南《せいなん》戦争では行動を別にした。

で「平定」作戦を完了した。西郷は移民・開拓を政府に要求し、住民の族長に日章旗や「帰順証」を配布して日本の支配を明示しようとした。しかし、清国政府は、無断出兵は領土保全を定めた日清修好条規に反すると抗議し、台湾に軍艦を出動させた。清国の強硬姿勢に驚いた大久保は八月、全権弁理《ぜんけんべんり》大臣《だいじん》として中国に乗り込んだものの、交渉は難航した。山県もやむなく開戦準備を命じ、艦船を長崎に集結させた。国内の強硬派に引きずられ、清国や欧米諸国の動向を読み誤り、勢いにまかせて軍事行動を起こした結果は、日清戦争の危機であった。

だが、清国側にも戦争の準備はなかった。駐清イギリス公使の仲裁もあって、清国は日本の出兵を〈日本国属民〉保護の〈義挙〉と見なし、五〇万両《テール》（約七七万円）を支払った。上海《シャンハイ》の新聞『申報』は、清国が五〇万両で戦争を回避し台湾領有を明確にできたと歓迎したが、日清修好条規を批准した翌年に戦争をしかけた日本に対する不信と警戒が強まった。他方、日本は琉球の帰属を間接的に認めさせたものの、長期の駐留で戦費は三六〇万円、輸送用船舶の購入費などを加えれば一〇〇〇万円近い出費を余儀なくされた。兵士約三六五〇名のうち一二名が戦死し、マラリアなどで五六〇余名（ほかに人夫《にんぷ》百数十名）が病死した。その一方

6 ◉やぶへび
台湾をつついたら清国という大きな蛇が出てきたという風刺である。（『東京日日新聞』明治七年八月）

で、輸送を請け負った岩崎弥太郎《いわさきやたろう》の三菱《みつびし》商会や、物資調達を任された大倉喜八郎《おおくらきはちろう》の大倉組商会は大きな利益を上げて、財閥への第一歩を踏み出した。

名分論と小国意識

台湾出兵計画は政府内でも内密にされており、公式発表は西郷従道《さいごうつぐみち》が出航したあとだった。それでも、横浜の外国語新聞が明治七年（一八七四）一月末から出兵のうわさを流し、木戸孝允《きどたかよし》の反対論や出兵中止の〈風説《ふうせつ》〉が『日新真事誌《にっしんしんじし》』などに掲載されたから、おおよそのところは知られていた。そして、日清《にっしん》談判の難航や開戦準備が伝えられると、土佐立志社《とさりつししゃ》や栃木県士族など少なくとも三七件、約三五〇〇人の従軍願いと、約七五〇人の献金・献納願が政府に出された。台湾にはすでに鹿児島士族や熊本士族約三〇〇〇人が参戦していた。だが、旧藩ごとにまとまった士族に武器を渡せば、何をするかわからない。陸軍は志願を受け付けるだけで、活用する気はなかったといわれる。

しかも、台湾出兵はのちの日清戦争のような挙国一致にならなかった。左院に出された建白書をみても、勇ましい主戦論と並んでさまざまな反対論があった。

まず、台湾・琉球《りゅうきゅう》は〈支那《しな》の四疆《しきょう》〉（周辺国）であり〈台島を征するの義なし〉とする主張があった。また、宮崎八郎《みやざきはちろう》ら熊本士族や藤寛正ら石川士族のように、朝鮮にも台湾にも従軍を志願する闇雲《やみくも》な好戦論者がいた半面、〈神州未曾有《みぞう》の国辱《こくじょく》〉を与えた朝鮮と、〈蛮野《ばんや》民衆〉の暴挙にすぎない台湾と、〈罪の軽重いずれが大なるや〉などと、あくまで「征韓《せいかん》」にこだわる者も少なくなかった。

清国との戦争についても、〈たとえ全勝を得るも…内国疲弊、人民困窮、必ず文禄《ぶんろく》征韓の挙に異なることなかるべし〉（樽井《たるい》藤吉《とうきち》）と、豊臣秀吉《とよとみひでよし》の朝鮮出兵が権力の崩壊につながった例をあげる者が多かった。しかも樽井は、戦争になっても挙国一致にはならない、なぜなら〈国家の大事〉を〈姦佞《かんねい》の人〉が決すべきではないからだと、現政権の不当性を強調した。

実際、戦争の危機が高まった明治七年一〇月一四日の『新聞雑誌』には、〈洋夷《ようい》に模倣し〉〈朝廷を濁乱《だくらん》〉した逆臣《ぎゃくしん》四人の首を斬って市街に晒《さら》すべしという山本克《やまもとかつ》の建白が載った。四人の名前は伏せられたが、岩倉具視《いわくらともみ》・大久保《おおくぼ》利通《としみち》・木戸孝允・大隈《おおくま》重信《しげのぶ》であるのは明白だった。山本や樽井はさらに、〈これを不可とし玉《たま》わば、臣が首を街上に梟《きょう》〉せよと天皇に迫った。「首を晒せ！」という幕末の激語が復活したのだ。

山本は島津《しまづ》久光《ひさみつ》邸に出入りする過激な保守派で、翌年の江華《こうか》島《とう》《カンファド》事件に乗じて政体変革を企図したとして懲役刑に処される。こうした連中が多ければ、戦争によって鬱屈《うっくつ》した気を発散させる前に、政府首脳が襲撃されかねない。義勇兵を陸軍が危

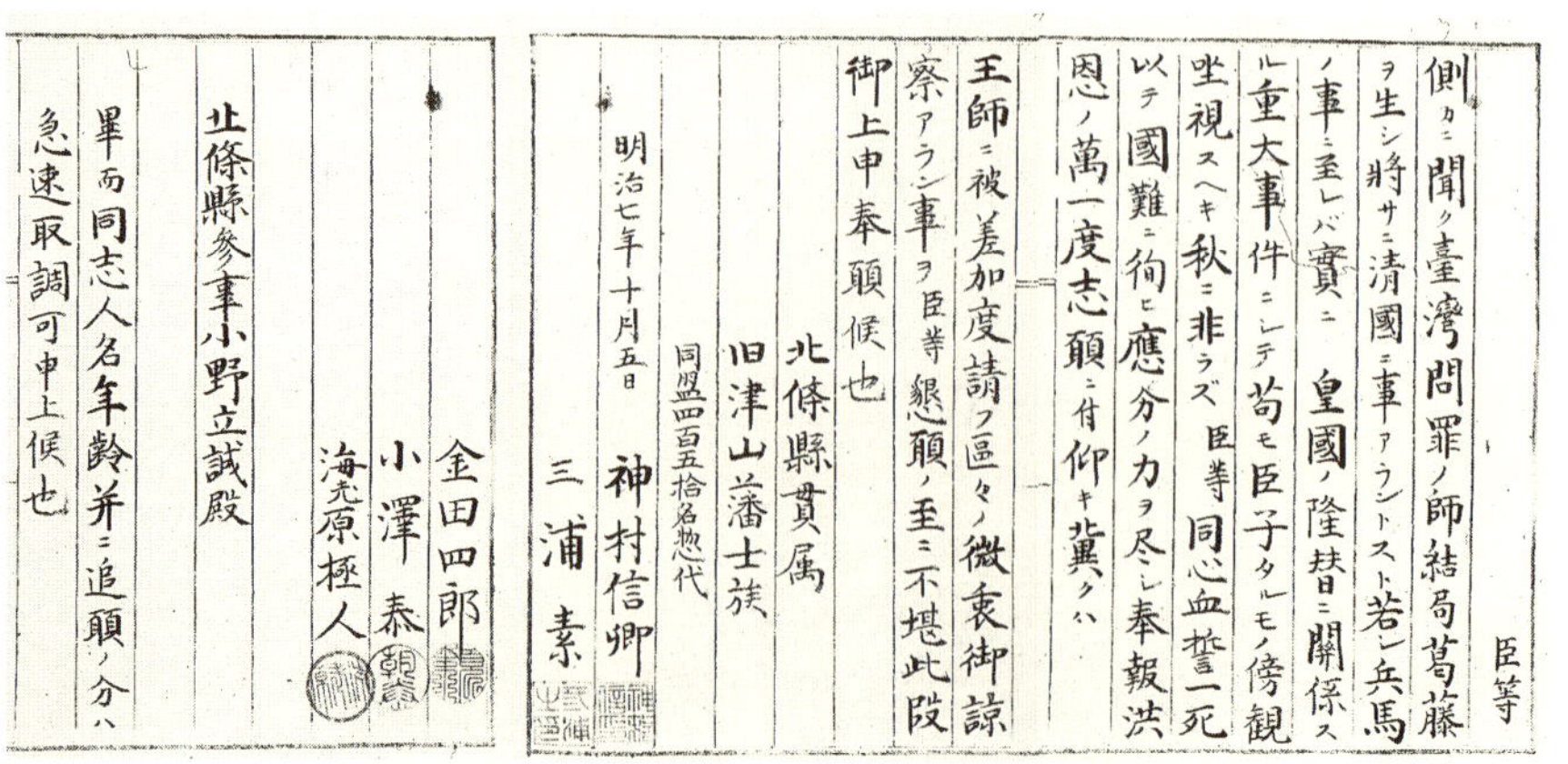
臣等
側ニ聞ク臺灣問罪ノ師結局葛藤ヲ生シ將サニ清國ニ事アラントスト若シ兵馬ノ事ニ至レハ實ニ皇國ノ隆替ニ關係スル重大事件ニシテ苟モ臣子タルモノ傍觀坐視スヘキ秋ニ非ラズ臣等同心血誓一死以テ國難ニ徇ヒ應分ノ力ヲ尽シ奉報洪恩ノ萬一度志願ニ付仰キ冀クハ
王師ニ被差加度請ヲ區々ノ微衷御諒察アランヿヲ臣等懇願ノ至ニ不堪此段
御上申奉願候也
北條縣貫属
旧津山藩士族
明治七年十月五日
同盟四百五拾名惣代
神村信卿
三浦素
金田四郎
小澤泰
海老原極人
北條縣参事小野立誠殿
畢而同志人名年齢并ニ追願ノ分ハ
急速取調可申上候也

7

険視したのは当然だった。士族だけではない。〈苛酷《かこく》の暴政〉を怨《うら》んでいる人民の〈反離の毒念〉を払拭《ふっしょく》しないかぎり、戦争なんかできないという指摘もあった（正村弥市《まさむらやいち》）。台湾「征伐」に積極的だった西郷隆盛《さいごうたかもり》も、大久保主導の出兵には冷ややかだった。

もちろん、これらは海外出兵自体を否定するものではなかった。そのなかにあって、特異な議論を展開したのが、台湾出兵は〈官員の戦争〉だから国民の税金を使うなといった窪田次郎《くぼたじろう》や、大国との戦いは〈鼻角力《はなずもう》が関取と稽古《けいこ》する〉ようなもので勝負にならない、〈小国よりは大国に謝すべき事、古今の常理〉であり〈国辱は亡国よりも百千倍軽し〉といいきった佐田介石《さだかいせき》だった。儒学にいう「事大」の論理、すなわち、強大な者に事《つか》えつつ自律をめざすということだろう。また、藤江二良三郎は、〈強勢に張り合わずして、ただ信の一字を以《もっ》て万国交際〉すれば、相手も〈みだりに暴行〉はしないはずだと主張した。非武装論といえようか。しかし、藤江は天皇制には被差別部落の存続が不可欠だと主張した人物であり、佐田は開化政策を全面否定し、身分制の復活、国産品愛用、仏教的天動説などを主張する保守主義者だった。

総じてこの年の議論には、名分へのこだわりや、清国は大国、日本は小国という儒教的な思考枠組みが、なお有力だった。同時に、正村弥市・樽井藤吉をはじめ、多くの論者がなんらかの議会なしには挙国一致が不可能なことを指摘しており、近代最初の海外出兵は大久保らの思惑《おもわく》とは逆に、政府批判や議会への関心をいっそう高める結果になったのである。

◉士族の活路
清国との戦争に活躍の場を求めた旧津山《つやま》藩士四五〇名の従軍志願書。

「チャンチャン坊主」と「黒坊」

とはいえ、明治七年（一八七四）一一月二七日、かろうじて戦争を回避して横浜に上陸した大久保《おおくぼ》利通《としみち》は大歓迎を受け、新橋からは天皇が使う馬車で皇居に向かった。〈意気揚々たる、実に皇国未曾有《みぞう》の慶事〉（『郵便報知新聞』）と称《たた》えられたように、清国《しんこく》とわたりあって賠償金を分捕《ぶんど》ってきた大久保の評価は高まった。

それだけではなかった。新聞各紙は戦闘の様子や現地の風俗を、想像を交えた絵入りで報道し、〈野蛮の風俗、裸体…穴居《けっきょ》〉の〈土人〉は〈人を殺し喰う〉など〈獣類同然の人種〉だが、〈恩愛〉によって撫育《ぶいく》すれば〈他日、本邦の干城《かんじょう》（守り）とも成るべし〉（『新聞雑誌』）といった文言が紙面にあふれた。『東京日日新聞《にちにち》』は主筆の岸田吟香《きしだぎんこう》のほかに写真師まで派遣し、これからはわが日本人民に、台湾の〈実景〉を寝たまま見てもらえる、そうすれば、〈この如《ごと》き蕃野《ばんや》の地に生活する人民と、我等の如き開化文明の国に住居して自由を得る者とを比較せば、その幸不幸〉はすぐにわかるだろうと、優越意識をあおった。色刷りの新聞錦絵《にしきえ》版や『明治太平記《めいじたいへいき》』のような絵草紙《えぞうし》も数多く刊行されたから、これまで新聞と縁のなかった庶民にも大きな影響を与えたことは間違いない。

そのほか、歌舞伎《かぶき》では河竹黙阿弥《かわたけもくあみ》作『吉備大臣支那譚《きびだいじんしなものがたり》』を九代目市川団十郎《いちかわだんじゅうろう》が演じて人気を博した。これは才気煥発《かんぱつ》な吉備真備《きびのまきび》が留学先の唐《とう》の官人・文人とわたりあう物語に仮託して、大久保の活躍を称えたものだった。

こうしたなかで、「野蛮人」に対する優越感や、清国人に対する敵対心・蔑視《べっし》感が生まれてくるのは避けがたかった。たとえば、東京の湯屋《ゆや》でチャンチャン坊主《ぼうず》と嘲笑《ちょうしょう》された中国人が警官に訴えたところ、その男は〈かれチャンチャン坊主なれば、私チャンチャン坊主と呼びしのみ〉などと言いつのり、罰金を取られた（『東京日日新聞』）。また、つぎのような投書もあった。恭《きょう》親王は議政王大臣で大久保の交渉相手、李鴻章《りこうしょう》は直隷総督《ちょくれいそうとく》で軍・通商の責任者だが、〈償金〉によって日本人の〈うぬぼれ気〉と、中国人に対する蔑視や対抗意識が高まったことがよくわかる。

この度《たび》の償金に付きましても、日本人例のうぬぼれ気で、彼《か》のチャンチャン坊主が遂に屈服した、四百余州はもう手の中の物、恭親王・李鴻章などは小児同様、恐るるに足らず、追付《おっつけ》万里の長城に国旗を翻すなどと、高慢顔にてうかうか仕《つかまつ》り居《お》りては、いつかまた是方《こなた》より償金を出す様な事の出来《しゅつたい》するも計られず。…なんぼチャンチャン坊主でも…この怨《うら》みを報いようと掛かるのも知れません。…各々《おのおの》憤励勉強して富国強兵の手段を尽くし、一々彼のチャンチャンぼうづの上に出る様致さねばならぬ事と存じます。（『新聞雑誌』）

さらに、時期は少しあとだが、黒人への蔑視も目につくよう

8

◉吉備大臣を演じる九代目市川団十郎
明治八年一月、東京の河原崎座《かわらざきざ》で初演。黙阿弥《もくあみ》には団十郎《だんじゅうろう》が西郷隆盛《さいごうたかもり》を演じた『西南雲晴朝東風《おきげのくもはらうあさごち》』など、多くの「ざんぎり物」もある。（豊原国周《とよはらくにちか》『吉備大臣支那譚』）

になる。背中の赤子の頭をガクガクさせていると脳髄《のうずい》を傷つけて、〈冥頑不霊《めいがんふれい》にして神経のにぶきこと、黒人種も三舎《さんしゃ》を避ける（一目を置く）〉ようになりかねないから母親は注意しろ（『静岡新聞』）といった社説や、〈黒人の通るを観《み》よ〉〈黒人が何を言うか〉とあざけって喧嘩《けんか》になった（『朝野《ちょうや》新聞』）というような記事がその例である。

藤田《ふじた》みどりによれば、江戸時代の「黒坊」はオランダ船の従業員として長崎では見慣れた存在で、歌舞伎《かぶき》や浮世絵《うきよえ》にも登場した。庶民には好奇のまなざしはあっても蔑視はほとんどなかったが、アフリカの植民地化や奴隷《どれい》貿易が進むなかで、西洋書に接した知識人や幕末の洋行者には「野蛮」「愚昧《ぐまい》」のイメージが生まれた。しかし、多くの人に影響を与えたのは小学校の教科書にもなった福沢諭吉《ふくざわゆきち》『世界国尽《くにづくし》』（明治二年〈一八六九〉）だった。そこには、アフリカは〈無智混沌の一世界〉であり〈黒奴にて風俗甚《はなは》だ陋《いや》し〉く、人を殺して肉を食うなど、〈実に下にして人間の内の最下等〉だと書かれていた。台湾「生蕃《せいばん》」にも首狩り・人肉食の風習があったようだが、先に紹介した彼

9

◉『石門口勝戦之図』
台湾の石門付近の戦闘で討ち取った住民の首を銃剣などにつるす日本兵。（『東京日日新聞』錦絵版。明治七年一〇月）

らの姿はこうした「黒人」のイメージにぴったり重なる。じつは、このときの日本兵も「生蕃」の首を持ち帰っているのだが、それだけに〈いっそう、日本兵は開化した文明国の兵隊として勇ましく立派に、メディアの中に描かれなければならなかった〉と土屋《つちや》礼子《れいこ》は指摘している。

国内の「生蕃」

ただし、「生蕃《せいばん》」は日本にも存在した。長野・東北などの〈僻地《へきち》には是より猶《なお》も開けざる愚魯《ぐろ》の民多し、あながち台湾のみを蕃地と観作《みな》すべからず〉とか、〈東京に一種の下等人種あり、江戸ッ子と号す〉〈頑固にして怒り易く…世の文明開化なるもの茫乎《ぼうこ》として知らざるが如《ごと》し…ほとんど台湾生蕃の猿の如し〉（『東京日日新聞』）といわれた庶民である。たしかに、裸体禁止や断髪強制に反発する庶民はことあるごとに「頑愚」「不潔」「野蛮」といわれており、文明への「同化」を強《し》いられた「原住民」と基本的に変わりなかった。

　しかも、「チャンコロ」は「中国人」の中国語 zhongguoren の転訛《てんか》とされるが、「チャンチャン坊主」が辮髪《べんぱつ》と結びついているのは明らかで、ここには「断髪＝文明、辮髪＝野蛮」という図式が作動していた。湯屋《ゆや》で中国人をののしった男の髪型はわからないが、たぶんに江戸っ子的な人物だろう。にもかかわらず、みずからを「文明」の側において、中国人や黒人を嘲笑《ちょうしょう》する庶民が登場しはじめたのだ。むろん、それをあおったのは新聞である。明治一〇年（一八七七）には、〈道徳社会にあるはずの新聞までが、〈必ず弁髪の字へチャンチャンと仮名《かな》を用い〉〈豚尾頭《とんびあたま》などの字〉を平気で使い、庶民が侮辱するのを助長していると中国人張春舟《ちょうしゅんしゅう》が抗議している（『横浜毎日新聞』）。

同時に、「黒人が何をいうか」といって喧嘩をした日本人は、告訴状にあった投石などが裁判で否定されたにもかかわらず、懲役一〇日に処されたことも見逃せない。相手が〈英国人〉だったからだろう。湯屋の一件で警察に訴えた中国人も、イギリス人教師の雇い人だった。一見単純なトラブルのようにみえながら、ここには、「西洋人―日本人―中国人・黒人」という序列構造が内包されていた。治外法権に守られた外国人とのトラブルは、商取引をはじめさまざまな局面でみられたし、〈横浜在留兵隊、しばしば我国の婦女を強姦《ごうかん》する〉（長尾義連の建白）と非難される現実もあった（明治八年三月にイギリス・フランス駐留軍は撤退した）。

それだけに台湾に関する一連の報道は、「文明国日本」を印象づけるとともに、西洋人への屈辱感を反転させる対象として中国人や黒人が想起される回路を開くきっかけになったと思われる。日本全体をみれば、台湾出兵の事実すら知らない人びとが圧倒的に多かったが、豊臣秀吉《とよとみひでよし》以来約二八〇年ぶりの海外出兵は、銃後の民衆意識にひとつの画期をもたらしたといえるだろう。

琉球とアイヌ・モシリ

琉球併合と二島分離論

台湾出兵に清国《しんこく》が抗議した明治七年（一八七四）七月、明治政府は琉球《りゅうきゅう》の所管を外務省から内務省に移管した。なぜ一気に併合しなかったのか。琉球国や清国の意向を無視できなかったことと、明治政府内にも意見の対立があったからだ。南方の戦略拠点としての重要性を主張する外務省や軍に対し、直接統治は経済的負担になるという実利的反対や、琉球は国内の人類と異なるし、国王を服属させた形のほうが天皇の権威が高まるといった小中華的主張もあった。ところが、明治八年に清国皇帝が死去し、代替わりに伴う慶賀使《けいがし》派遣という問題が浮上した。このため政府は七月、「琉球処分官」松田道之《まつだみちゆき》を派遣して、中国への朝貢の禁止、「明治」年号の使用などを命じた。

そして、明治一二年四月四日、軍隊・警官を率いてふたたび琉球に乗り込んだ松田は、ついに沖縄県の設置を宣告した。支配層（王族・士族）の多くは日本への専属を拒否し、独自の徴

10 ◉両属する巨人の足を引っぱる　ギリシャのロードス島にあったとされる巨人像に託して、薩摩芋《さつまいも》と泡盛《あわもり》を手にした巨人を日本が清国から引き離そうとしている。（『団団珍聞《まるまるちんぶん》』明治一二年五月）

税を続けたり、清国の援兵が来るまで志操《しそう》を固持するとの血判盟約書を交わした。警官の派出所を住民が襲撃する事件も起きた。日本はこれらを徹底的に弾圧したため、公然たる抵抗は短期間で終わったが、清国に密航して救援を要請する「脱清人」の活動はその後も続いた。

駐日清国公使も繰り返し抗議した。〈民を管轄するに両国相談してこれを為《な》すと云う義はあるまじき事なり〉と万国公法の論理をふりかざす寺島宗則《てらじまむねのり》外務卿《がいむきょう》に対して、〈亜細亜《アジア》州にては欧羅巴《ヨーロッパ》同様には参り兼ね候《そうろう》〉と反論し、琉球が清国の「藩国《はんこく》」だったことは、幕末の琉米条約《りゅうべいじょうやく》などに大清国の年

11

◉『首里旧城の図』（部分）
首里城《しゅりじょう》を鳥瞰的に描いた作品。守礼門《しゅれいもん》は図外（下方）に位置する。手前の歓会門《かんかいもん》の右わきに「沖縄分遣歩兵隊」の看板があり、左わきには衛所が描かれている。城内には、陸軍熊本鎮台《ちんだい》の支隊が駐屯していた。

号が使われていたことからも明らかだと各国公使に訴えた。台湾や朝鮮の地政学的価値を重視したイギリスも日本への批判を強め、〈ひとたび西洋文明の息吹に触れるや〉〈原始野蛮の日本国をともかくも東アジア圏における文明国の地位にまで高め〉てくれた中国の〈計り知れぬほどの恩恵を忘れ〉たのかといった記事が『タイムズ』に載った。

こうしたなか、清国政府は世界一周旅行で中国を訪れたアメリカ前大統領グラントに調停を依頼し、日本政府は宮古《みやこ》・八重山《やえやま》の二島を放棄するかわりに、日清修好条規《にっしんしゅうこうじょうき》を改定して日本に最恵国待遇《さいけいこくたいぐう》（中国内地の通商権）を与えるという「分島・改約」案を提示した。欧米諸国との条約改正交渉を前に、アメリカ、イギリスなどの意向を無視できなかったからだ。

他方、清国政府も、イスラム教徒の反乱に乗じて中央アジアのイリ地方を占領したロシアや、安南《あんなん》（ベトナム）に侵攻したフランスへの対処に追われており、明治一三年一〇月、分島・改約の合意が成立した。またも住民無視の談合である。しかし、琉球の抵抗派は、二島だけでは王国は存続できないと強く反対し、清国皇帝も決定を留保した。

結局、琉球問題の最終解決は日清戦争まで持ち越されたが、その間に本土の商人が流入して、〈利のある仕事は総《すべ》て内地人の手に入り、引き合わざる役廻りは常に土人に帰〉す（『琉球見聞雑記《けんぶんざつき》』）といわれるようになっていった。

大和屋への反発

琉球支配層とは反対に、王朝と鹿児島藩（薩摩《さつま》藩）の苛酷《かこく》な二重支配に苦しんできた民衆のなかには、「世替わり」へのひそかな期待があった。明治一四年（一八八一）に沖縄県令となった旧米沢《よねざわ》藩主上杉茂憲《うえすぎもちのり》は、県内を視察して雑税の廃止や地方役人の削減などに取り組み、県費による国内留学制度をつくった。だが政府は、許可を得ずに改革したとして上杉を更迭し、旧支配層を優遇する「旧慣温存」策を採用した。清国《しんこく》への密航がやまず、清国軍のなかにも武力介入の声があったため、統治の安定や税収の確保を優先して、地方役人が私腹を肥やせる土地制度や、苛酷な租税制度を継続させたのである。華族として東京に居住した旧国王尚泰《しょうたい》は、金禄《きんろく》公債のほかに中城御殿《なかぐすく》など広大な土地や社寺の私有を認められ、本土商人に対抗して財閥化するほどの財力を確保した。上級士族約三七〇人にも、これまでどおり金禄が支給された（秩禄《ちつろく》処分は明治四三年）。その一方で、七〇〇〇人の下級士族の大半は、わずかな一時金だけで切り捨てられ、開墾や車夫などの雑業でなんとか生活していくほかなかった。

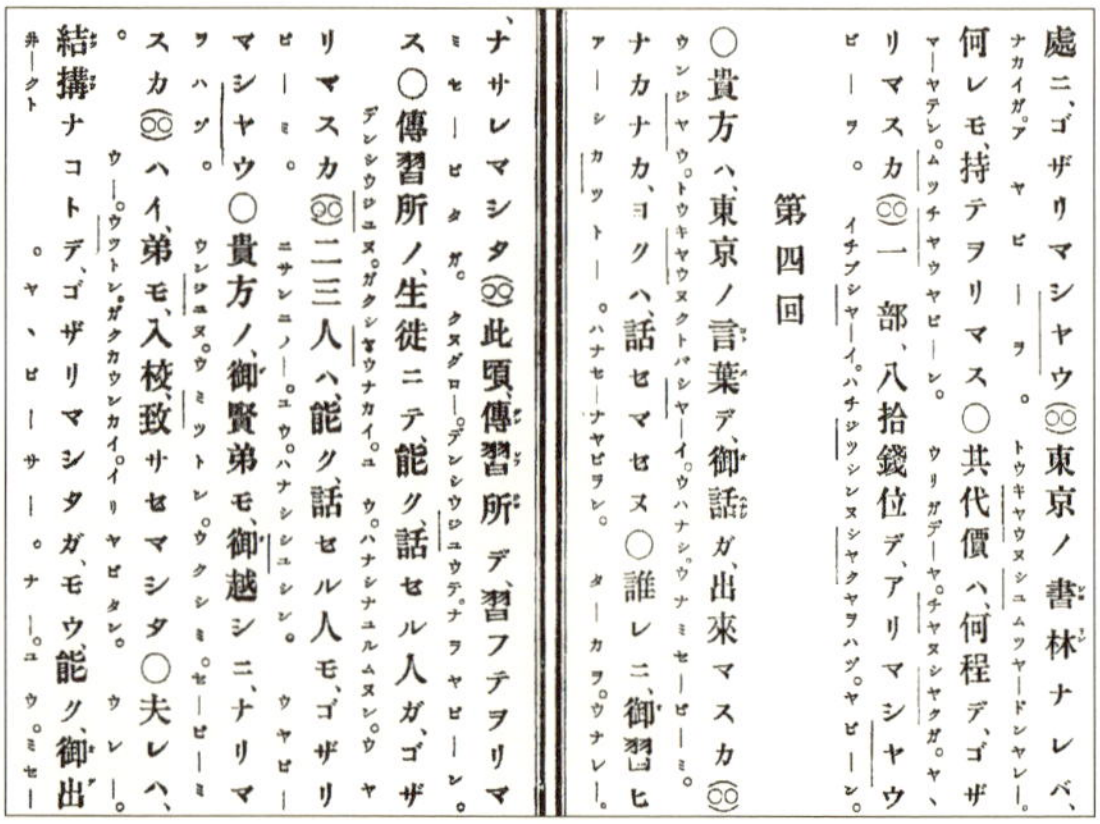

處ニ、ゴザリマシヤウ◎東京ノ書林ナレバ、
ナカイガアヤビーヲ。トウキヤウヌシユムツヤードンヤレー。
何レモ持テヲリマス○其代價ハ、何程デ、ゴザ
マーヤテン。ムツチヤウヤビーン。ウリガデーヤ。チヤヌシヤクガ。ヤ、
リマスカ◎一部、八拾錢位デ、アリマシヤウ
ビーヲ。イチブシヤーイ。ハチジツシンヌシヤクヤヲハヅ。ヤビーン。

第四回

○貴方ハ、東京ノ言葉デ、御話ガ、出來マスカ◎
ウンジヤウ。トウキヤウヌクトバシヤーイ。ウハナシ。ウナミセービーミ。
ナカナカ、ヨクハ、話セマセヌ○誰レニ、御習ヒ
アーシカツトー。ハナセーナヤビラン。ターカヲ。ウナレー。
ナサレマシタ◎此頃、傳習所デ、習フテヲリマ
ミセービタガ。クヌグロー。デンシウジユウテ。ナラヤビーン。
ス○傳習所ノ、生徒ニテ、能ク、話セル人ガ、ゴザ
デンシウジユヌ。ガクシヤウナカイ。ユウ。ハナシナユルムヌン。ウヤ
リマスカ◎二三人ハ、能ク、話セル人モ、ゴザリ
ビーミ。ニサンニンノー。ユウ。ハナシシユシン。ウヤビー
マシヤウ○貴方ノ、御賢弟モ、御越シニ、ナリマ
ヲハヅ。ウンジユヌ。ウミツトン。ウクシミ。セービーミ
スカ◎ハイ、弟モ、入校致サセマシタ○夫レハ、
。ウー。ウツトン。ガクカウンカイ。イリヤビタン。ウレー。
結構ナコトデ、ゴザリマシタガ、モウ能ク、御出
ークト。ヤ、ビーサー。ナーユウ。ミセー
12

●『沖縄対話』
沖縄県がつくった語学教科書。明治一三年刊。敬語による会話体で、四季・学校・農業・商業・旅行など、さまざまなテーマが扱われている。

ただし、県当局も教育には力を入れた。〈言語風俗をして本州と同一ならしむる〉ことが急務だったからだ（沖縄県の上申書）。明治一三年に日本語の話せる教師を育てるために会話伝習所（のちの師範学校）がつくられ、各地に小学校が設立された。『沖縄対話』という語学教科書もつくられた。

しかし、明治一八年の就学率は男子六パーセント、女子は〇・一パーセントにすぎなかった。琉球時代の教育は士族を対象にした官吏養成の実務教育だけで、民衆や女子にはまったく教育の経験がなかった。そのうえ、小学校教員の大半は断髪・洋服の「大和人《やまとんちゅ》」で、教科書には『沖縄対話』や日本の『小学読本』『小学入門』などが使われた。また、学校の名簿には「姓・名」が記されたが、これまで役職で姓が変わった士族や屋号で呼ばれた平民にとって、「学校名」は奇異なものだった。学校へ行くと兵隊にとられ大和に連れて行かれるといった風聞が流れ、断髪の強制に集団で退学届を出すといった抵抗も起きた。

日本の支配になっても大半の人びとの生活は少しもよくならず、大挙して乗り込んできた大和人が威張りちらすなかで、「大和学問」を学ぶ気にはならない。小学校が「大和屋」と呼ばれたのも無理はなかった。

復古としての日本化

それでも、一八八〇年代後半から少しずつ就学率が上がりはじめ、地方役人の不正を追及する民衆の動きも生まれた。帰郷した県費留学生を中心に、新しいリーダー層も形成されはじめた。そのなかには、学習院・慶應義塾《けいおうぎじゅく》で学び『琉球新報』を創刊する太《おお》田《た》朝敷《ちょうふ》や、平民で最初の沖縄師範学校卒業生として東京大学に学び、やがて奈良原繁《ならはらしげる》知事の更迭運動や参政権運動の先頭に立った謝花昇《じゃはなのぼる》がいた。彼らは琉球王国の復活ではなく、「日本人」として平等や自由を要求したが、断髪が一般化し、人びとが「大和」の統治を受け入れるのは、日清《にっしん》戦争で「清国による解放」の期待が完全に崩壊してからである。明治三一年に徴兵制が施行され、三二年からの土地整理事業によって、農地も割替《わりかえ》制《せい》から私有制への転換が進んだ。

しかし同時に、日清戦争による台湾の領有によって、沖縄が〈南洋に僻在せる孤島〉から〈蛮族〉を〈皇化《こうか》〉させる役割をもつ〈帝国枢要の地〉になったという自負を生み出したことは見過ごせない（『琉球教育』）。それどころか、琉球時代の文化・風習は中国が植えつけたもので、沖縄人は本来日本人であり、中国の古書にいう「流弓」は台湾のことで、沖縄人は〈人肉を喰うが如き野蛮的人種の子孫でない〉、琉球という〈唐名〉を捨て沖縄という〈本名の昔に立ち戻るのだといった主張まで現われた（新田義尊「沖縄は沖縄なり、琉球にあらず」）。まさに、「開化＝復

13

●沖縄の留学生
明治一五年の第一回県費東京留学生。前列右が沖縄銀行創設者の高嶺朝教《たかみねちょうきょう》、左が太田朝敷、後列右が謝花昇。

古」の論理である。

たしかに、鹿児島藩（薩摩《さつま》藩）の支配が強まるなかで、琉球王朝は自立性を確保し、中国との朝貢（交易）関係を強化するため、祭祀《さいし》や宗廟《そうびょう》に中国式を取り入れたり、首里《しゅり》城に龍を多用するなど、中国化を推し進めた。鹿児島藩も差別の論理によって「和風化」を禁じた。だからといって、それ以前の島民が「日本人」であることにはならないだろう。しかし、こうした論理は、大和人《やまとんちゅ》の差別に対して「われわれだって日本人だ」という叫びをあげるときの支えになるとともに、台湾や南洋諸島の人びとに対する優越意識を生み出すことにもなったのである。

樺太と千島の分捕り

琉球・朝鮮と並ぶ外交案件だった樺太《からふと》問題はどうなったか。

箱館《はこだて》が開港した安政《あんせい》元年（一八五四）に日露《にちろ》和親条約《わしんじょうやく》が締結され、千島《ちしま》列島に関してはエトロフ（択捉）島とウルップ（得撫）島のあいだを両国の境界としたが、樺太（サハリン）の帰属は決まらなかった。しかし、一八六〇年（万延《まんえん》元）の北京《ペキン》条約で沿海州《えんかいしゅう》を領有したロシアは、樺太にも流刑囚や軍隊を送り込んだ。これに対して、樺太南部の日本人漁業者などは人口の一割以下（二〇〇人から三〇〇人）にすぎなかった。

日本政府のなかでは、樺太領有派と北海道開発優先派が対立していたが、明治七年（一八七四）三月、ロシアの要求を認めて樺太を放棄するかわりに、千島全島を獲得する方針を確定した。そして、ロシアの主要関心がバルカン半島や中央アジアに向けられていると察知した榎本武揚《えのもとたけあき》特命全権公使は、明治八年五月、樺太・千島交換条約〈サンクト・ペテルブルク条約〉の調印にこぎつけた。実際、一八七七年にはロシア・トルコ戦争が始まった。

だが、交換・放棄・獲得といった語は、国家の視点からの物言いである。「カラフト」の名称はアイヌ語の「カムイ・カラ・プト・ヤ・モシリ」〈神が河口につくった島〉に由来するといわれるように、はるか昔からこの地で生活してきたアイヌやウィルタなどの先住諸民族からすれば、あとから入り込んできた新参者が勝手に分捕《ぶんど》りの談合をしたにすぎない。しかも、日本とロシアの国民にはそのまま居住することを認めながら、〈土人は現に居住する所の地に永住し、かつそのまま現領主の臣民たるの権なし〉〈条約附録第四条〉として、三年以内の国籍選択と移住を強制した。

そのうえ、日本国籍を選択したアイヌ八四一人は、故郷の対岸である宗谷《そうや》沿岸を希望したにもかかわらず、石狩川《いしかりがわ》中流の対雁《ついしかり》に移住させられた。彼らは漁業ができないならお世話にならない、船も自分たちでつくる、途中で死んでも文句はいわないと抗議したが、相手にされなかった。また、千島列島北端のシュムシュ〈占守〉島民九七名は、日本国籍をとればそのまま生活できるはずだったが、明治一七年にシコタン〈色丹〉島へ移された。ロシア正教徒で英語・ロシア語の話せる彼らを、ラッコ猟にくるロシア人・欧米人と接触させたくなかったからだ。樺太アイヌの移住にかかわった

14

◉「樺太・千島交換条約批准書」
明治八年五月にサンクト・ペテルブルクで調印された条約は、同年八月、東京で批准書が交換されて発効した。

開拓使高官の松本十郎《まつもとじゅうろう》は、このような暴政は前代未聞だと憤激して辞職するが、自然のままの土地と住民ではなく、「領土と国民」として囲い込まなければ安心できないのが近代国家なのだった。

同化・保護・差別

生活を根こそぎ破壊されたのは、北海道のアイヌも同じだった。江戸時代の蝦夷地《えぞち》は、松前藩《まつまえ》（福山藩《ふくやま》）の管轄下にあり、いわゆる場所請制《ばしょうけせい》によって苛酷《かこく》な漁業労働に酷使されるとともに、北方諸民族との交易にも、大きな制約を課せられていた。しかし、場所請商人の関心は経済的利益に限られ、藩の支配が及ぶ地域も基本的に漁場とその周辺だけだった。

これに対して、明治政府は明治二年（一八六九）二月に開拓使を設置して、「アイヌ・モシリ」（人間の静かな島）を併合し、北海道と改称した。そして、アイヌの存在を無視して、政府直轄地のほかは藩や華族などに開墾地を割り当てる分領制《ぶんりょうせい》を採用した。廃藩置県《はいはんちけん》でこれが廃止されると、明治五年には北海道土地売貸《ばいたい》規則・地所規則で、アイヌの生活空間である原野・山林などいっさいの土地を個人に払い下げる方針を打ち出し、同一〇年の北海道地券発行条例では、アイヌの居住地も官有地第三種（官民共有地）に編入した。官有地は無税だから、保護の要素もなくはなかったが、明治政府は北海道を最初から無主《むしゅ》地と決めつけていたのである。

そのうえ、明治四年の戸籍法でアイヌを平民に編入するとともに、男子の耳輪《みみわ》、女子の入《い》れ墨《ずみ》などを禁止し、名前のみだったアイヌに日本式の「姓・名」を強制した。ここでも〈風俗〉の〈誘導教化〉こそ〈開明日新の根軸〉と見なされた（明治九年九月の布達）。明治一一年には「旧土人」が公式の呼称とされた。「土人」は本来「その土地の人」という意味だったが、「旧」が付けば「本来の住人ではない」というニュアンスをもち、やがて黒人への蔑視《べっし》とも結びついた差別語になっていく。開拓使はまた、アマッポ（毒矢の仕掛弓《しかけゆみ》）を「野蛮」と禁止する一方で、和人《わじん》の鉄砲や河口での大網使用を認めたから、たちまち鹿や鮭が激減し「資源保護」が叫ばれた。だが、鮭や鹿は和人には商品でも、アイヌにとっては主食である。それを密猟、漁業権の侵害として処罰されたのでは生きていけない。

もっとも、和人化政策も幕府が先鞭《せんべん》をつけていた。ロシアとの紛争があった一八世紀末からの約二〇年間と、安政《あんせい》元年（一八五四）の箱館開港以降、幕府は松前地方を除く蝦夷地を直轄し、樺太《からふと》・クナシリ（国後）島・道東のアイヌに和名・和風衣服・結髪を強制し、ひげを禁止した。身分制国家といえども、

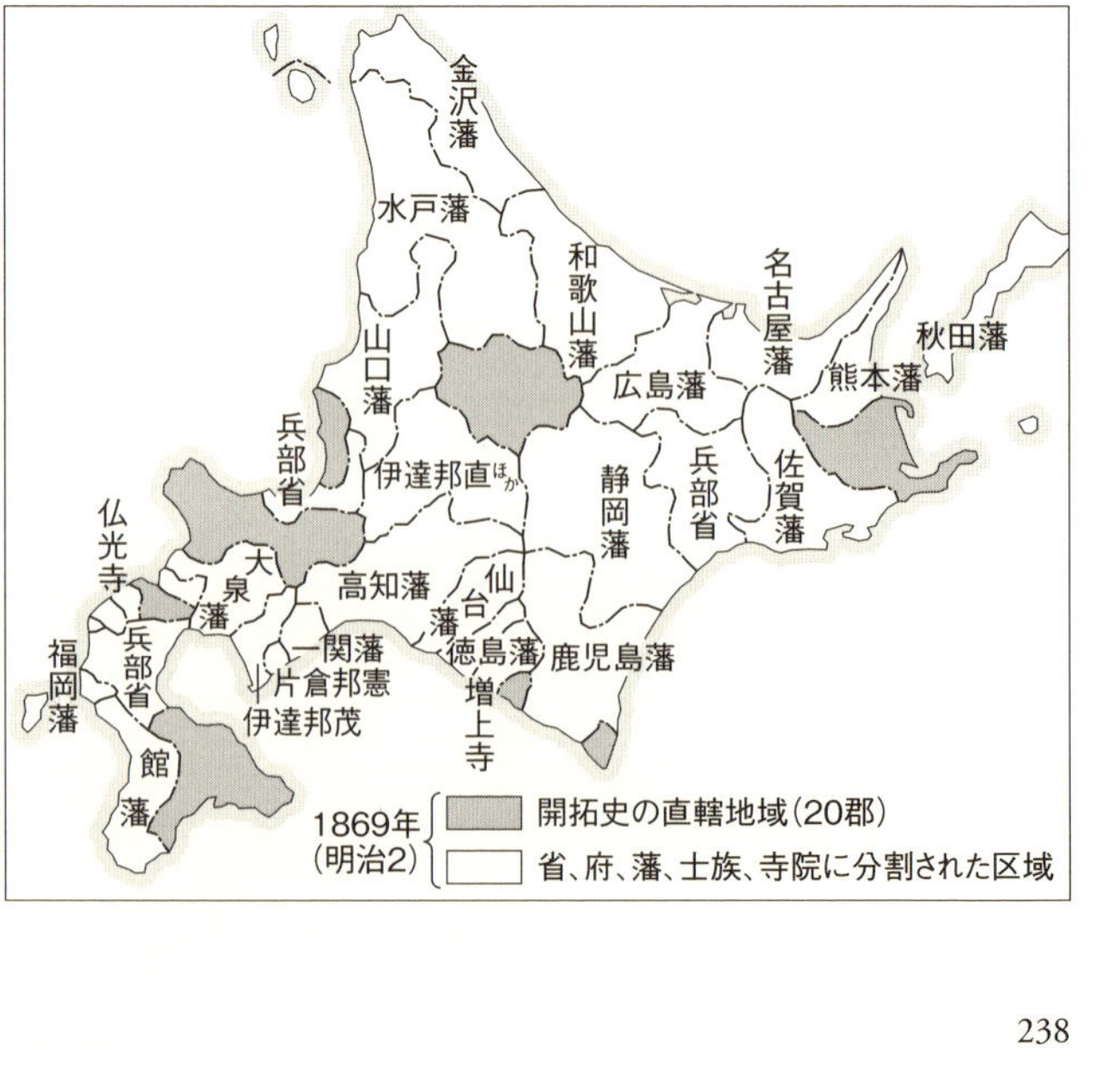

●蝦夷地の分領支配
明治二年、政府は土地を二四藩などに割り当てたが、仙台藩・斗南《となみ》藩・佐賀藩や東本願寺《ひがしほんがんじ》以外は、ほとんど動かなかった。（『使省藩士族寺院管轄図』）

他国と対抗するには住民を囲い込まざるをえなかったのである。また、五稜郭《ごりょうかく》に立てこもった榎本《えのもと》武揚《たけあき》軍も蝦夷地の領有を宣言し、旧徳川《とくがわ》家臣団による開発と北方警固を構想した。この点でも江戸幕府と明治政府は連続していた。

政府がアイヌをまったく保護しなかったわけではない。強制移住地となった対雁《ついしかり》やシコタン（色丹）島では、食糧の補助や農機具などを助成した。しかし、鮭や鹿・アザラシなどの肉になじんだ体が穀物食にすぐさま適応できるはずもなく、和人農民でさえ困難をきわめた開墾に従事させることが「保護」とはいえなかった。天然痘《てんねんとう》など、これまで経験しなかった病気にも襲われた。また、一八八〇年代には日高《ひだか》・十勝《とかち》・根室《ねむろ》などのアイヌに土地が付与されたが、だまされたり借金を負わされて、和人に奪われることがめずらしくなかった。せっかく開墾しても、和人の入植や市街地化を理由に移住させられることもあった。

この間、アイヌが異議申し立てをしなかったわけではなく、とくに明治二八年（一八九五）、アイヌ共有財産の不正管理を帝国議会に訴えた、日高の鍋沢《なべさわ》サンロッテーの活動が、近年注目されている。これは宮内庁・文部省が下付した教育基金や授産事業収益金など数万円が、未執行ないし流用されたことを告発したもので、明治三二年の北海道旧土人保護法の成立を促す要因のひとつになったとされる。だが、この法律はむしろアイヌの真の自立を妨げ、日本人への同化を強制するものでしかなく、時には、開拓者に有利な北海道国有未開地処分法による払い下げをアイヌに認めない根拠にされたと、井上勝生《いのうえかつお》は指摘している。

もとより、屯田兵《とんでんへい》や和人の開拓も辛苦の連続で、移住者はなかなか増えなかった。道路工事や炭鉱・鉱山などでは囚人が酷使され、多くの死者を出した。ちなみに、夏目漱石《なつめそうせき》が明治二五年に北海道へ転籍して徴兵免除になったのも、移住促進策のおかげだった。明治二八年の衆議院予算委員会で陸軍の児玉源太郎《こだまげんたろう》は、北海道でも徴兵を実施したいが、「移住人口が少なくなる」と内務省・北海道庁に反対されると嘆いている。それでも、政商・華族などに広大な土地を一括して払い下げる制度がつくられたこともあって、一八九〇年代後半には大農場の小作人になる者を含めて「移民ブーム」が起こり、明治三一年には徴兵制が全道で施行された。しかし、道議会は三四年、衆議院議員選挙権は三五年まで実現せず、地方制度が府県並みになるのは昭和二年（一九二七）だった。その意味でも北海道は「植民地」であった。

内国植民地と自己植民地化

琉球《りゆうきゆう》併合を指揮した松田道之《まつだみちゆき》は、抵抗する士族への告諭のなかで、〈旧態を改めざるときは…亜米利加《あめりか》の土人、北海道のアイノ等の如《ごと》きの態を為《な》し、〈自ら社会の侮慢を受け〉るだろうと恫喝《どうかつ》した。近代日本は日清《にっしん》戦争ではじめて植民地をもったのではない。北海道は明治維新とともに囲い込まれた「無主《むしゆ》地」であり、琉球は最初の国家併合であった。植民地領有を「帝国」の基本要件とするなら、近代日本国家はその初発からまぎれもなく帝国であった。これらを後年の台湾・朝鮮などと区別して「内国植民地」「国内植民地」と呼ぶことがある。

しかも、琉球の民衆やアイヌが受けた同化政策、「姓・名」の確定、断髪、小学校、日本語（標準語）等々の強制は、「生蕃並み」《せいばん》といわれた本土の民衆がこうむったものと基本的に変わらない。小《こ》森陽一《もりよういち》が指摘するように、文明開化とは何よりもまず日本自体の「自己植民地化」であったのだ。にもかかわらず、いや、だからこそ、日本（本土）の民衆はみずからを文明の側に置き、沖縄人、アイヌ、中国人、朝鮮人などを見下していくことになる。

なお、小笠原《おがさわら》諸島は寛文《かんぶん》一〇年（一六七〇）、紀伊国《きいのくに》の漂着船が「発見」し幕府も確認したが、その後は打ち捨てられた。北西太平洋の捕鯨業が盛んになった一八二〇年代にイギリスが領有を宣言したが、実効支配に至らず、英米人漁船員やハワイ諸島住民など、「海の移動民」たちの自由な寄港地、定住地となっていた。しかし、文久《ぶんきゅう》元年（一八六一）、幕府は先占権を根拠に領有を宣言し、翌年八丈島民を入植させた。旧来の島民からみれば占領に等しいと石原俊《いしはらしゅん》は指摘している。ただし、幕府はすぐに移住民を帰還させ、明治政府も放置した。だが、明治九年（一八七六）に政府は公式に領有を宣言し、明治一五年には外国人島民を全員日本に「帰化」させたが、内地への移住禁止など、さまざまな制約を課した。小笠原諸島もまた内国植民地であった。なお、小笠原貞頼《さだより》が発見したという説は、貞頼の孫を名のる浪人の捏造《ねつぞう》である。

◉明治初年の小笠原
日本の領有が確定して植民が始まるまで、定住島民のなかに「日本人」はいなかった。島民の服装にもそれが現われている。

征韓論の消滅

江華島事件と日朝修好条規

それでは、朝鮮との関係はどうなったか。攘夷《じょうい》政策を断行した朝鮮の大院君《デウォングン／たいいんくん》は、軍備増強や景福宮《キョンボックン》再建などの土木工事に力を入れた。だが、増税や貨幣悪鋳による物価騰貴で民衆の不満が高まり、人材抜擢《ばってき》で両班《ヤンバン》（文武の高級官僚層）などの反発を招いていた。一八七三年一二月、ようやく大院君を排除して親政を開始した国王高宗《こうそう》は、政策転換を模索するなかで、大院君側近の東莱府《トンネブ》官吏らを排除した。そこで日本政府は、明治八年（一八七五）に森山茂《もりやましげる》を派遣して交渉を再開した。だが、朝鮮政府の方針が未確定なうえに、森山の高飛車な姿勢が交渉を行き詰まらせた。

九月二〇日、森山を援護するために派遣された軍艦雲揚《うんよう》号が、北上して江華島《カンファド》に接近し、井上良馨《いのうえよしか》艦長みずから武装短艇に乗り込んで首都漢城《ハンソン》の方向に向かいはじめた。朝鮮の砲台が攻撃すると即座に応戦し、二二日までの戦闘で砲台を破壊し三五人を殺害した。日本政府は飲料水を求めただけだと発表したが、意図的な挑発だったことが近年明らかになった。しかも、井上艦長は出発前に、〈彼より万一発砲等すれば幸いと密《ひそ》かに同志に咄《はな》して〉おり、〈今般の事件も必ず吾《わ》れより求めたりと思う〉と、のちに天皇側近となる佐佐木高行《ささきたかゆき》が日記に書いている。『東京日日《にちにち》新聞』も、〈権謀家〉

がやむをえず反撃したと〈天下後世を瞞着《まんちゃく》〉したものではないかと疑った。
そのため、反政府派の新聞も論調が分かれた。典型的な征韓論《せいかんろん》や内戦回避のための出兵論に対して、『朝野《ちょうや》新聞』は〈野蛮的の朝鮮〉が国旗に発砲しても〈日本国の汚辱《おじょく》とするに足らず〉と主張し、『郵便報知新聞』は士族の出番をつくれば彼らを増長させる、〈征すべきは韓に非《あら》ずして姦《かん》に在り〉と主張した。

この間、政府側では明治八年二月の大阪会議によって、元老《げんろう》院《いん》・大審院《だいしんいん》（最高裁判所）の設置と地方官会議の開催を条件に、木戸《きど》孝允《たかよし》・板垣退助《いたがきたいすけ》の政府復帰が実現し、四月一四日には立憲政体樹立の詔勅が出された。薩長土の分裂が一応修復されたわけだが、内務省による殖産興業政策の本格的展開を急ぐ大久保《おおくぼ》利通《としみち》・大隈重信《おおくましげのぶ》は、政体改革に批判的だった。

しかも、板垣は元老院の立法院化と参議・省卿の分離を要求し、また、服制・暦制・兵制などの復古を主張してきた島津《しまづ》久《ひさ》光《みつ》左大臣も板垣と連携して揺さぶりをかけ、ついには三条実美《さんじょうさねとみ》太政大臣《だじょうだいじん》の罷免を上奏した。有栖川宮熾仁《ありすがわのみやたるひと》親王はじめ守旧派の公家・在官士族のなかにも島津支持の声が高まった。〈噂《うわさ》によると、何百人ものサムライと貴族が大阪や東京で会合し、外国

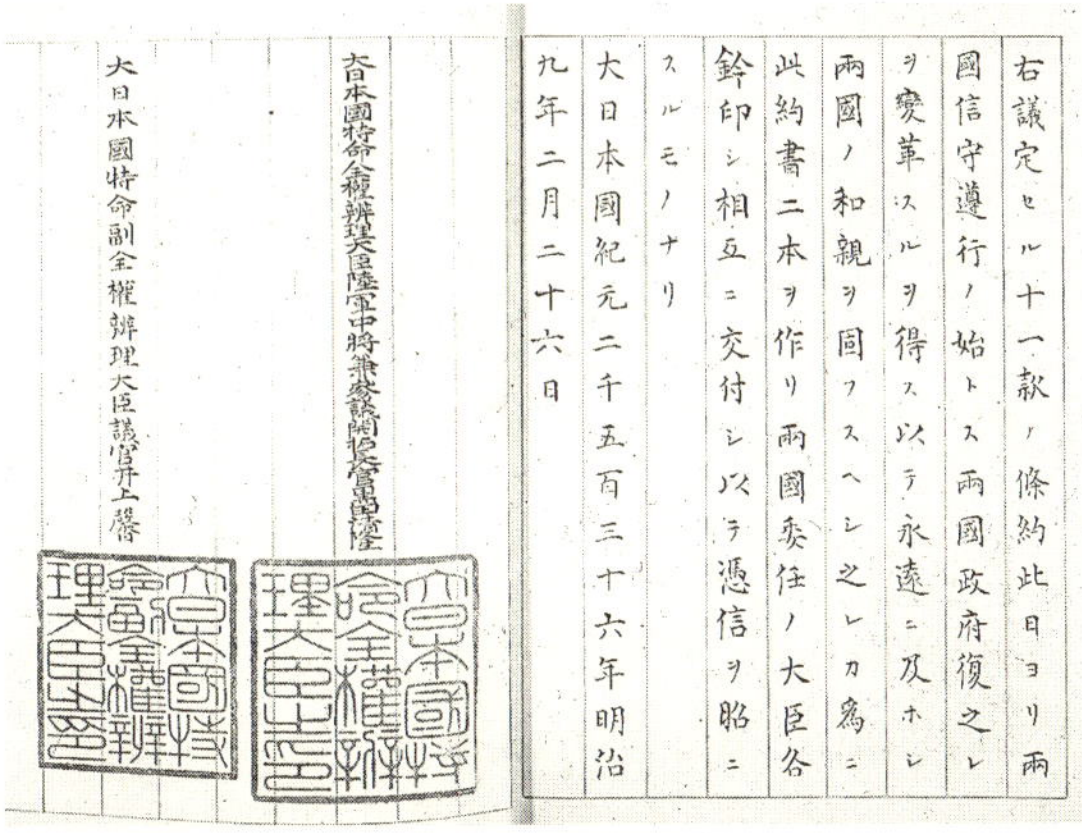
右議定セル十一款ノ條約此日ヨリ兩
國信守遵行ノ始トス兩國政府復之レ
ヲ變革スルヲ得ス以テ永遠ニ及ホシ
兩國ノ和親ヲ固フスヘシ之レカ為ニ
此約書二本ヲ作リ兩國委任ノ大臣各
鈐印シ相互ニ交付シ以テ憑信ヲ昭ニ
スルモノナリ
大日本國紀元二千五百三十六年明治
九年二月二十六日
大日本國特命全權辦理大臣陸軍中將兼參議開拓長官黑田清隆
大日本國特命副全權辦理大臣議官井上馨
16

◉『日朝修好条規調印書』
全一二か条で日本語と漢文の正文がつくられ、「大日本国」「大朝鮮国」を正式な国名とした。

人を追放して古い習慣を復活させようとする方策を練っているという。もしそれが本当なら——神様、私たちをお守り下さい〉と、アメリカ人少女もおびえていた（『勝海舟《かつかいしゅう》の嫁　クララの日記』）。江華島事件はこうした政治抗争の最中に引き起こされたわけだ。しかし、一〇月二七日、島津・板垣の免官を天皇が裁可し、ようやく一件落着となった。

こうして主導権を確保した大久保らは、明治九年一月、黒田清隆《くろだきよたか》・井上馨《いのうえかおる》を朝鮮に派遣した。艦船六隻、兵員・要員八〇〇名の武力と、下関に集結した陸軍部隊を背景に、黒田らは強圧的な姿勢で交渉に臨んだ。朝鮮国内では大院君らが反対したが、清国《しんこく》の李鴻章《りこうしょう》が締結を勧めたこともあって、二月二六日、日朝修好条規《にっちょうしゅうこうじょうき》が調印された。

この結果、日本は釜山《プサン》など三港の開港と自由貿易、領事裁判権、開港場での日本貨幣の使用、米の日本への輸出、土地の賃借権などを認めさせた。条規第一条の〈朝鮮国は自主の国にして、日本国と平等の権を保有せり〉という文言には、朝鮮を清国から切り離すねらいがあったが、〈独立〉でなく〈自主〉にとどめたことで朝鮮・中国の政府も受け入れたといわれる。しかし、日本はあからさまな不平等条約を朝鮮に押しつけることで長年の「懸案」を解決し、「脱亜」に向かってさらに踏み込んだのである。他方、清国政府は琉球問題もからんで日本への不信と警戒をいっそう強め、朝鮮に対する関与の度を深めていくことになる。

朝鮮イメージの転換

「手前《テメエ》は朝鮮征伐が始まッたら出る気か」
「いやなこと、いやなこと」
「生地《イクジ》の無《ね》え奴だな」
「馬鹿アいいねエ、己《おれつ》ちの頭にかかることなら黙ッちゃア居ねエが、天朝さまでやらかす戦《タタカイ》に、己ッちの係りエイが有るもんか」
「面黒《おもくろ》い事をいやアがるな、天朝さまは天朝さまよ、此方《コチト》らア此方らよ、誰が何つッたッて己は出らアべらんめエ、加藤清正《かとうきよまさ》気取りで一番、朝鮮の奴らのどてッ腹ア蹴《け》破ッて…」
「手前そんなことをいうがの、此《この》せつ軍《イクサ》なんざア流行《はやら》ねエよ、加藤清正の尻馬じゃア覚束《おぼつか》ねエゼ…」
（『読売新聞』明治八年〔一八七五〕一〇月一〇日）

江戸時代の民衆は、朝鮮通信使以外に朝鮮（人）と接する機会はなかったが、「神功皇后《じんぐう》の三韓征伐」や「秀吉《ひでよし》の朝鮮征伐」「加藤清正の虎退治」は草双紙《くさぞうし》や歌舞伎《かぶき》でよく知られており、祭りの山車《だし》人形にも登場した。「朝鮮」と聞けば、この三人がまず想起されただろう。ただし、腹帯を固く締め、お腹《なか》の子を冷やしながら「征伐」に出かけた神功皇后は安産の神様であり、江戸高輪《たかなわ》の「清正公《せいしょうこう》さま」（覚林寺《かくりんじ》）は博打《ばくち》の勝負祈願で人気があったように、朝鮮がかならずしも主題ではなかった。
また、国学的征韓論《せいかんろん》は民衆にとって無縁な世界か、徴兵制と結びつく険呑《けんのん》なものだった。この時期の錦絵《にしきえ》を収集した姜徳相《カンドクサン》も、〈噴出する「征韓論」に呼応した錦絵はほとんど見られない〉と述べている。しかし、民衆になじみの英雄物語で「朝鮮」はつねに「征伐」の対象だったことは軽視できない。

右に引用した『読売新聞』の会話は園部《そのべ》裕之《ひろゆき》が論文で紹介したもので、なぜ清正が〈覚束ねエ〉かといえば、〈このせつは蛇《じや》の目《め》（清正の家紋）が廃《すた》ッて蝙蝠《こうもり》が流行《ハヤル》ぜ〉というオチがついた、一種の戯文だった。それだけに、芝居がかった〈清正気取り〉と、〈天朝さまは天朝さまよ〉という客分意識とがないまぜになった庶民の気分が、リアルに映し出されている。

ところが、日朝修好条規《につちようしゆうこうじようき》の締結を受けて明治九年五月に来日した朝鮮修信使《しゆうしんし》が、東京庶民のまなざしに大きな転換をもたらした。明和《めいわ》元年（一七六四）以来、ほぼ二〇〇年ぶりの朝鮮人使節の江戸・東京入りだった。使節一行約八〇人は色彩豊かな民族衣装をまとい、〈髪を弁髪に編んだ二人の小姓は…朝鮮流の正しい服装、つまり中世の京都朝廷の小姓にそっくりの服装をしていた〉（グリフィス『ミカド』）。だが、法螺貝《ほらがい》・ラッパ・

17

●朝鮮使節団の行列
ワーグマンが描いた、明治九年来日の朝鮮修信使。江戸時代の通信使行列では、「指さしたり笑ったりしてはならない」という町触《まちぶれ》が出た。（『ザ・イラストレイテッド・ロンドン・ニューズ』一八七六年）

太鼓などの楽隊を先頭に新橋駅《しんばしえき》から歩きはじめると、見物人のあいだに哄笑《こうしょう》・冷笑が広がったのだ。そこには、たんなるものめずらしさではなく、「チャンチャン」と同様の、自分たちを「文明」の側に置いた庶民の優越感があった。

民権派の新聞もまた、西洋料理や博物館に使節団が肝をつぶし、〈あんまりつぶしてヒョッと頓死《とんし》でもしたらまた厄介《やっかい》ものだ〉などと嘲弄《ちょうろう》した(『東京 曙《あけぼの》 新聞』)。日朝修好条規の不平等性を批判したものも皆無といってよく、おそらくつぎの『近事評論《きんじひょうろん》』の記事が唯一の例外だった。「使節団の衣服・風俗を指さし〈凌侮蔑視《りょうぶべつし》、至らざる所なし〉という世人の姿に、吾輩《わがはい》は〈声を呑《の》んで痛哭《つうこく》〉した。一〇数年前、ペリーに強迫され、結髪・帯刀の幕府使節がワシントンを訪れたときのアメリカの絵入り新聞を思い出すと、いまでも〈浩歎悲痛《こうたんひつう》〉を禁じえない。まして安政《あんせい》五年(一八五八)の日米修交通商条約と〈江華《こうか》湾の条約と幾何《いくばく》の優劣かある〉。下関での外国船砲撃と江華島事件のどこが違うか。〈これを想えば、今日傲然《ごうぜん》自負して韓人の風采《ふうさい》を嘲笑する〉とは、〈いずくんぞ内に顧みて忸怩《じくじ》たらざるを得んや〉」

私学校の民衆支配

〈大先生(西郷隆盛《さいごうたかもり》)の外患あるの機会を待つとの事、その説古し〉と西郷の腹心桐野利秋《きりのとしあき》が認めざるをえなかったように(黒田清隆《くろだきよたか》の大久保利通《おおくぼとしみち》宛書簡)、明治九年(一八七六)二月の日朝修好条規《にっちょうしゅうこうじょうき》の調印は、〈人心を煽動《せんどう》する鞭策《べんさく》〉であった征韓論《せいかんろん》(『郵便報知新聞』)の根拠を奪うものだった。三月の帯刀《たいとう》禁止令（廃刀令《はいとうれい》）と、八月の金禄公債《きんろくこうさい》発行条例（秩禄《ちつろく》処分）の断行が、そのことを端的に示している。これ以後の朝鮮侵略論は、基本的に文明開化を支持する立場から主張される。復古の論理（国学的自己中心主義）を開化の論理（万国公法と文明主義）が包摂《ほうせつ》・吸収したといってもよい。

　金禄公債は従来の家禄の五年から一四年分を額面とし、六年目から抽選で毎年三〇分の一ずつ償還し、その間は毎年利子が支払われた。下層の士族ほど年数や利率（五〜七パーセント）は優遇されたが、絶対額に大きな格差があった。とりわけ、島《しま》津《づ》・毛利《もうり》など旧雄藩の主家は、多大な賞典禄《しょうてんろく》と合わせて年数万円の利子収入を確保した。これは当時の政商に匹敵する額で、彼らはこの収入を銀行・鉄道・鉱山などに投資して、安定した資産家になっていった。しかし、公家華族は三条実美《さんじょうさねとみ》・岩倉具《いわくらとも》視《み》らが多少優遇された程度で、大半は年収にして一〇〇〇円未満、旧大名家も平均三〇〇〇円ほどだった。下層士族に至っては、公債額面の平均が四一五円（年利収入二九円、一日八銭）で、二等兵の給料の二倍にすぎなかった。これで生活できるはずはない。しかも政府は、〈情勢の已《や》むを得《え》ざる所〉があって今日まで支給してきたが、家禄は封建的特権であり

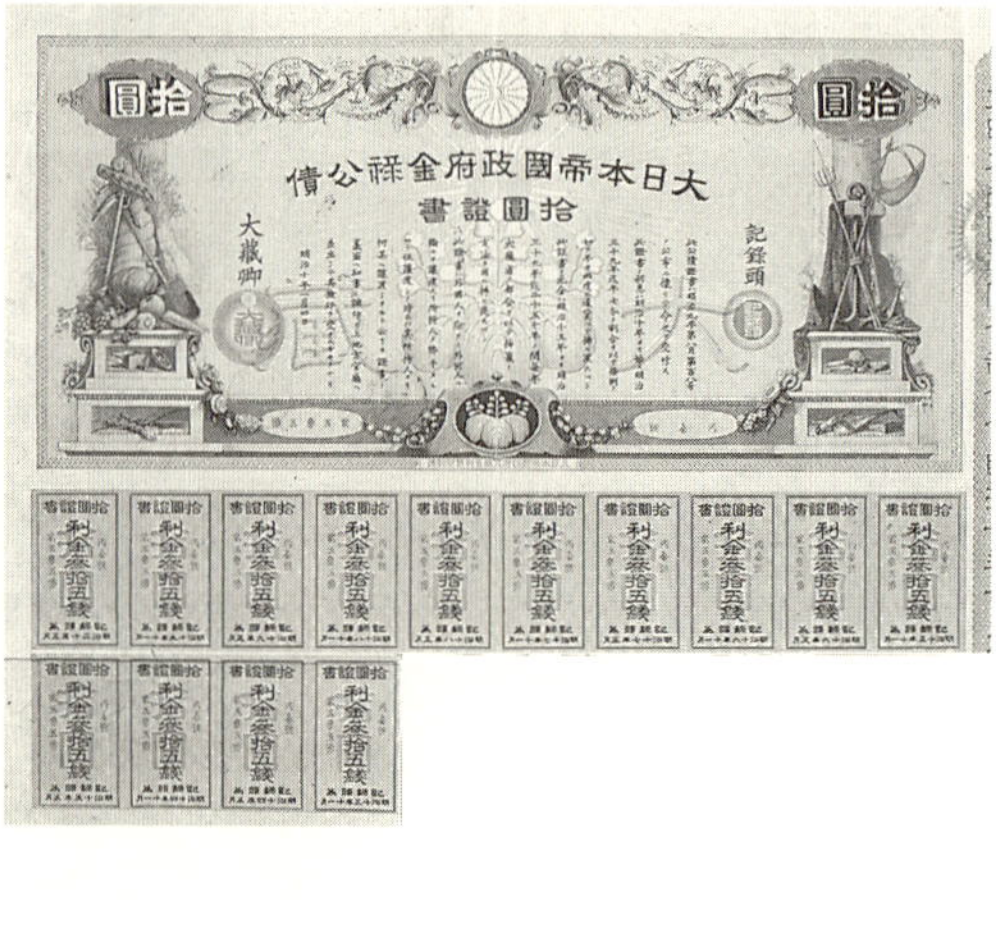

18

◉金禄公債証書
公債には番号が付いており、半年ごとの抽選で換金された。利子は、下の利子券と引き換えに受け取った。

版籍奉還《はんせきほうかん》とともに消滅すべきものだったと断言したのである（「家禄賞典禄処分の義」）。

　こうしたなか、熊本の敬神党《けいしんとう》（神風連《じんぷうれん》）、福岡の高鍋《たかなべ》（秋月《あきづき》）藩士、萩の前原一誠《まえはらかずなり》らが、明治九年一〇月下旬につぎつぎに蜂起《ほうき》した。だが、東京で旧会津《あいづ》藩士ら一〇数名が前原に呼応したにとどまり、各個撃破された。その直後の茨城・三重などの大一揆《いっき》に対しては、地租軽減で切り抜けた。残るは鹿児島だけになった。

　明治六年に帰郷した西郷・篠原国幹《しのはらくにもと》らは、元近衛《このえ》兵らを統率するため私学校を設立し、軍事訓練・教育・開墾に力を入れた。もともと鹿児島藩（薩摩《さつま》藩）は武士が人口の四分の一を占めたうえ、郷士《ごうし》が村落を支配し、藩専売制で農作物の自由な販売も認めなかった。そのため、他藩にも増して農民の生活は苦しく、自立性も弱かった。私学校ができると、各地の分校と私学校幹部の区戸長《こちょう》就任によって、県内の大半を支配下に置いた。商工業の近代化は進まず、家禄は現物支給され、徴兵制も実施されなかった。小学校の就学率も一〇パーセント以下で全国最低だった。

　琉球と違って鹿児島藩に直接支配された奄美大島《あまみおおしま》では、明治九年から丸田南里《まるたなんり》らが黒砂糖の自由販売を求めて「勝手世《かってゆ》」運動を起こしたが、県庁は嘆願人五五名を全員投獄した。そのなかには、かつて流刑になった西郷を親身に世話した人も含まれていた。にもかかわらず西郷の助力はなく、落合弘樹《おちあいひろき》によれば〈島の人びとの西郷に対する感情には怨嗟《えんさ》も含まれるように〉なったという。また、地租改正で郷士の自作地以外は農民の所有になると知って、士族の不満が一気に高まったようだ。戊辰《ぼしん》戦争前の会津《あいづ》藩と同じく、鹿児島藩・私学校も民衆に苛《か》酷《こく》な権力であった。

そして、明治一〇年二月五日、政府の挑発に乗った私学校幹部が、大義名分のないまま挙兵を決定する。西南戦争の経過は思いきって他書に譲るが、「武士であること」を自負し「土百姓」との平等を拒否した私学校派はすでに断髪しており、島津久光《しまづひさみつ》のような単純な守旧派ではなかった。

また、西郷軍には熊本協同隊のような民権派《みんけん》も加担していた。協同隊は熊本藩郷士の宮崎八郎《みやざきはちろう》らが組織したもので、彼は台湾から帰国後、漢訳聖書やルソーの『民約論《みんやくろん》』を読んで民権派に転向し、朝鮮修信使《ちょうせんしゅうしんし》への日本の態度を批判した『近事評論《きんじひょうろん》』を林正明《はやしまさあき》と創刊した。激しい政府批判では共通しながらも、私学校派の機関誌といわれた『評論新聞』が「征韓」一本槍《いっぽんやり》だったのと対照的だった。にもかかわらず、宮崎らは明治政府を倒すには西郷の武力に頼るほかないと判断したのである。だが、薩摩士族の〈反政府意識と戦闘心は、一党独裁の王国の中でぬくぬくと温存され、観念内部で自己肥大していたにすぎ〉ないことに気づいたときは、もはやあとに引けなくなっていたと上村希《うえむらき》美雄《みお》は述べている。

最後の戊辰戦争

西郷《さいごう》軍決起の報を受けた木戸孝允《きどたかよし》は、御一新《ごいっしん》があまりに〈廉価〉に達成できてしまったため、ふたたび〈買得《ばいとく》するの苦労〉、つまり、未払いの「つけ」を払わされていると岩倉具視《いわくらともみ》に書いた。尊攘《そんじょう》派《は》志士たちの奮闘によって「復古」を実現した明治の国家は、彼らを切り捨てないかぎり「開化」を完了できなかった。その意味では、西南《せいなん》戦争はたしかに「最後の戊辰《ぼしん》戦争」であった。

民衆の被害も戊辰戦争と基本的に変わらなかった。西郷軍は他県の同調者を合わせて約三万人、政府軍は巡査隊や巡査名目で動員した士族志願兵を含めて約四万五〇〇〇人といわれる。これらが入り乱れて戦闘を繰り返したのだ。会津《あいづ》戦争に比べれば両軍とも住民にかなり配慮をしてはいたが、無頼《ぶらい》の便乗者を含めた押借《おしがり》・強奪・放火、敵への加担を名目とした報復などは絶えなかったし、数多くの凄惨《せいさん》な死体を目撃しなければならなかった。政府軍は軍《ぐん》夫《ぷ》の賃銭や物品の対価を払ったが、軍夫でも逃亡すれば処罰され、死者の名前や総数は不明なまま忘れられた。

また、熊本県北部では、区戸長《こちょう》の不正などに怒った住民の一《いっ》揆《き》が起こり、西郷軍が熊本城を攻撃した二月下旬には、熊本全県から大分県日田《ひた》地方にまで拡大した。処罰者は五万人を超えたが、彼らは官軍を「官賊《かんぞく》」と呼び、「役と名の付くものは膏《こう》薬《やく》でも打ちくずせ」と叫んだといわれる。政府への反発は相変わらず根強かった。だからといって、彼らが西郷軍を積極的に支持することはなかった。幕末以来、民衆の一揆に士族がまぎれ込むことはあっても、士族の蜂起《ほうき》に民衆が参加することは最後までなかった。西南戦争後、水俣《みなまた》の子守たちはつぎのような数え歌を唄ったという。

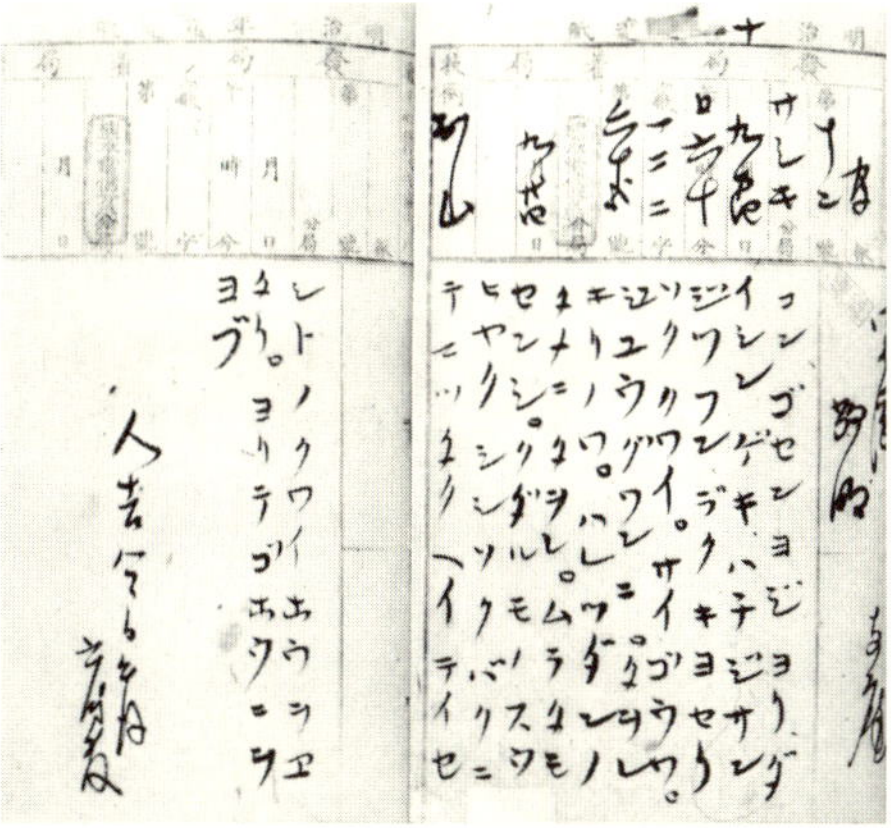

19

◉**西南戦争の終結を知らせる電報**
明治一〇年九月二四日、政府軍の総攻撃で、西郷・桐野らは戦死し、「まったく平定せしとの快報を得たり」とある。

一つひぐれの時が来て
二ではにっことウス笑う
三で侍無うなった
……
九つ小前《こまえ》に苗字くれて
十でとうとう夜が明ける

鹿児島やその近隣の人びとにとって、西南戦争は戊辰戦争とひとつづきなのだ。そして、村の古老は、〈侍共は死なんでよか時も、しゃしこばって死ぬるもんじゃが、百姓は危なか所にゃ決してゆかんで、保《も》つるもん〉と作家石牟《いしむ》礼《れ》道子《みちこ》に語った。まさに客分《きゃくぶん》の心意気である。とはいえ、もはやそうした〈権力同士の自滅〉を傍観できる時代は過ぎ去っていた。最後の戊辰戦争に勝利した「官軍」は、百姓をこそ殺戮《さつりく》の最前線に送り出す、近代の権力だったからである。

第七章

国民・民権・民衆

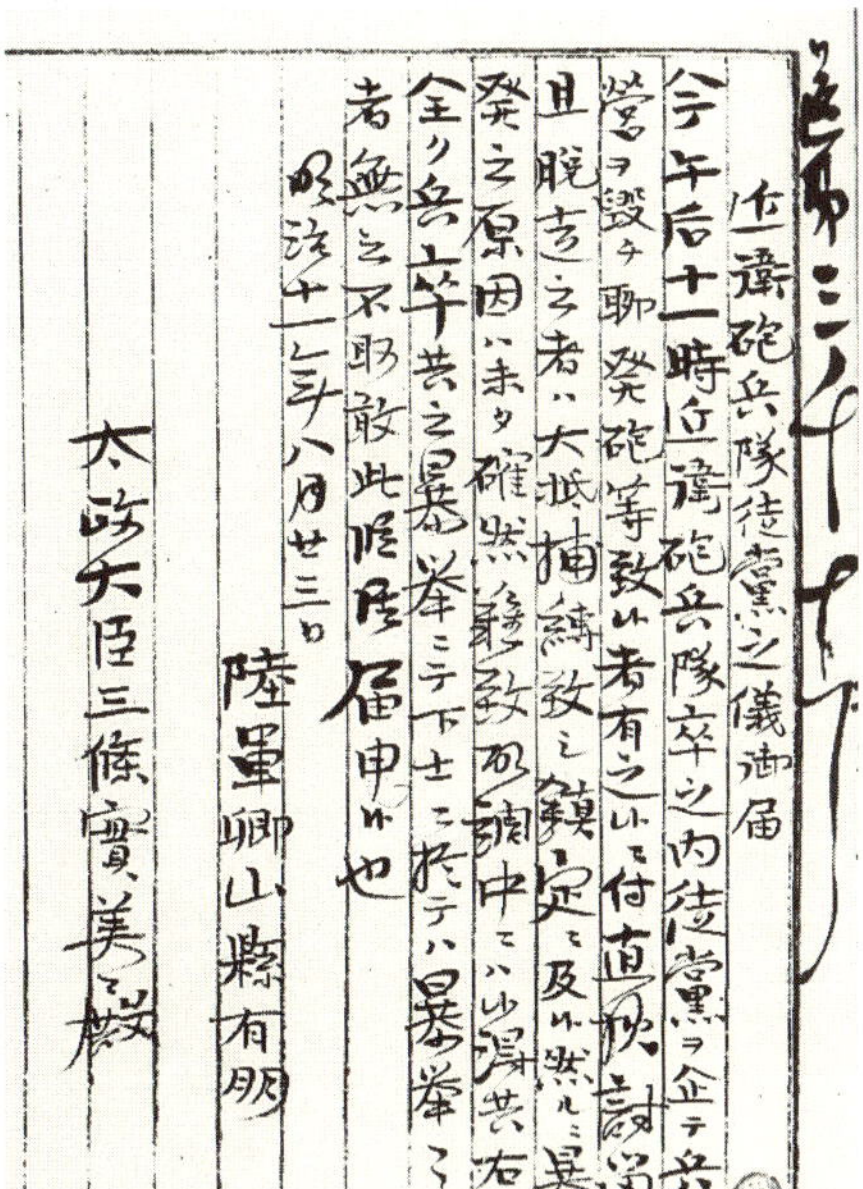

近衛砲兵隊徒党之儀御届

今夕午后十一時近衛砲兵隊卒之内徒党ヲ企テ兵営ヲ毀チ聊発砲等致シ者有之ニ付直ニ討滅シ且脱走之者ハ大抵捕縛致シ鎮定ニ及ヒ然ルニ暴発之原因ハ未タ確然穿鑿致ス可ク取調中ニハ候得共右ハ全ク兵卒共之暴挙ニテ下士ニ於テハ暴挙ニ与ミ候者無之ニ付不取敢此段届申候也

明治十一年八月廿三日

陸軍卿山縣有朋

太政大臣三條實美殿

報国のこころざし

新聞時代の幕開き

明治六年（一八七三）一〇月、『日新真事誌《にっしんしんじし》』にひとつの建白と檄文《げきぶん》が載った。わが国は現在五五〇万円余という巨額の外債を負っているが、人民一人あたりにすれば一六銭《せん》二厘《りん》にすぎない、これをみんなで献金し、国家の危機を救おう！——というもので、短期間に大きな反響を呼び、建白者の元会津《あいづ》藩士橋爪幸昌《はしづめゆきまさ》は、一躍有名人になった。

まず、橋爪の住む東京府第二大区の住民数十人が〈感動〉して名のりをあげ、名古屋の市川《いちかわ》某は〈実に愛国尽忠の巨魁《きょかい》と、覚えず感涙の袖《そで》を潤した〉と投書し（『郵便報知新聞』）、稲城《いなぎ》村（東京都）の立志《りっし》学舎訓導《がくしゃくんどう》四人は、某区住民がこぞって献金を願い出たのに遅れをとれば〈実に慙愧《セキメン》に堪えない〉と奮起を促した（『横浜毎日新聞』）。渡会《わたらい》県（三重県）の商人村井恒蔵ら四人も、他県に先んじてわが県民の国家に対する〈憂愛の深〉を示そうと檄を飛ばした（『東京日日《にちにち》新聞』）。こうなるともう「報国」競争である。東京鎮台《ちんだい》など軍隊にも賛同者があった。

掛け声だけではなかった。宮城県の区長山田信胤は家族で節約して二五円を献金し、栃木県の早川忠吾も二五円を献納したうえ、檄文数百部を印刷して県内の区戸長に送った。『岐阜新聞』で知った副区長曾我《そが》長四郎《ちょうしろう》は一〇〇円、村民約一一〇〇人が三二一円の献金を願い出た。新潟の戸長ら五人は〈愛国の至情〉を示したいと一〇〇〇円（！）を県に差し出した（『公文録　諸県之部』など）。

　これらは新聞記事や県庁報告の一部にすぎない。それにしても、なぜこれほどの反響があったのか。発端は、井上馨《いのうえかおる》大蔵大輔《たいふ》の辞職だった。大蔵省は明治四年五月の新貨条例《しんかじょうれい》で、江戸時代の複雑な貨幣単位を円・銭・厘の十進法に改め、一両を一円（＝一ドル）とする金本位《きんほんい》制《せい》を定めた。だが、貿易の決済通貨として洋銀一ドルと等価の一円銀貨も発行した結果、世界的な銀価格の下落で金貨がふたたび流出した。兌換《だかん》制をとる以上、不換紙幣を乱発するわけにもいかない。そのため財政はいっそう苦しくなり、健全財政論者の井上と、開化政策を推進する各省との対立が深まった。また、財政と府県行政を牛耳《ぎゅうじ》る巨大官庁となった大蔵省に対する各省の反発もあった。とくに、江藤新平《えとうしんぺい》司法卿《しほうきょう》は「行政と司法の分離」を盾に、地方官のもつ裁判権を司法省に移管させたため、対立が激化した。そこで、西郷隆盛《さいごうたかもり》・板垣退助《いたがきたいすけ》・大隈重信《おおくましげのぶ》のほかに、後藤象二郎《ごとうしょうじろう》・江藤新平・大木喬任《おおきたかとう》を参議に加えて正院《せいいん》を強化するとともに、立法・予算編成権を正院に集中し、大隈を大蔵省事務総裁に任命した（大蔵卿は外遊中の大久保利通《おおくぼとしみち》）。明治六年五月、井上と部下の渋沢栄一《しぶさわえいいち》は、抗議の建白を出して辞職するほかなかった。

　しかし、井上らの建白が新聞に掲載されると、大隈は大幅な黒字を見込んだ「明治六年歳出見込会計表」を添えて反論した。こ

1

●最初の洋式印刷紙幣「明治通宝札」
明治五年発行。一〇銭から一〇〇円まで九種類。精細な印刷ができず、模様をドイツで印刷したため「ゲルマン紙幣」とも呼ばれた。

のやりとりで、日本政府が二六〇〇万円余の内債と五五〇万円余の外債をかかえ、三七万円の利子を毎年外国に払っていることが知れわたった。そして、この五五〇万円を当時の人口約三四〇〇〇万人で割って、一人あたりの金額を計算した投書が橋爪の目にとまり、「一六銭二厘」は現状を示す数字から、具体的な運動のキーワードに転化した。つまり、新聞記事の連鎖が橋爪の提案を生み出し、各地に熱烈な〈感動〉を呼び起こしたのである。

　幕末の情報伝達がかなりの水準にあったことは第一章で触れたが、大半は私信や瓦版《かわらばん》、張り紙だった。これに対して新聞は、直接つながりのない人びとや地域にまで情報を一気に流布させる。最初の日刊紙『横浜毎日新聞』（明治三年一二月創刊）、『新聞雑誌』（同四年五月）に続いて、明治五年には『東京日日新聞』『日新真事誌』『郵便報知新聞』などが相次いで創刊された。いわゆる地方紙を含めて、明治六年後半から七年初めにかけて発行されたものだけでも二〇紙に達した（『新聞雑誌』）。

　広報・啓蒙《けいもう》の手段として、政府・府県も郵送料の無料化や一定部数の買い上げで発行を援助した。明治七年の発行部数は、当時の大新聞である『東京日日新聞』『郵便報知新聞』『朝野《ちょうや》新聞』でも、一号あたり六〇〇〇から七〇〇〇部程度だったが、それでも、新聞を通して政策の趣旨や各地の動

2

◉新聞小政
鈴のついた箱を担いだ新聞売り。横浜の安藤政吉《あんどうまさきち》はそのスタイルが評判になり、歌舞伎《かぶき》や錦絵《にしきえ》にも登場した。

向をつかむとともに、投書という形でみずからの意見を公表したいと思う人びとが増えてきたのだ。
「一六銭二厘」をめぐる動きは、そうした「新聞の時代」の幕開きを示す出来事だった。

国恩に報いる

むろん、これが幕府や藩の負債であれば、誰も自発的に献金しなかっただろう。しかし、いまや四民平等である。庶民はともかく、地域の有力者層のなかには国家の一員としての自負をもつ者が生まれはじめており、彼らは開化政策にも積極的だった。実際、橋爪に呼応した山田信胤は器械製糸の導入を熱心に提唱し、曽《そ》我《が》長四郎《ちょうしろう》は新聞閲覧所の開設を申し出ていた。早川忠吾はのちに栃木県会議員となり、足尾《あしお》鉱毒事件でいち早く水質検査を県立病院に依頼するような人物だった。「一六銭《せん》二厘《りん》」は、彼らの報国心を満たすうえで格好な提案だったと思われる。

もっとも、報国心を発揮する手段はほかにもあった。建白書である。新政府が在野の建白を歓迎したことは第二章で触れたが、このころから平民の建白が急増していた。たとえば、愛知県の農民大喜《おおき》源太《げんた》郎《ろう》は明治七年（一八七四）、米のとぎ汁には精米一石《こく》につき四升の米粉が溶けており、全国では年間一五〇万石になる。軍隊や刑務所だけでも、これを集めて菓子の原料にすべきだと建白した。満四一歳の大喜は、開化進歩の今日、農民も家業に励むだけでなく〈御国益興起《ごこくえきこうき》の細事《さいじ》なりとも発明〉して〈国恩〉に報いたいとの思いから、試作した菓子を持参して東京まで出てきたのだった。いわば「ＭＯＴＴＡＩＮＡＩ」運動の先駆けである。左院は廃物利用の意図はいいが現実的でないと評したが、「左院御用」（広報紙）の『日新真事誌《にっしんしんじし》』は建白を全文掲載し、〈内外多事、非常節倹の布令〉が出ている折から、〈粒食《りゅうしょく》の輩《ともがら》〉はこれを実行すべしと呼びかけた。

また、地域によってまちまちだった尺度の統一を求めた長野県佐久《さく》郡の市川又三《いちかわまたぞう》ら数人は、明治二年から七年まで何度も東京に出かけ、建白書の提出後は、呼び出しがあるまで旅館に待機した。しかも、中国の古今四〇数種類の尺度を比較・図示し、〈サルヂニヤの一バルモーは、英九インチ七八、我《わが》八寸《すん》一分《ぶ》八厘《りん》五毛《もう》〉などと各国の単位を調べあげ、ついには自分たちが適切と考える「一尺」の長さを提案した。政府も調査中なので〈尺度の根元〉を調べてみよという左院役人の言を真に受けて、〈昼夜寝食を安んぜず、焦思粉《しょうしふん》骨《こつ》〉した末の結論だった。結局、明治八年に制定された度量衡取締条例《どりょうこうとりしまりじょうれい》では伊能忠敬《いのうただたか》の折衷尺《せっちゅうじゃく》に決まったが、彼らをここまでのめり込ませたのは、〈尺度は天下の重器〉という認識と、〈いやしくも臣子《しんし》たる者、今日無涯《むがい》の皇恩に浴し、知って言わざるの道理なし〉という〈赤心《せきしん》〉だった。

外債償却運動もそうだが、客分ではなく国家の構成員と認められたこと、その自覚や感激が、彼らの言動を根底で支えていたのである。

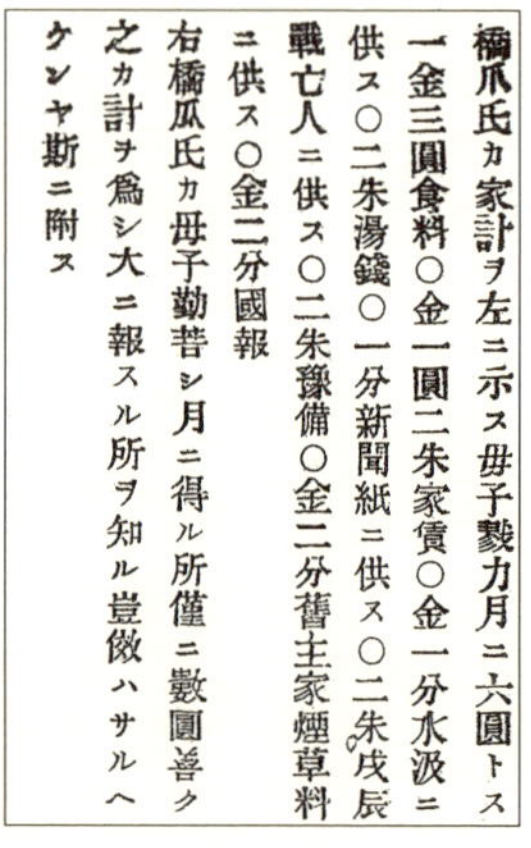

橋爪氏カ家計ヲ左ニ示ス毋子數カ月ニ六圓トス
一金三圓食料〇金一圓二朱家賃〇金一分水汲ニ供ス〇二朱湯錢〇一分新聞紙ニ供ス〇二朱戊辰戰亡人ニ供ス〇二朱豫備〇金二分舊主家煙草料ニ供ス〇金二分國報
右橋爪氏カ毋子勤苦シ月ニ得ル所僅ニ數圓ニ過キ之カ計ヲ爲シ大ニ報スル所ヲ知ル豈傚ハサルヘケンヤ斷ニ附ス

3

◉橋爪幸昌の家計
印刷所勤めの賃金六円から旧会津藩主に二分（五〇銭）を献納。こうした貧しさ・けなげさも人の心を動かした。早川忠吾の檄文の一節。（『日新真事誌』明治七年一月）

報国心の帰結

ところが、外債償却の献金を明治政府は拒絶した。外債は〈政府の特権〉で借りたのだから、〈全国人民に賦《ふ》す〉べき〈情理〉はないと左院は説明した。正論だろう。しかし、焼失した皇居の再建や学校建設のための献金には、菊紋入りの木杯《もくはい》などを授与していた。なぜ外債だけはだめなのか。五五〇万円の外債は新橋—横浜間の鉄道建設資金だったが、政府は別に二四〇万ポンド（約一一七〇万円）を借り入れており、明治六年（一八七三）一二月、これを家禄償還《かろくしょうかん》に使うと決定した。外債総額はじつは一七〇〇万円余で、橋爪幸昌《はしづめゆきまさ》の提案は時期遅れになっていたのだ。しかも、愛国心のかたまりのような献金を受け取りながら、「無為徒食」の華士族のためにその倍の借金をしたと彼らが知ったらどうなるか。

すでに、新聞には橋爪に批判的な投書も寄せられていた。〈後年、人民の知らぬ間に外債の生ずることあらば〉どうするのかという大阪府中川松二の〈不安心〉（『日新真事誌《にっしんしんじし》』）は、早くも現実になった。浜松の足立孫六《あだちまごろく》も、何かといえば御用金を課された〈封建束縛《ほうけんそくばく》〉の時代を生きてきた人民の〈深き疑団《ぎだん》〉を解かなければこの運動は広がらない、イギリス下院を参考に衆議院をつくり、人民とともに〈国を護《まも》る〉ようにすべきだと主張した（『郵便報知新聞』）。租税共議権の論理である。

近江《おうみ》商人の小杉元蔵《こすぎもとぞう》は明治元年に、江戸の取引先の若主人堀越茂三郎を訪ねてきた福沢諭吉《ふくざわゆきち》の話を聞き、また茂三郎から『西洋事情《せいようじじょう》』を借りて、「政治に三様あり、曰《いわ》く立君（モナルキ）…」といった箇所を筆写していた。明治六、七年ともなれば、議会について初歩的な知識をもつ者が増えており、たとえば、新川県《にいかわ》（富山県）の農民嶋田孝太郎《しまだこうたろう》は、スマイルズ『西国立志編《さいごくりっしへん》』の序文をもとに、君主は馬車の御者と同じで、客である〈人民の向かうところに従う〉べきであり、〈国王の入用金〉も〈議院の承知〉なしには使えないはずだと、明治六年の建白で述べている。足立は実際に地租改正や公選民会に取り組むようになる。つまり、学校や皇居のための献金と違って、外債問題には財政政策や政治制度に対する人民の「介入」を招く危険があったのだ。大隈重信《おおくましげのぶ》が献金をあえて返却させたのも、そのためだろう。

しかし、献金却下は橋爪たちにとって思いもよらない事態だった。〈愕然《がくぜん》〉とした三重の村井恒蔵らは、フランスはプロイセンとの戦争（一八七一年）で巨額の賠償金を負ったが、人民が〈靡然《びぜん》として（風になびくように）出金し〉、政府も〈嘉納《かのう》〉したというではないか、日本は〈制度憲法〉を異にするが、〈国

人名	国籍	月給	主要な職種	雇用期間
エアトン	英	500円	工部大学校電信科教授	明治3～12年
キンドル	英	1,045円	大蔵省大阪造幣寮首長	3～8年
クラーク	米	600円	開拓使札幌農学校教師	9～10年
グリフィス	米	330円	東京開成学校理化学教師	3～7年
ケプロン	米	833円	北海道開拓使顧問兼教師	4～8年
コンドル	英	400円	工部大学校造家学教師	10～24年
ダイアー	英	660円	都検兼工部大学校土木工学および機械工学教師	6～15年
デ・ロイトル	蘭	250円	開拓使仮学校女学校英語教師	5～7年
ナウマン	独	350円	東京大学地質学教授	8～18年
フォンタネージ	伊	278円	工部美術学校画学教師	9～11年
フルベッキ	米	600円	開成学校教頭、政府法律顧問	2～11年
ベルツ	独	700円	東京大学医学部教師	9～35年
ボアソナード	仏	700円	法律教師、司法省法律顧問	6～26年
ミルン	英	400円	帝国大学工科大学校地質学・鉱山学教授	9～28年
モース	米	370円	東京大学動物学教授	10～12年
ロエスレル	独	900円	外務省法律顧問	11～23年

●お雇い外国人の月給
欧米の知識・技術を学ぶために雇われた外国人は破格の待遇を受けたが、直接の業務にとどまらず、精神的、文化的に大きな足跡を残した者も少なくなかった。なお、金額は雇用期間中の最高額。ちなみに、明治前期の日本人の月給は、東京府知事三三三円、上級公務員初任給五〇円、銀行員初任給三五円、労務者五円、女工（一等）二円など。

の患は即人民の患、国の債は即人民の債〉という理《ことわり》や、〈人民自由の権〉に違いはないはずだと批判した（『東京日日新聞《にちにち》』）。フランス国民が五〇億フランの賠償金を国債購入運動で短期間に皆済したことは、献金運動の手本として早川忠吾らも取り上げていたが、政府の却下によって、〈制度憲法〉の問題までが浮き彫りになったのだ。村井だけではない。当の橋爪もまた、明治七年四月、〈陛下、民を撫《ぶ》せんと欲せば、先《ま》ず民撰議院を立てよ。大臣・参議不可なりと云うとも、国民可なりと云わばこれを納《い》れよ〉と建白するに至る。

橋爪の主張は、在野の声を聞き入れよという程度のものだが、明治七年に議会開設を求めた二〇数件の左院宛《あて》建白も、大半は似たり寄ったりだった。重要なのは、国家への献身を求めたにもかかわらず、いや、それゆえにこそ「民撰議院」に行きついてしまったことだろう。国家の運命に自分の運命を重ねる発想や、国家のあり方に関心がなければ、民権を主張することもない。民権論と愛国心は不可分なのである。

橋爪のその後の歩みは定かではないが、新聞が世論喚起の大きな武器になること、そして、実際に地域リーダー層の報国心をかきたて、そのインパクトが政府の防禦《ぼうぎょ》反応を引き出し、それが新たな政治的覚醒《かくせい》を呼び起こすといった政治運動の「かたち」を、板垣退助《いたがきたいすけ》らに先立って実現したところに、橋爪の歴史的な「功績」があった。

自由民権運動の発展

国債ではなく官債

議会をめぐる地域の状況はどのようなものだったか。第三章で触れたように、政府は明治五年（一八七二）、開化政策推進のために大区小区制をつくったが、従来の大庄屋《おおしょうや》・名主《なぬし》らを区長・戸長《こちょう》に任命したり、かつての惣代会所《そうだいかいしょ》と同じく伝達・調整のための大・小区会を開くところが多かった。また、戸長は村惣代の投票、区長は戸長らの投票で選んだり、県吏や区長らを議員とする県会を、地方官が率先して開くところも増えていた。江戸時代にも、年貢や村入用《むらにゅうよう》の割り当て・支出を監察する百姓代《ひゃくしょうだい》は入札《いれふだ》で選ばれており、幕末には名主の入札制もかなり実現していた。したがって、「権利」という明確な自覚はなくとも、住民の代表が租税について議論・監査するのは当然と見なす意識が、少なくとも身近な「村の政治」に関しては成立していたといえるだろう。

そのなかで特異な位置を占めたのが、窪田次郎《くぼたじろう》らの提言で開かれた小田《おだ》県（岡山県）の公選民会だった。窪田は福山《ふくやま》藩の公選議会や啓蒙所《けいもうじょ》の設置を推進した蘭医だが、ここでは〈御国体並びに御政体の事〉などまで小区会で議論し、大区会は各小区の事案を持ち寄り、県会はそれらをまとめて六〇か条を議決した。そのひとつが国債の問題で、日本全国人民への布告・下問なしに行なわれた負債は「国債」ではなく「官債」にすぎないと、窪田らは断じた。彼らのいう「国債」「官債」の意味は、同じ論理で台湾出兵を批判した議論をみるとよくわかる。

台湾征討の議は大日本国中、吉凶禍福の根基、日本国政府と日本国人民とに於《おい》て最大事件なり。しかるに一般人民へ絶えて御下問、御布告等なし。…官員のみ合議の戦闘に属すれば、日本国台湾を討つと云うべからず。…その費用大蔵より出すべからず。右合議の官員、各《おのおの》その私財を以《もっ》て弁じ、かつ右征討より生じたる事件は一切右官員その責に任じて、後来の禍福を日本国政府と日本国人民とに及ぼすべからず。

（『郵便報知新聞』）

台湾出兵や外債のような重要な政策決定に関して、人民は相談を受けていない。したがって国家（政府・人民）が行なった戦争や借金とはいえず、国費（税金）を使うべきではない。勝手に戦争を始めたり借金をした官員が全責任を負い、私財で弁済しなければならないというわけだ。三権分立論者の江藤新平《えとうしんぺい》が、新政府の負債は朝債（朝廷の債務）であって国債ではないと主張していたが、国と官、公と私の弁別、租税共議権に関して、これほど明快でラディカルな主張は、その後の自由民権運動でもあまりみられない。いや、国会があるのに、いつのまにか巨額の税金が使われている現在の日本でこそ、必要な視座かもしれない。

4

●窪田次郎
啓蒙所の設置や田舎医術調所《いなかいじゅつしらべじょ》の提言など、地域の教育・医療の発展に力を尽くしたが、時流は窪田の意に反する方向に向かった。

代議制と多数決

地方官（府知事・県令《けんれい》）のあいだでも、正式な民会（地方議会）を要求する声が高まっていた。地方官会議が開かれることになると、中島信行《なかじまのぶゆき》（神奈川県令）・安場保和《やすばやすかず》（福島県令）らは、官選の地方官を〈一般人民の代議人〉と規定した会議規則を批判するとともに、内外債・条約締結・宣戦講和・租税制度・各省予算なども議題にするよう要求した。地方官会議の議会化である。

しかし、明治八年（一八七五）に地方官会議が開かれると、民会開設は承認されたものの、木戸《きど》孝《たか》允《よし》議長の圧力で、公選制は賛成二一、反対三九で否決された。かつては立憲制導入の急先鋒《せんぽう》だった木戸も、米欧巡遊の経験から〈デスポチック（専制的）〉かつ漸進《ぜんしん》的に改革するしかないと考えるようになっていた。また、内務卿《ないむきょう》の大久《おおく》保《ぼ》利通《としみち》は、君民同治を否定はしないが、殖産興業政策の財源を確保するため、地租改正を強行できる地方体制の確立をめざしていた。そして、明治九年八月、六二府県を三七府県に統合して反政府的な地方官を排除し、内務省による地方官の掌握を一気に進めた。

ただし、公選民会派地方官の主張に問題がなかったわけではない。区戸長《こちょう》への諭告のなかで中島県令は、〈政府は人民の政府にして、人民の為《た》めに便利を図る〉ものだが、人民も〈国家安危の関する所〉を傍観してはならない、議会は政府と人民が〈一致親睦《しんぼく》〉して文明開化を推進するために開くのだと力説した。板垣退助《いたがきたいすけ》らの民撰議院設立建白書《みんせんぎいんせつりつけんぱくしょ》も、〈天下の事に参与〉させれば〈天下を分任するの義務を弁知する〉ようになる。〈天下と憂楽を共にするの気象〉を起こさせるためにも議会が必要だと主張していた。「参加」が自発的な協力や帰属意識をもたせる最良の方法であることは明らかだろう。これに対して、楠本正隆《くすもとまさたか》新潟県令・藤村紫朗《ふじむらしろう》山梨県令ら、いわゆる開化県令は民選に強く反対した。開化を強制してきた彼らにすれば、反発する住民の代表が選ばれては困るからだ。しかし、楠本も中島も、文明国の建設という目標は同じである。民衆の反開化意識が根強いこの時期、両者の対立はいわば「北風」か「太陽」かの違いだった。

また、中島と並ぶ開明派のリーダーで、地方官会議の幹事に選ばれた神田《かんだ》孝平《こうへい》兵庫県令は、公選代議人なしに人民に租税を課すことはできないが、代議人の同意は〈人民一統〉の同意を意味するから、租税滞納者は〈会議の違約人〉であり、財産差し押さえになるのは当然だと断言した。議会の議決に住民・国民が従わなければ代議制は成り立たないから、これも正論といってよいだろう。

しかし、代議人は〈人民一統〉をほんと

●地方官も薩長出身者が多数に
明治八年の（ ）内の数字は、地方官会議の公選民会論者。（渡辺隆喜《わたなべたかき》『明治国家形成と地方自治』より作成）

出身	明治4年11月	明治6年4月	明治8年6月	明治9年9月
鹿児島	9	9	7	6
山口	2	8	10（4）	8
高知	6	4	6（4）	4
佐賀	5	3	3（1）	2
大村	1	2	3	3
静岡	6	6	7（3）	1
熊本	3	5	5（2）	4
公卿	6	3	2	0
岡山	3	3	2（1）	1
福井	6	1		
鳥取	4	1	1	
名東	3	1	1（1）	
和歌山	2	1		
栃木	2	1	2（2）	
仙台	1	1	1（1）	
敦賀	1	1	1（1）	
その他	15	17	11（3）	8
合計	75	67	62（23）	37

＊佐賀に伊万里を含む。静岡に足柄を含む

うに代表しているのか。明治九年一〇月に公布された「各区町村金穀公借共有物取扱土木起功規則」という長たらしい名称の規則は、住民・関係者の連印がない公的借金・共有財産の売買・土木工事は、〈区戸長限りの私借〉〈私の土木起功と看做《みな》す〉と規定した。窪田次郎《くぼたじろう》の官債と同じ論理である。そのため、この規則は区戸長の専断を排除し、「町村の団体としての意思」を認めたものと評価されている。だが、この規則はまた、町村惣代人や土地所有者の六割以上の同意で契約は成立すると明記していた。代議人の多数決制である。

じつはこの規則が出る前、藤村山梨県令は、〈紛議〉を好む〈僅《わず》かに一、二名〉のために事業が進まない、なんとかしてほしいと内務省に訴えていた。江戸時代の村の寄合《よりあい》は全員一致を極力重視したといわれるが、その慣行が生きていたのだろう。それが六割でよくなったのだ。そのため、藤村県令は、総代人が調印の際にあらためて〈一統へ協議承認〉を求める必要はなく、かつ町村人民も〈後日、異議するを得ざる儀と心得〉よと命じることができたと、有泉貞夫《ありいずみさだお》は指摘している。

明治一三年に開設された町村議会も同じである。選挙権は地方によって異なるが、おおむね土地を所有する二〇歳以上の男子だけで、かつての寄合なら当然出席できた女戸主（寡婦《かふ》）や貧民は排除された。それでいながら、議員の多数決が「村民の意思」と見なされた。統治する側にとって代議制は、うまく運用できれば、決して非効率的な制度ではなかったのである。

県議会から国会開設へ

とはいえ、「参加」が新たな課題を自覚させることもある。

当地方の人民がその自由活発の気象を発揮するに於《お》いて、着々進歩の跡を留《とど》め得たるは、実に昨年の景況にして、而《しか》してその大端緒を開きたるものは県会に在り…(『山陽新報《さんようしんぽう》』)

明治一一年(一八七八)七月、政府は地方三新法(郡区町村編制法・府県会規則・地方税規則)を公布して、地方行政を大きく転回させた。地方官会議の決定にもかかわらず公選民会の要求は根強く、茨城県・三重県などの大一揆《だいいっき》の衝撃は大きかった。上意下達の制度では〈些々《ささ》たる一小官吏〉である戸長《こちょう》の〈錯誤〉すら政府の命令と誤解されてしまうと、大久保利通《おおくぼとしみち》も認めざるをえなかった(「地方の体制等改正の儀上申」)。そこで政府は、大区小区制を廃止して町村を復活させたほか、戸長を民選とし、国税以外を地方税(府県税)と協議費(町村税)に区分した。戸長の権限は法令に基づく行政事務が大半で、政府にとって地方自治とは町村の責任で行政を円滑に遂行するためのものでしかなかった。それでも、予算制度の導入で年間の事業と租税負担について議論できることは、自治の拡大といってよかった。

府県会も公選になった。選挙権は地租五円以上、被選挙権は地租一〇円以上の男子に限られたが、全県でいっせいに選挙が行なわれ、議員が一堂に会して県政について公開で議論することは、地域の政治状況を大きく揺り動かした。これを機に新聞が創刊されたり、部数を大幅に伸ばした地方が多かった。しかし、府知事・県令は依然として官選であり、府県会の権限も限定されていたから、実際に議会が開かれると、これでは真の議会といえない、やはり国会が必要だといった声がわきあがった。

これより前、西南《せいなん》戦争の成り行きから、もはや武力による政府打倒の可能性がなくなったと判断した立志社《りっししゃ》の板垣退助《いたがきたいすけ》・片岡健吉《かたおかけんきち》らは、明治一〇年六月、長大な建白書を政府に提出して、〈国家独立の基本を陪植《ばいしょく》し、人民の安寧《あんねい》を計らんとせば、民撰議院を設立し、立憲政体の基礎を確立する〉ほかないと主張した。立志社は高知県士族の授産事業と西洋思想の研究・啓蒙《けいもう》のために設立された結社だが、この建白書はそれまでの断片的・一方的な政府非難と異なり、王政復古以来の明治政府の内政・外交全般の問題点を具体的に列挙した、画期的な政治文書だった。政府はこれを却下したが、立志社は大量に印刷して全国に配布するとともに、士族民権結社の連合体だった愛国社《あいこくしゃ》を再興して、民権運動の組織化に乗り出した。県議会に限界を感じた各地の県議や地域リーダー層がこれに合流し、国会開設という具体的目標を掲げた全国的政治運動

◉黒塊設院《こっかいせっちん》の居催促《いさいそく》

長屋の雪隠《せっちん》は長屋中のものでお前一人の雪隠にあらず、と紙（建白書）を持って催促しているのに、「開く事無用」と居座りつづける政府。（『団団珍聞』明治一三年五月）

が展開されはじめた。

　学者・知識人やジャーナリストも啓蒙活動に力を入れた。とくに、旧幕臣の沼《ぬ》間《ま》守一《もりかず》らが結成した嚶鳴社《おうめいしゃ》は、巡回演説会を通して地方士族や有力者層の組織化に取り組み、『横浜毎日新聞』（明治一二年一一月から『東京横浜毎日新聞』）を買い取って機関紙とした。慶應義塾《けいおうぎじゅく》関係者の交詢社《こうじゅんしゃ》も、演説会や『郵便報知新聞』で論戦を繰り広げた。民権派の『朝野《ちょうや》新聞』『東京曙《あけぼの》新聞』や地方新聞に加えて、川柳《せんりゅう》・狂歌《きょうか》などの投稿雑誌『団団珍聞《まるまるちんぶん》』『驥《き》尾《び》団子《だんご》』なども鋭い風刺画を載せた。そして、明治一三年に入ると各県有志総代や県議らの建白書・請願が波状的に提出されるようになり、四月には二府二二県七四結社、九万五〇〇〇人余の総代七二名による統一請願書「国会を開設する允可《いんか》を上願する書」が出された。「上願」（天皇への請願）としたのは、政府と対等であるはずの議会を政府に建白するいわれはないとの考えからだった。建白・請願書はこの年だけで七九件に達した。

民衆と民権のスパーク

　これに対して政府は、明治八年（一八七五）に制定した讒謗律《ざんぼうりつ》・新聞紙条例のほか、政治集会・結社の認可制、臨席警官による集会の解散権、軍人・教員・生徒の参加禁止などを定めた集会条例を公布して取り締まりを強化した。しかし、強硬姿勢はかえって政府への反発や民権派への民衆の共感を強めた。演説会には多くの聴衆がつめかけるようになり、臨席警官が「弁士中止！　解散！」と叫ぶや、聴衆四〇〇〇人が一時に立ち上がり、〈警察官に論弁抗争し、場中の紛擾《ゴタツキ》一方《ひとかた》なら〉ず

（『朝野《ちょうや》新聞』）といった光景もめずらしくなくなった。

庶民にとって県・郡の役人は税金泥棒であり、警官は違式《いしき》詿違条例《かいいじょうれい》以来の天敵である。しかも、明治一五年一月施行の刑法で官吏侮辱罪という犯罪がつくりだされると、〈いやだおっかさん巡査の女房、できたその子は雨ざらし〉などと声を張り上げただけで〈重禁錮《じゅうきんこ》一五日、罰金二円五〇銭〉となった（『東京日日《にちにち》新聞』）。ほろ酔い機嫌で〈テケレッパーと呼ばわりながら〉巡査の〈面前に手を突き出し〉た職人もしょっぴかれた（『自由燈《じゆうのともしび》』）。

いつも庶民が屈していたわけではない。〈巡査お前は泥棒じゃないか、泥棒どころか樫《かし》の棒〉とうたったとして起訴されたものの、おれは泥棒なんていっていない、〈巡査お前に女房あるか、女房どころか樫の棒〉だと裁判官の前で〈声高らかに〉うたいあげ、〈弁論数回〉、ついに無罪を勝ちとった尊敬すべき猛者《もさ》もいた（『朝野新聞』）。しかし、本書の筆者のような気の弱い者は泣き寝入りするほかない。それだけに、弁士が口を極めて政府をののしり、郡吏・巡査を〈毒蛇《どくへび》・糞虫《くそむし》〉だとこき下ろしてくれれば痛快きわまりない。〈聞くもの拍手喝采《かっさい》し、これを仰ぐこと救世主の如く…〉ということになった（愛媛県長浜立志《ながはまりつし》舎《しゃ》での光景。『朝野新聞』）。

とはいえ、これはかならずしも民衆が民権派の主張・理論を理解し支持したことを意味しなかっ

6

●離縁された樫の棒
樫の棒の妻を捨て、サーベルを娶《めと》った巡査の図。明治一五年一二月、巡査は警棒のほかにサーベルの携帯が認められた。むろん、戯《ざ》れ歌《うた》のせいではなく民権派対策である。（『団団珍聞』）

た。〈着実平穏の言論を吐露する時は、一堂寂漠《せきばく》として声無く…座睡する者〉もいるほどだ（『朝野新聞』）という民権派の嘆きが絶えなかった。静岡町でも、〈政府（は）人民の盗賊とか、大臣参議は政府を擅《ほしいまま》にす〉と叫び、〈徴兵を避け租税を拒み県吏・郡吏に抗敵〉し〈封建の野蛮政府を愛慕する〉ような演説をすれば喝采拍手は鳴りやまないが、民権論を解説するような高尚な演説だと〈面白からず、東京の演説者は敢《あ》えて政府を罵詈《ばり》せず〉と不評だった（『函右日報《かんゆうにっぽう》』）。

つまり、庶民がなけなしの銭を払って演説会に来るのは、痛烈な政府・警官非難に溜飲《りゅういん》を下げ、弁士と臨席警官の言い争いや〈中止！〉後の〈紛擾《ゴタツキ》〉を楽しむためであり、下手《へた》な芝居より演説会のほうがずっとおもしろかったからだ。それだけではない。長浜や静岡の弁士は、徴兵や営業雑税などをなくしてやると熱弁をふるって聴衆の支持を集めていた。

だが、第四章で述べたように、徴兵制の廃止は「国民」の否定になりかねない。民権派は徴兵忌避を厳しく非難し、民権派の憲法草案も大半が徴兵制を採用した。また、近代的権利論の基礎には私的所有権があるから、〈例の漢学者の流儀〉、つまり仁政や徳義の実行は〈一個人の権利に踏み込む社会圧制〉であり〈真平御免《まっぴらごめん》〉（『自由燈』）だと非難された。

しかし、民衆の支持がなければ政治運動はインパクトをもちえない。だから、〈官吏に抵抗するを以《もっ》て自由なり権利なりと誤解〉させる〈粗暴書生〉の無茶苦茶な演説（『朝野新聞』）を、板垣退助《いたがきたいすけ》らリーダーも容認せざるをえなかった。演説会の熱狂は、近世的な「政事《まつりごと》」意識と近代的な政治理論とが「反政府・反権力」の一点で共振しスパーク（火花）を発したものであり、それゆえに政府に大きな衝撃を与えたのだった。

明治一七年に起きた秩父《ちちぶ》事件もまた、そうした事例のひとつだった。深刻な不景気のなかで、東日本を中心に借金の棒引きや年賦支払いを求める人びとが高利貸・金貸会社に押しかけ、あるいは県庁・郡役所・警察などに高利貸を説諭してくれるよう嘆願した。だが、こうした貧民党・借金党と呼ばれた人びとの要求は、〈民間相対取引〉に役所が介入することはできない（石川県能美《のみ》郡長）、〈高利を借りる方が愚〉（埼玉県秩父郡長）などと突っぱねられた。それでも、秩父郡の農民数千人は高利貸らを襲撃し、一一月二日には大宮郷《おおみやごう》（秩父市）の郡役所・裁判所などを占拠した。憲兵隊・鎮《ちん》台兵《だいへい》が急派され、四日には指導部が瓦解《がかい》したものの、火縄銃《ひなわじゅう》などで武装した農民はなおも抵抗を続け、指導部の死刑七名をはじめ、約四〇〇〇名が処罰される大事件になった。

蜂起《ほうき》した人数だけみれば新政反対一揆や三重一揆などのほうが多かったが、自由党急進派の関東一斉蜂起論に共鳴した地元の民権派青年らが負債農民を組織したところに、この事件の特質があった。しかも彼らは、〈板垣公の世直し〉が実現すれば、借金はもちろん、租税も減り徴兵もなくなると公言していた。もとより、民衆だけでも蜂起はできたが、こうした「過激青年」が介在することで広域性や一定の組織性が生まれ、ついには武装蜂起という大スパークが起きたのである。

民衆・民権・政府の三極対立

しかしながら、本来の民権派が民衆に求めたのは、〈国家と憂楽を共にするの気象〉だった。国家の運命を自分の運命と受け止める発想がなければ、政治運動の主体的な担い手にもなれない。それゆえ、植木枝盛《うえきえもり》は『民権自由論《みんけんじゆうろん》』で、〈本国の政府に従い易《やす》きものは、また外国人の手に従い易きこと、当前の理〉であり、一身一家のことばかり心配して国家公共のことを〈あたかも他国異域の事柄〉のようにしか思わず、〈卑屈の奴隷〉に甘んじている者は〈国家の良民ではない、ほんに国家の死民でござる〉と訴えたのだ。自由民権運動とは、政府に向かって「国民の権利」を要求すると同時に、民衆に向かって「国民としての自覚」を喚起する、すぐれて国民主義的な運動であった。

要するに、自由民権運動と明治政府は、近代国家の建設という基本的な目標を共有していたのであり、しかも、地租改正や自由主義経済などの基盤は、すでに政府が実現させていた。にもかかわらず、政府は国民の政治参加を拒否したから、民権派とは対立せざるをえなかったし、基本的な価値観と目標を共有したからこそ、両者はかえって激しく敵対しなければならなかったのだ。だとすれば、この時期の政治的対抗関係は、政府と民権派の二極対立ではなく、両者と異なる位相に立つ民衆を加えた三極関係としてとらえたほうがよいだろう。戊辰《ぼしん》戦争期や西欧市民革命期の民衆の位置づけと同じである。

同時に、民権派への共感を媒介にして、民衆のなかに「愛国心」や「天皇」が浸透したことも見逃せない。国家は人民と政府からなっており、国家と政府を同一視してはいけないと民権家は強調した。これは現在のわれわれも忘れてはならない視点だ。しかし、民衆が「お上《かみ》」として一体視していた国家と政府を分けることができれば、政府に敵対しても愛国心をもつことはできる。むろん、政府がそういっても説得力はないが、国家を愛するからこそ政府に反対しているのだと民権派がいえば共感できるし、政府に反対する者こそ愛国者だといわれれば、悪い気はしない。

また、民権運動に対する政府の弾圧が厳しくなると、寺社の境内や川原・野原で紅白に分かれて綱引き・旗奪いなどをする「民権運動会」が各地で行なわれた。時には見物人も参加したから、演説会より一体感がわいただろう。だが、その会場にはたいてい「自由万歳」「圧制撲滅《ぼくめつ》」といった旗とともに「日の丸」や「天皇万歳」の旗が並んでいた。天長節《てんちょうせつ》などに日の丸を掲げる民家はごくわずかだったが、民権家にとって「国旗」は愛国心のシンボルだった。

民権家はさらに、〈万機公論に決すべし〉という五箇条の誓文をつねに引き合いに出した。天皇は輿《よ》論《ろん》に従って政治をしたいのに、専制政府が邪魔をしているのだという論法で、みずからの正統性を強調したわけだが、繰り返しこのような話を聞かされ「天皇万歳」の文字を見せられれば、天皇がほんとうに民のことを思ってくれていると受け止める者も出てくるだろう。民権派の建白・請願や言論活動、憲法草案の作成、演説会などでの民衆の熱狂、これらがなければ日本における議会政治の実現はかなり遅くなり、議会の権限はのちの大日本帝国憲法ほどにもならなかっただろう。しかし同時に、客分意識や反政府感情が根強かったこの時期の民衆に、「国民」意識や「天皇は国民の味方だ」という観念を浸透させるうえで一定の役割を果たしたのは、政府よりも民権運動の側だったのである。

明治十四年政変と朝鮮政策の挫折

実に連年小グヅグヅはかえって国家平安の為《ため》によろしからず、何卒《なにとぞ》この度《たび》は判然御所分《ごしょぶん》これありたく、希望致し申し候《そうろう》。兵隊の驕慢《きょうまん》はあたかも病後の薬毒の如し。

新たな危機

明治一〇年（一八七七）、鹿児島私学校の蜂起《ほうき》を知った木戸《きど》孝允《たかよし》は、伊藤博文宛《いとうひろぶみあて》の手紙でこう述べた。木戸はまもなく病没するが、西南《せいなん》戦争の結果、士族・兵士の反乱による政府転覆の可能性はなくなり、大久保利通《おおくぼとしみち》も翌一一年五月一四日、これまでの一〇年は〈兵馬騒擾《そうじょう》〉で〈東奔西走〉させられたが、ようやく内治を整え殖産興業に専念できると福島県令山吉盛典《やまよしもりのり》に語った。だが、その直後に島田一良《しまだいちろう》ら石川県士族に襲撃され、無惨な死を遂げる。紀尾井町《きおいちょう》事件である。

さらに、八月二三日には近衛《このえ》砲兵隊などの兵士約二〇〇名が蜂起し、大砲をひいて赤坂仮御所に押しかけた（竹橋《たけばし》事件）。

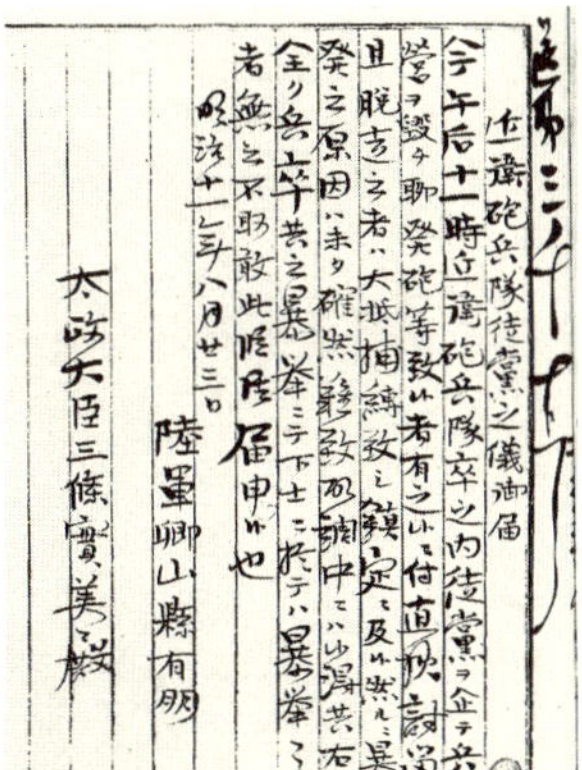
近衛砲兵隊徒党之儀御届
今廿三日午后十一時近衛砲兵隊卒之内徒党ヲ企テ兵営ヲ毀チ聊発砲等致ス者有之ニ付直ニ[illegible]
且脱走之者ハ大抵捕縛致シ鎮定ニ及ヒ然ルニ暴
発之原因ハ未タ確然[illegible]致ス取調中ニハ候得共右ハ
全ク兵卒共之暴挙ニテ下士ニ於テハ暴挙ニ
者無之不取敢此段届申候也
明治十一年八月廿三日
陸軍卿山県有朋
太政大臣三條實美殿

7

◉山県有朋の竹橋事件届
〈近衛砲兵隊徒党〉の蜂起と鎮圧を太政大臣に報告した文面。士官が関与していないことを強調している。（「近衛砲兵隊徒党之儀御届」）

西南戦争で重要な役割を果たしたのに、恩賞は上層部だけで、一般の兵士は給料や靴下などの支給品まで減らされた。その不満が直接の動機だが、そうした〈如何《いか》にも苛《か》酷《こく》かつ不公平なるお取扱〉（蜂起に参加した高見沢卯助《たかみざわうすけ》の口供書）は軍隊に限らない。だから、〈近頃人民一般苛政に苦しむにより、暴臣を殺し以《もっ》て天皇を守護し良政に復したく〉と田島盛介《たじまもりすけ》（森助）は家族への手紙に書いた。蜂起の数時間前に計画が発覚し、東京鎮台《ちんだい》予備砲兵の合流が阻止されたため短時間で鎮圧されたが、銃殺刑五五名のほか三六〇名以上が処罰される大事件だった。〈驕慢〉な士族ではなく〈人権斉一《せいいつ》〉の「国民の軍隊」が反乱を起こしたのだ。陸軍卿《りくぐんきょう》兼近衛都督《このえととく》の山県有朋《やまがたありとも》が〈よほど脳に感触《かんしょく》候事《そうろうこと》と相見《あいみ》え、片眼朦朧《もうろう》〉（伊藤博文の書簡）となったのも無理はなかった。

そこに、急激なインフレが襲った。西南戦争の戦費四二〇〇〇万円分の紙幣が増刷されたうえに、秩禄処分《ちつろくしょぶん》の金禄公債《きんろくこうさい》一億七〇〇〇万円や、多くの国立銀行（アメリカのnational bankをモデルにした私立銀行）が発行した紙幣などが重なった。貿易も明治元年から一〇年までの累積赤字が六五〇〇万円を超え、正貨（金銀貨）の流出が止まらなかった。そのため保有正貨と紙幣のバランスが崩れて紙幣価値が下落し、激しいインフレになったのである。しかも、明治一〇年の地租軽減で約一一〇〇万円の大減税になったうえ、地租は固定されていたから税収は増えない。歳出はインフレで増えるから財政赤字は拡大し、紙幣がさらに増刷された。

筆頭参議で大蔵卿《おおくらきょう》の大隈重信《おおくましげのぶ》は積極財政論者で、産業が発達し輸出が増えれば、正貨も増えてインフレも収まると主張していた。それでも、激しいインフレを放置できず、明治一三年五月、外債で五〇〇〇万円の正貨を入手し、紙幣を一挙に償却する策を提案した。当然、かつての橋爪幸昌《はしづめゆきまさ》らのような反対の声があがり、岩倉具視《いわくらともみ》は外国に借金するくらいなら四国か九州を売ったほうがましだと憤激した。士族授産や軍備拡張の財源を確保したい黒田清隆《くろだきよたか》など、薩摩《さつま》派参議や陸海軍は大隈を支持したものの、閣議では結論が出せず、天皇の裁可で外債案は否定された。

では、どうするか。岩倉や黒田らは米納制《べいのうせい》の復活を主張した。地租を米で納入させれば、高く売れて歳入が増えるからだ。だが、これには大隈・伊藤らが反対し、いま米納に戻したら農民蜂起になりかねないという天皇の裁定で否決された。こうして、政府は基本的な財政再建策を決定できないという異常事態になった。外債案には民権派も反対だった。しかし、磯山《いそやま》清兵衛《せいべえ》ら茨城県民の国会開設建白のように、内外債三億七五〇〇万円は一人あたり一〇円七〇銭に達する巨費だが、国政参与さえ認めれば、国民はこぞってこの困難を引き受けるだろうと主張するものもあった。『静岡新聞』は明治一〇年四月に、西南戦争で政府はかならず財政難になり、議会を開くほかなくな

8

●貿易の不均衡で紙の国に
紙幣増刷のインフレでドル高になり、舶来品の輸入急増で金は流出。神の国どころか〈紙の御国となりそうだ〉。(『団団珍聞《まるまるちんぶん》』明治一〇年九月)

るだろうと予言していたが、まさにそうした事態が生まれはじめたのである。

さらに、明治一三年一一月の国会期成同盟《こっかいきせいどうめい》第二回大会は、政府に請願しても意味はない、全国人民の過半数の支持を得て、憲法制定の私立国会を自力で開こうという立志社《りっししゃ》の提言を激論の末に採択し、一年後の憲法草案持ち寄りを決議した。「憲法」が具体的な運動目標になったのだ。明治政府は木戸・西郷隆盛《さいごうたかもり》・大久保と、維新を主導した三人を相次いで失ったうえに、政治的にも経済的にもこれまでとは異なる新たな危機に直面したのである。

憲法問題の浮上と大隈の追放

政府も憲法や議会について検討をしてこなかったわけではない。明治七年（一八七四）に伊藤博文《いとうひろぶみ》・大隈重信《おおくましげのぶ》が国憲取調掛《こっけんとりしらべがかり》に任命され、同九年からは元老院《げんろういん》が西欧の憲法をもとに第三次案まで作成していた。ただし、この「国憲」案は議会の権限が強く、しかも皇位継承の順序や即位時の議会宣誓を明記していた。これでは憲法・議会を天皇の上に置くことになる。政府首脳は即座に却下した。同一三年末ごろから立憲政体への移行を考えはじめた伊藤や井上馨《いのうえかおる》でさえ、華士族から選抜した下院を想定する程度の発想しかもっていなかった。

こうしたなか、大隈は明治一四年三月、参議・侍従長などまで政権党の党員が就任する議院内閣制の採用と、二年後の国会開設を提言した意見書を左大臣に提出し、天皇が読むまでほかの大臣・参議に見せないという条件をつけた。しかし、岩倉具視《いわくらともみ》からこれを見せられた太政官《だじょうかん》大書記官の井《いの》上毅《うえこわし》は、大隈の構想が交詢社《こうじゅんしゃ》憲法草案と同じ政党内閣制であり、これでは天皇は江戸時代と同様の〈虚器《きょき》〉になると警告した。

たしかに、大隈意見書には交詢社の矢《や》野《の》文雄《ふみお》などが関与しており、嚶鳴社《おうめいしゃ》をはじめ各地でつくられた民権派の憲法草案も、下院の財産選挙制（男性のみ）に基づく議院内閣制を想定したものが多かった。これに対して、植木《うえき》枝《え》盛《もり》の「日本国々憲案」は、連邦制・一院制・女性選挙権・抵抗権などの民主的規定をもつ一方で、議院内閣制を否定した。

植木は「人民の国家に対する精神を論ず」という論文で、人民は〈治者交わりの気取り〉をもってはならない、〈政府は政府たるの職分を為《な》せ、人民は人民の権利を行わんのみ〉と主張していた。徹底した抵抗の論理であり、いわば自覚的な客分論《きゃくぶんろん》である。だが、君主制を前提にするかぎり、これでは政権はとれない。一見穏健な交詢社や嚶鳴社の草案は、活字化されたこともあって各地の民権家に大きな影響を与え、政府にも深刻な脅威をもたらしたのである。

そこに北海道開拓使の払い下げ問題がからんだ。開拓使は設立一〇年後の明治一五年に廃止の計画だ

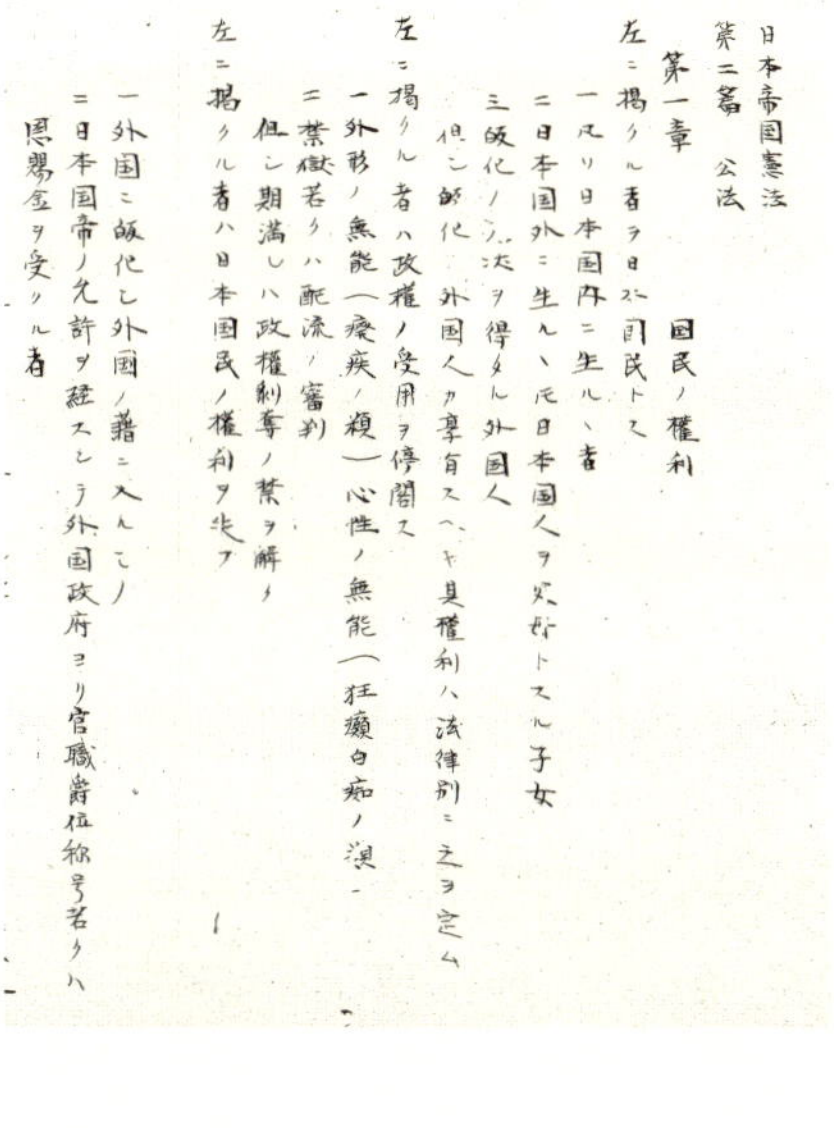
日本帝国憲法
第二篇　公法
第一章　国民ノ権利
左ニ掲クル者ヲ日本国民トス
一　凡ソ日本国内ニ生ルヽ者
二　日本国外ニ生ルヽ日本国人ヲ父母トスル子女
三　帰化ノ免状ヲ得タル外国人
但シ帰化外国人カ享有スヘキ其権利ハ法律別ニ之ヲ定ム
左ニ掲クル者ハ政権ノ受用ヲ停闇ス
一　外形ノ無能（瘋疾ノ類）心性ノ無能（狂癲白痴ノ類）
二　禁獄若クハ配流ノ審判
但シ期満レハ政権剥奪ノ禁ヲ解ク
左ニ掲クル者ハ日本国民ノ権利ヲ失フ
一　外国ニ帰化シ外国ノ籍ニ入ルヽノ
二　日本国帝ノ允許ヲ経スシテ外国政府ヨリ官職爵位称号若クハ恩賜金ヲ受クル者
9

◉「五日市憲法草案」
東京近郊の五日市町でつくられた憲法草案。地域有力者層の熱心な活動と、元仙台藩士千葉《ちば》卓三郎《たくさぶろう》の見識から生まれた。嚶鳴社案をもとに、詳細な人権規定をもつ。

ったが、黒田清隆《くろだきよたか》長官のもとで薩摩《さつま》派の牙城《がじょう》になっており、時価三〇〇万円ともいわれる開拓使の建物・工場・鉱山などを、薩摩出身の政商五代友厚《ごだいともあつ》や大阪の商人などが設立した関西貿易商会に三八万七〇〇〇円、無利息三〇年賦で払い下げることにした。しかし、七月下旬に『郵便報知新聞』などがこの閣議決定をすっぱ抜くと、政財癒着・藩閥《はんばつ》の横暴をなくすには国会開設しかないといった声が一気に高まった。板垣退助《いたがきたいすけ》ら立志社《りっししゃ》系民権家は、これを政府内の派閥争いにすぎないと冷ややかにみていたが、現在でも、庶民が「政治」に本気で憤慨するのは、大がかりな汚職事件（税金泥棒）である。各地の演説会は大盛況となり、保守派の『東京日日《にちにち》新聞』などまでこれに同調したから、政府は窮地に追い込まれた。

他方、井上毅は、この騒ぎは立憲制に反対する黒田を失脚させるため、福沢諭吉《ふくざわゆきち》・大隈らが仕組んだ陰謀だと主張し、伊藤も大隈が民権派と連携して政権の奪取をねらっていると判断した。だが、岩倉は大隈の罷免に踏み切れず、天皇は大隈陰謀説こそ薩長の陰謀ではないかと疑った。それでも、明治一四年一〇月一一日深夜、三大臣と薩長参議だけの閣議で、ついに大隈の罷免と払い下げの中止が決定され、翌日、明治二三年の国会開設を約束する勅諭《ちょくゆ》が出された。いわゆる明治十四年政変である。この結果、政権中枢を薩長がほぼ独占するとともに、さまざまな政治課題が「国会開設」を念頭において動きはじめる。

民権運動の昏迷

国会開設の詔勅《しょうちょく》が出されたのは、国会期成同盟《こっかいきせいどうめい》第三回大会の最中だった。民権派にとっても予想外の出来事であり、世論の勝利といってよかったが、これは運動目標の一応の達成＝喪失でもあった。にもかかわらず、期成同盟大会は今後の最大の争点となるべき憲法策定を〈急務にあらず〉と否決したうえ、あくまで政府との対決をめざす立志社《りっししゃ》を中心とする自由党と、大隈重信《おおくましげのぶ》や嚶鳴社《おうめいしゃ》の沼間守一《ぬまもりかず》らを中心とする立憲改進党《りっけんかいしんとう》に分裂した。政府は集会条例や新聞紙条例による抑圧を強めた。それでも、二つの党派が競い合いながら勢力拡大に努めたから、演説会などはこれまで以上に活発になった。関西・九州などでは地域政党も結成された。

とくに県議会では、県令《けんれい》が提出した予算案や議案を修正・否決し、地域支配の要《かなめ》である郡長《ぐんちょう》の公選を決議するなど、活発に活動するところが少なくなかった。とりわけ、政策通の旧官吏が参加した立憲改進党は、地租軽減をはじめ、国政レベルの問題を含めた政策批判を組織的に展開した。また、演説会などを通して自由党に接近してくる青年も少なくなかった。いわば第二世代の登場である。彼らは地域リーダー層から自立して演説会や懇親会を開いたり、他地域との連携にも積極的だった。しかし、過激な言動の半面で、日本を文明国と見なし中国・朝鮮を侮蔑《ぶべつ》するなど、開化政策の影響を強く受けていた。

明治一五年（一八八二）一二月、こうした状況を知った岩倉具視《いわくらともみ》は、〈剣銃の利器〉をもたない民権派が政府を〈岌々《きゅうきゅう》として危う〉い状態に追い込んでいる、すぐに府県会を中止させよと意見書を出すほど危機感をつのらせた。政府はまた、後述する明治一五年七月の朝鮮での壬午《じんご》事変を受けて軍備増強に踏みきったが、増税のことを人民が知れば〈騒然たる景況〉になるだろう、だが、〈今日我等のとるべきは断の一字のみ〉と、山県有朋《やまがたありとも》や天皇は地方官に「覚悟」を求めた。明治十四年政変から一年たっても、政府はまだ民権派より優位に立っているという確信をもてなかった。

ただし、自由党は引きつづき激しい政府批判を展開したものの、具体的な運動目標を設定できず、政府の弾圧もあってしだいに活力を失っていった。明治一五年一一月、板垣退助《いたがきたいすけ》・後藤《ごとう》象二郎《しょうじろう》が外遊に出かけたうえ、その是非《ぜひ》をめぐって党内は分裂し、さらに外遊資金は政府が出したと暴露されると、立憲改進党を〈偽党〉と攻撃した。主敵よりも友党への非難に力を入れるのは、昏迷《こんめい》の現われというほかなかった。

明治一六年になると、民権運動全体が急速に衰退しはじめた。大隈にかわって大蔵卿《おおくらきょう》となった松《まつ》方正義《かたまさよし》によるデフレ政策で農村経済が打撃を受け、民権運動を支えてきた富裕農民も、自家の経営や地域経済の立て直しに専念せざるをえなくなったからだ。一七年の不作がこれに追い打ちをかけた。また、〈目下の困難を救うは盛んに鉄道工事を起すに在り〉（『東京輿論新誌《とうきょうよろんしんし》』）といわれたよう

◉米価急落で身投げ
壬午事変決着の電報で米価が八円台から急落。私の身投げで〈サゾ大勢の怪我人《けがにん》が出来るだろう〉と〈勘定損菩薩《かんじょうそんぼさつ》〉。（『驥尾団子《きびだんご》』明治一五年九月）

に、不景気が深まるにつれて、土木工事の事業費や賃金が住民の貴重な現金収入となり、限られた予算で治水と道路のどちらを優先するかといった、地域対立も目立ちはじめた。議員が再選されるためには、選挙区の地域利害を無視できない。県議会はしだいに主義をめぐる対決よりも、公共事業費などの配分をめぐる争いの場にならざるをえなかった。

さらに、明治一六年の新聞紙条例改定によって、新聞の発行に高額の保証金が必要となり、法令に違反すればそれを没収されることになった。この措置が過激な政府非難にとどまらず、自由な言論活動の封殺に大きな威力を発揮したと有山輝雄《ありやまてるお》は指摘している。

結局、自由党は秩父《ちちぶ》事件直前の明治一七年一〇月に解党し、立憲改進党も一二月に党首の大隈らが脱党して、組織的な活動を停止した。その後も非公式の活動は続いたし、旧自由党員のなかには武装蜂起《ほうき》や政府要人の暗殺を企図する者も現われた。しかし、一八八一年のロシア皇帝暗殺事件が世界に衝撃を与えたにしても、日本はもはや暗殺で事態が打開できるような状況になかった。

朝鮮政策の挫折

朝鮮を中心とした対外問題はどうなったか。

一八七六年（明治九）の日朝修好条規《にっちょうしゅうこうじょうき》の締結後、朝鮮では開化派が勢力を拡大し、一八八二年には清国《しんこく》の働きかけもあってアメリカ・イギリス・ドイツと修好通商条約を結んだ。また、近代的な軍隊が創設され、その教官に駐在武官の堀本礼造《ほりもとれいぞう》が招かれた。だが、一八八二年七月、そのしわ寄せを受けた旧式軍の兵士が大規模な反乱を起こすと、ほかの軍隊や開港で生活が悪化した民衆も合流して、政府高官を殺害し王宮に乱入した。日本公使館も襲撃され、一三人が殺された（壬午事変《じんご》）。ところが、反乱に乗じて大院君《デウォングン》《たいいんくん》が政権を奪取し、日本が軍艦派遣を決めたことを知った清国政府は、軍隊を急派して事態を収拾するとともに、大院君を清国に連行した。これまで内政に関与しなかった中国も、台湾・琉球・朝鮮に対する日本の攻勢に対抗して、朝鮮を勢力圏に組み込む姿勢を強めたのである。

日本政府は明治一五年八月、壬午事変の事後処理に関する済物浦《さいもつぽ》条約で、賠償金や軍隊の駐留権、通商地域の拡大などを獲得したが、清国の素早い対応に衝撃を受けた天皇や山県有朋《やまがたありとも》は、軍備拡充を強く要求した。そのための増税で国内は〈騒然たる景況〉になるだろうと政府は危惧《きぐ》したわけである。だが、「国家と憂楽を共にする」民権派の大半は軍拡に反対せず、福沢諭吉《ふくざわゆきち》が創刊した『時事《じじ》新報《しんぽう》』に至っては、このままでは八年後に国会を開いても〈東洋の政略に牛耳《ぎゆうじ》を執る者は北京《ペキン》の政府〉だと、軍拡をあおるありさまだった。

他方、清国は宗主権《そうしゆけん》を明確にさせた水陸貿易章程《すいりくぼうえきしようてい》によって経済的特権を確保し、朝鮮政府も王妃の閔《ミン》《びん》氏一族を中心に、清国に依拠しながらの近代化に踏みきった。その結果、大院君につながる保守・攘夷《じようい》派と敵対してきた開化派は、清国重視のグループと、日本との連携を求める金玉均《キムオツキユン》・朴泳孝《パクヨンヒヨ》らのグループとに分裂した。そして、一八八四年一二月、清仏《しんふつ》戦争で清国の朝鮮駐留軍の一部が撤退した機をとらえ、金玉均らはクーデターを起こした。甲申《こうしん》政変である。それまで金らを支援してきた井上馨外務卿《いのうえかおるがいむきょう》は、直前にクーデターへの加担を差し止めたが、竹添進一郎《たけぞえしんいちろう》公使は駐留日本軍を出動させてこれを援護した。しかし、清国軍の反撃で簡単に撃破され、竹添や金らはかろうじて脱出したものの、反日感情を高めていた民衆の襲撃もあって、日本の公使館員・居留民ら四〇名が殺された。

日本政府は公使や日本軍の関与を懸命に隠蔽《いんぺい》し、新聞各紙も日本人の殺害や「清国の暴挙」だけを大々的に報道した。『自由新聞』などは、〈我が日本帝国を代表せる公使館を焚《や》き、残酷にも我が同胞なる居留人民を虐殺〉した清国を許すことはできない、中国全土を武力で〈蹂躙《じゅうりん》〉すべしと絶叫した。義勇兵運動や抗議・追悼集会が各地で展開され、陸軍主流や薩《さつ》摩《ま》派も派兵に動いた。だが、井上外務卿は翌年一月、朝鮮に渡って漢城《かんじょう》条約を締結し、四月には伊藤博文《いとうひろぶみ》が日清両軍の撤兵、再派兵時の事前通告などを定めた天津《てんしん》条約を清国と結んで、事態を落着させた。清国が譲歩した背景には、清仏戦争がまだ続いていたことや、日本をフランスに接近させたくないイギリスの働きかけがあった。

しかし、甲申政変の結果、朝鮮における日本の政治的影響力は失墜した。また、このころには在留日本人は四〇〇〇人を超えていたが、小商人や貧乏士族などのいわゆる「一旗組《ひとはたぐみ》」が大半で、治外法権をいいことに粗悪品を売りつけたり、高利貸で担保にした土地を取り上げるなど、

11

©BISHOP MUSEUM, Honolulu

●ハワイ国王カラカウア一世
一八八一年来日。明治政府は最初の国家元首の訪日として歓待したが、連携してアメリカの支配から脱出したいという王の要請は拒否。ハワイ王国は九三年に滅亡した。伝統舞踊フラの復活でも知られる。

のちに「天秤棒帝国主義《てんびんぼう》」と評されるあくどい行為が多かった。朝鮮内地の通行が認められると、渋沢栄一《しぶさわえいいち》の第一銀行や居留地の貿易商が、日本人小商人に金を前貸しして米・大豆などの買い占めをさせたから、民衆の反日感情はさらに高まった。他方、清国商人の進出も盛んになり、日本経由で輸入していたイギリス綿布も上海《シャンハイ》・仁川《インチョン》航路を独占した清国船が直送するなど、清国は経済的にもしだいに優位に立った。琉球とは逆に、幕末以来の日本の対朝鮮政策は完全に頓挫《とんざ》したのである。

一方、清国の過度の介入を望まなかった朝鮮国王高宗《こうそう》は、ロシアとの提携に動いた。そのため、アフガニスタンはじめ各地でロシアと対立していたイギリスは巨文島《コムンド》を占領し、朝鮮半島が新たな勢力争いの場になりかかった。だが、清国の李鴻章《りこうしょう》は、ロシア公使に朝鮮占領の意思がないことを確約させて、イギリス軍を撤退させた。これは朝鮮に対する清国の宗主権を、イギリス・ロシアが認めたことを意味した。李はまた、イギリス・日本と協調してロシアに対抗する戦略を堅持し、イギリスも清国を支援する姿勢を示した。井上もイギリスとの協調を基本に据え、懸案の条約改正交渉に取り組んでいた。むろん、イギリスは一八八六年にビルマ併合を清国に認めさせており、東アジアでの清国支持は、ロシアを意識した一時的な戦略にすぎなかったが、それでも一八八〇年代後半から九〇年代初めにかけて、東アジアには束《つか》の間《ま》の平穏が訪れたのである。

脱亜論と大阪事件

甲申《こうしん》政変はまた、日本のナショナリズムにも大きな影響を与えた。

ひとつは有名な福沢諭吉《ふくざわゆきち》の「脱亜論《だつあろん》」（『時事新報《じじしんぽう》』）である。福沢は攘夷論《じょういろん》が跋扈《ばっこ》した幕末期の自分と重ね合わせて、金玉均《キムオッキュン》ら開化派に朝鮮の自立的近代化の可能性を託し、留学生教育や資金援助などに力を入れた。また、福沢の書生だった井上角五郎《いのうえかくごろう》を朝鮮に送り、最初の近代的新聞といわれる『漢城旬報《ハンソンスンボ》』の発行を支援させた。甲申政変には井上の集めた壮士も加担した。

ところが、期待したクーデターは清国《しんこく》の介入であっけなくつぶされ、民衆はいっそう反日・排外感情を高めた。落胆した福沢は、〈すでに亜細亜《アジア》の固陋《ころう》を脱して西洋の文明に移〉った日本は、〈古風旧慣に恋々《れんれん》する〉清国・朝鮮と同一視されないためにも、〈亜細亜東方の悪友を謝絶〉し、西洋文明国と歩調を合わせて対処すべきだと主張した。

「脱亜論」自体は朝鮮侵略を主張したものではなかったが、〈朝鮮の事を憂《うれ》いて…武力を用いてもその進歩を助けん〉とするのは、〈日本自国の類焼を予防する〉、つまり、西欧の侵略から日本を守るためだと公言しており（「朝鮮の交際を論ず」）、たんに朝鮮のためだけを考えて支援してきたわけではなかった。また、福沢にとって清国は〈亜細亜の固陋〉の元凶であると同時に、その近代化も日本の脅威となる敵対的存在だった。それ

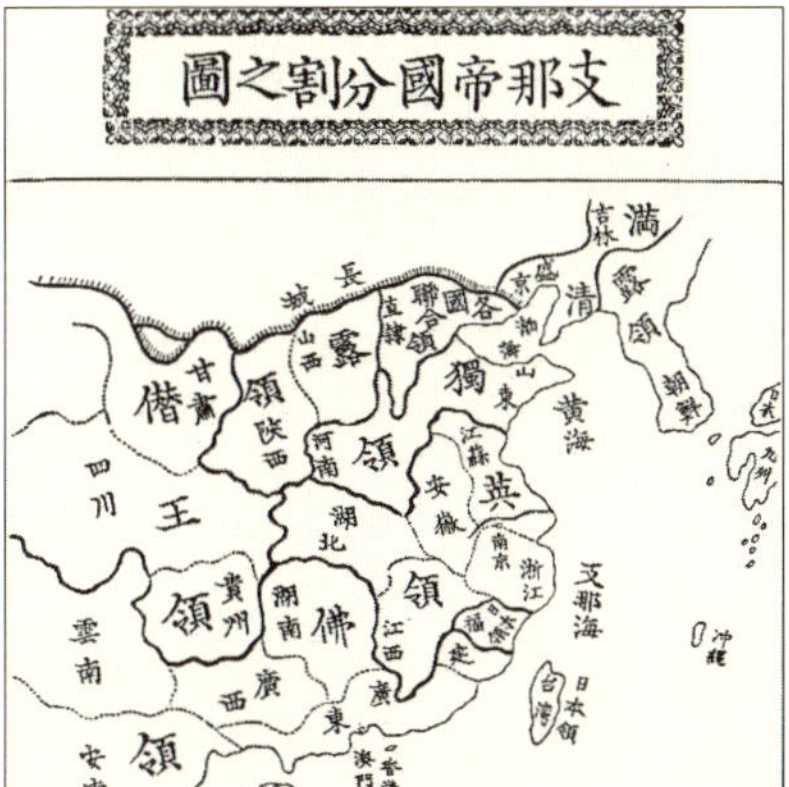

12

◉台湾・福建省を日本領に
清仏戦争を中国分割の開始とみた記者が、戯作の未来記と称して掲げた地図。（「東洋の波蘭《ポーランド》」『時事新報』明治一七年一〇月）

ゆえ、第六章で紹介したように、吉岡弘毅《よしおかひろたけ》から〈強盗国〉の論理と批判されていたのである。

これに対して、旧自由党の小林樟雄《こばやしくすお》・大井憲太郎《おおいけんたろう》らは、日本に亡命した開化派を支援して朝鮮政府を打倒するとともに、清国との緊張関係をつくりだし、その機に乗じて日本で革命を起こそうとした。明治一八年(一八八五)一一月に大阪で首謀者が逮捕されたので「大阪事件」と呼ばれるが、計画自体は杜撰《ずさん》かつ非現実的だった。また、大井らは、開化派と主義・理想を同じくする個人の武力行使は、軍隊による侵略とは異なる、いわば「国際連帯」の行動だと力説した。だが、個人の行動だからといって国家と無縁ではなく、まして、日本人が主導した開化派政権を朝鮮民衆が支持するはずもなかった。清国・朝鮮の位置づけも基本的に福沢と変わらず、大阪事件は「連帯を名目とした侵略」の先駆けだった。

しかし、大井らの発想の基礎には、甲申政変で日本の民衆までもが興奮して抗議集会に押しかけ、政府の弱腰を非難した現実があった。三年前の壬午《じんご》事変でも、数多くの錦絵《にしきえ》や小冊子が刊行されるなど大きな反響はあったが、民権派の新聞は比較的冷静で、日本と同じように攘夷主義者ほど愛国心が強く、清国にも抵抗するだろうと期待したり、清国と提携してロシアに対抗すべきだと主張する者などさまざまだった。ところが、今回は雰囲気が一変し、植木枝盛《うえきえもり》のいう「死民」までが「国家的事件」に反応したのだ。

国内で警官と張り合っても「わが日本」は意識されないし、台湾出兵時のような優越感に基づくナショナリズムも、差別意識以上の行動エネルギーは生み出さない。だが、「わが同胞が殺された！」となれば話は別である。被害者意識こそ攻撃的なナショナリズムの源泉なのだ。しかも、清国への報復をあおりたてた旧自由党系の『自由燈《じゆうのともしび》』は、その一方で、〈水戸の隠居（徳川斉昭《とくがわなりあき》）が攘夷攘夷と唱え〉たのは、〈三百年の太平の夢の覚めない日本国を死地に落と〉して人民を奮起させ、〈戦争嫌い〉の幕府を倒すためだったと明言した。つまり、大井らは民権（国内の変革）を放棄したわけではなく、むしろ、「革命」のために攘夷をとなえた尊攘派の後継者だったのである。そして、維新で成功したこの政治手法は、日露《にちろ》戦争の講和反対運動や、軍縮条約を「統帥権干犯《とうすいけんかんぱん》」と称して浜口雄幸《はまぐちおさち》民政党《みんせいとう》内閣を追い込んだ政友会《せいゆうかい》の犬養毅《いぬかいつよし》など、この国の反政府ナショナリズムの基調となり、戦争と侵略の推進力になっていく。

朝鮮での日本の勢力後退を招いた甲申政変だったが、日本国内においてはナショナリズムの浸透に大きな影響を与え、しかも、そこに民権派が深くかかわっていたのである。

コラム5

博打と博徒

関東甲信地方では博徒《ばくと》が横行し、全村民が博徒だったり、戸長《こちょう》や村会議長にまでなっている——明治一五、六年に地方の実態を調査した巡察使《じゅんさつし》は、こう憤慨《ふんがい》した。士族反乱の鎮圧後、博徒は最大の在野武装集団となり、しかも、現行犯以外は逮捕されなかったから、幕末以上に賭博《とばく》が盛んになった。

ただし、巡察使のいう博徒の大半は清水次郎長《しみずじろちょう》のような専業博徒ではなく、余暇や祭りのときに博打《ばくち》を楽しむ庶民であり、なかには、「紛争の仲裁で弱者・貧窮人を助け、侠客《きょうかく》をもって名を郷党に知られる」と裁判官も認める田代栄助《たしろえいすけ》のような人物もいた。だからこそ、栄助は秩父《ちちぶ》困民党《こんみんとう》の総理に担がれたのである。

だが、明治一七年（一八八四）一月の賭博犯処分規則は、巡査の推測だけで家宅捜索・逮捕ができるうえ、専業博徒は懲役一〇年、遊びでも四年以下の懲役、二〇〇円以下の罰金を科すと定めた。そして、「博徒の大刈り込み」が始まり、民権運動の弾圧にも利用された。増川宏一《ますかわこういち》によれば、これを機に賭博は悪という観念が庶民に浸透しはじめるとともに、専業博徒の多くは土木建築業などを営むかたわら、権力と通じて裏社会を仕切る存在になっていく。

第八章

帝国憲法体制の成立

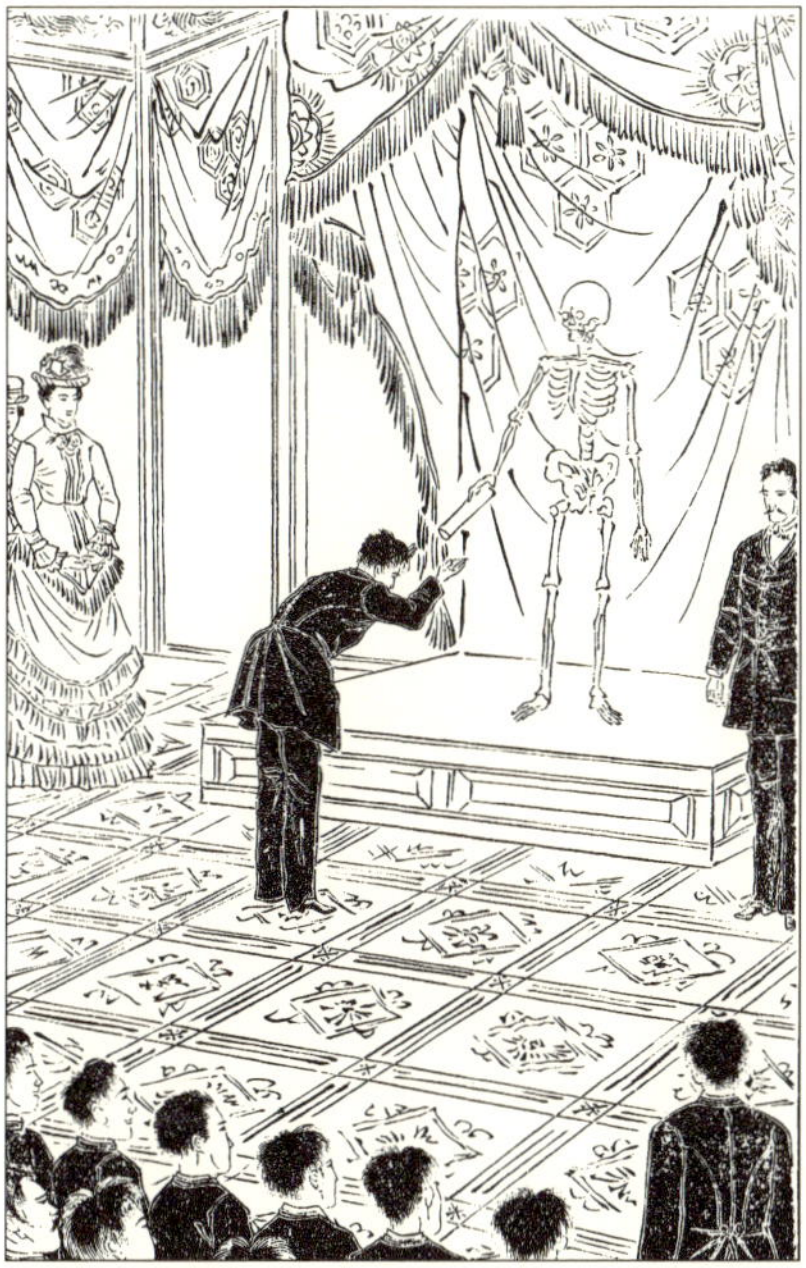

放任と選抜の時代へ

よく働きよく遊ぶ

人民は休暇がなくて、日の丸の旗を立る日はあるも、一樽の酒を傾くる日がないと言う旧弊連中の苦情を区長さんが斟酌《しんしゃく》し、今年は八月一三日より一六日まで盂蘭盆会《うらぼんえ》と言わず、一般の仏祭日と唱えて一同に休み、平生の辛労を休めては堂《どう》じゃと、或《あ》る小区会議に発言されると…一も二もなく可の字に決し…村へ帰って小前《こまえ》の者に通じると、ソレ見たか、何でも昔の通りが宜《よろ》しいに違いない、もう是《これ》からは正月も五節句も昔の通りになるのだろうと歓《よろこ》び、戸長《こちょう》の達しを聞くが早いか、餅《もち》をペッタラ…

（『新潟新聞』明治一〇年〔一八七七〕八月二三日）

西郷隆盛《さいごうたかもり》が自刃《じじん》するほぼひと月前である。「旧慣廃止」をやかましくいっていた区長のほうから、月遅れお盆休みが提案された。とまどいながらも浮かれる人びとの姿が目に浮かぶ。一八八〇年代になると、八戸《はちのへ》（青森県）のエンブリ踊りをはじめ各地の祭礼や盆踊りが復活したほか、骨董《こっとう》・水墨画などが急に値上がりして〈何に致せ妙な事〉と報じられるようになる（『朝野《ちょうや》新聞』）。

もともと、旧暦・断髪と同じく、五節句や盆踊りが完全に抑え込まれたわけではなかったが、こうした変化の背景には、神道国教化政策の破綻《はたん》による仏教の復権や、明治一一年の地方三新法による地方行政の転換があったと思われる。民選の戸長・議員は住民の意向を無視できないからだ。しかも、町村会は〈町村公同の件を議する〉場であり、〈婚礼・葬祭・農業休暇等〉、〈各人の適宜に任すべきものを議すべきものにあらず〉と通達した県もある（福島県「町村会議決項目につき注意」）。町村議会の権限が議論されるなかで、公と私の区別が意識されたのだ。行政が生活習慣にまで干渉する啓蒙《けいもう》的専制の時代は終わった。

上流社会でも夜会や立食パーティーが盛んになった。明治一二年一月、三井銀行本店で開かれた商法会議所の新年夜会には、各国公使・大臣・参議を含め二〇〇余名が出席し、〈官民を一席に混合し、これよりして忽《たちま》ちに社会の局面を一変することを得たり〉と評価された。夜会はこの年に東京だけで一〇数回開かれたという（『東京日日《にちにち》新聞』）。外務卿《がいむきょう》井上馨《いのうえかおる》夫妻が主催する天長節《てんちょうせつ》の祝宴も一二年が最初で、会場の工部大《こうぶだい》学校《がっこう》は菊形の花ガス灯や無数の球灯で飾られ、烟火《はなび》が上がり、外国人はダンスを踊った。この夜会は条約改正交渉を意識したものだが、翌年秋から始まった天皇主催の観菊会・観桜会には皇后も出席し、陸軍軍楽隊が演奏するなかで立食宴会が催された。欧州では帝室が社交界の中心であるという井上の主張によるもので、華族・勅任官は妻女も召し連れよと命じられた（『明治天皇紀』）。

1

●為替バンク三井組
明治七年建設。明治九年開業の三井銀行本館となる。屋根には鯱《しゃちほこ》も。一二年の夜会は三階で行なわれた。手前の建物は三越呉服店。

夜会はたちまち地方都市に波及した。たとえば『静岡新聞』には、静機山《しずはたやま》（賤機山）公園で開かれる夜会の広告があり、〈よく働きよく遊ぶは文明人の常規なり〉〈官も人なり民も人なり〉〈愛室を携えられれば最も幸甚《こうじん》〉と呼びかけた。球灯・和楽・清楽・煙火のもと、洋食（立食）と日本料理が出るという。幹事は銀行・新聞社などの代表だが、発起人の五〇人はおそらく都市富裕者・知識人・地域有力者であり、自由民権運動やさまざまな産業結社活動の担い手と同じ階層だろう。近代社会の中核となる彼らのあいだで、官民対等の意識が高まるとともに、〈よく遊ぶ〉こと、つまりは「欲望」が公然と肯定されはじめたことを、この広告は示している。

インフレの恩恵

この時期、政府の財政危機とは逆に、農村は好景気だった。明治一〇年（一八七七）に一石《こく》（約一八〇リットル）五・三円だった米価は一三年に二倍となったが、地租は軽減されたうえに定額だから、農民は以前の半分の米で地租を完納できた。そのため、今日ほど農村が富裕を極めたことはない、〈紙幣を懐にしてその使用の途《みち》に苦しむ〉ありさまだ、〈市人は頻《しき》りに東京風を学び、女子にて

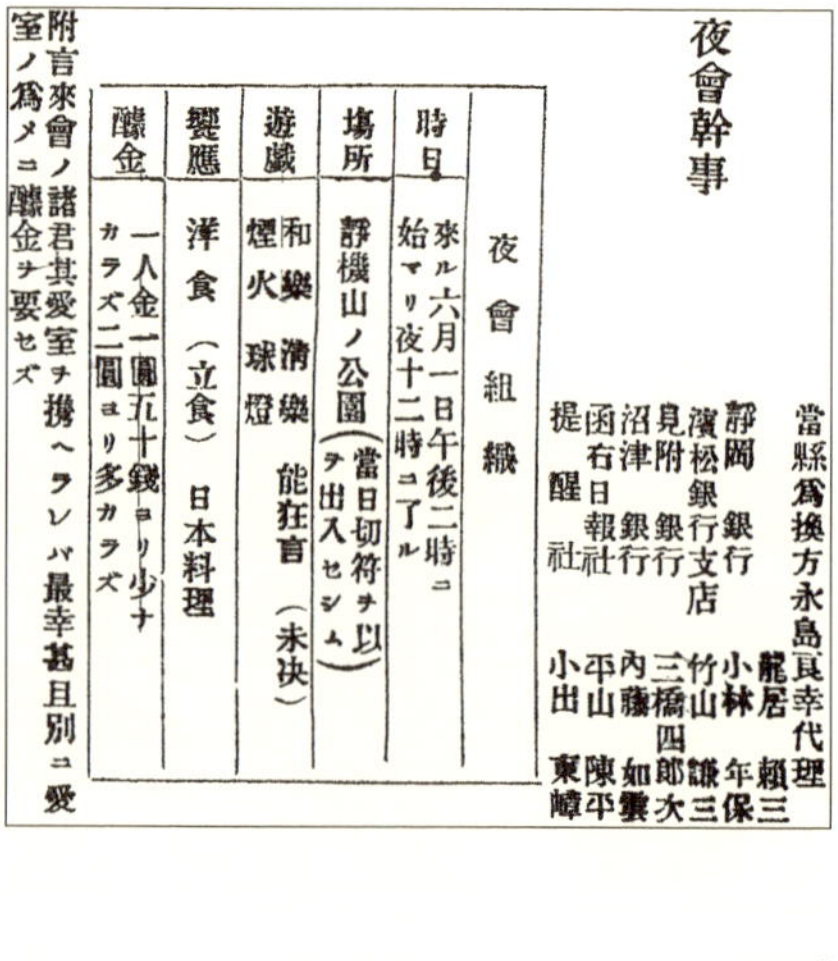
夜會幹事
當縣爲換方永島良幸代理 龍居頼三
靜岡銀行 小林年保
濱松銀行支店 竹山謙三
見附銀行 三橋四郎次
沼津銀行 内藤如雲
函右日報社 平山陳平
提醒社 小出東嶂

夜會組織

時日	來ル六月一日午後二時ニ始マリ夜十二時ニ了ル
場所	靜機山ノ公園（當日切符ヲ以テ出入セシム）
遊戯	和樂 清樂 能狂言（未決）煙火 球燈
饗應	洋食（立食）日本料理
醵金	一人金一圓五十錢ヨリ少ナカラズ二圓ヨリ多カラズ

附言來會ノ諸君其愛室ヲ携ヘラレバ最幸甚且別ニ愛室ノ爲メニ醵金ヲ要セズ

2

◉静機山公園の夜会広告
実際の夜会は、前日に仕込んだ和食が腐敗し、煙火で火事騒ぎになるなど散々だったらしい。
（『静岡新聞』明治一三年五月）

東京語を書き留め、これを習う者多し〉（茨城県）、下女のなり手がなくて〈口入屋《くちいれや》は大いに困却〉（大阪府）、〈本年程田舎漢が東京見物に出京せるを見ず〉といった記事が新聞をにぎわした。士族は〈公債証書を貯《たくわ》えず、妓の字のつくものは皆大繁盛〉（徳島県）といった記事も案外多い。とにかく政府高官から庶民まで、〈よく遊ぶ〉風潮が蔓延《まんえん》していた。生糸の輸出も好調で、機織《はたお》り賃が多くなった甲府近辺には、こんな夫婦もいたようだ。

> 女房の方が余程《よほど》銭儲《ぜにもう》けをする故《ゆえ》、自然と女権が盛んになり、これ迄《まで》東京見物に来る道中は、女房が包みを背負い来たりしに、本年はうらかえにて、女房は羅紗《らしゃ》の引き廻し（合羽《かっぱ》）を着て絹張《きぬばり》の蝙蝠傘《こうもりがさ》をさし、亭主は包みを背負い跡《あと》の方よりショボショボお供をして来るそうです。
> （『朝野新聞《ちょうやしんぶん》』）

そうして彼らは、たとえば『東京銀街小誌《ぎんがいしょうし》』に「松田《まつだ》楼雪《ろうせつ》隠《ちん》」と特筆された京橋の割烹《かっぽう》店松田楼のトイレなどを見て、目

3

●京橋の割烹店松田楼
屋内は清潔で天井は高く、見知らぬ客同士の盃交換は禁止、貧乏書生・人力車夫も歓迎されたという。（井上安治《いのうえやすじ》『京橋松田之景』）

を丸くしたのだろう。鏑木清方《かぶらききよかた》『明治の東京』によれば、〈大玻璃《おおはり》の華灯〉に輝く客室から擬宝珠《ぎぼし》で飾られた塗橋《ぬりばし》を渡っていくと芳香が漂い、〈厠《かわや》の壁面には水族館のように硝子《がらす》の中に金魚が泳いで〉いたらしい。およそ〈洗練などという趣を蹴飛《けと》ばした〉代物《しろもの》だが、〈松田へ連れて行かなければ土産話にならないといわれた〉。いわゆる「文明開化」の華やかな雰囲気が実現するのはこの時期であり、終生「江戸」を愛した下町っ子の鏑木でさえ、少年時代は築地《つきじ》メトロポールホテルの〈木造漆喰《しっくい》塗りのザッとした白堊館《はくあかん》〉から漏れる〈明るい食卓の灯火〉や、洋風邸宅の紫陽花《あじさい》とバラの生け垣に憧れたという。それほど文明的なるものの魅力は大きかった。ちなみに、ほとんどの男性が断髪になったのもこのころである。

ただし、米が高ければ都市の貧民は食うに困る。だから、〈大阪は放火と盗賊の大流行にて、毎夜火事騒ぎが二、三十か所に下らず〉（『朝野新聞』）と報じられたように、放火がひじょうに多かった。大地震と同じく、大火のあとは復旧事業で仕事は増えるし、炊き出しや施金《せきん》もある。長屋住まいに焼かれて困る財産はないというわけだ。しかも、津軽《つがる》地方では借金を強引に取り立てたような家が放火されても、藩吏ですら〈焼かるるものは不徳なる者〉と見なしたという〈青森士族間山菊弥《まやまきくや》の建白〉。窮民の放火には「徳義」の観念が込

4

●お火事さん、おいでなさい
こちとらの身分では火事は大きくするに限る、といった文言も。（『団《まる》団珍聞《まるちんぶん》』明治一三年一月）

められていたのだ。現に、放火の多くは人目につく所で藁《わら》を燃やす程度で、米の安売りを要求する一種の脅《おど》しだった。インフレ・好景気に乗って利益を上げる者と、仁政・徳義を公然と要求できずに鬱屈《うっくつ》せざるをえない者とが、はっきり分かれはじめたのである。

経済政策の転換

しかも、バブルともいえる好況は明治一三年（一八八〇）で終わり、一五年からはデフレに突入した。明治十四年政変で大蔵卿《おおくらきょう》になった松方正義《まつかたまさよし》は、軍事費を除いて緊縮財政を堅持し、酒税・煙草《タバコ》税などの間接税や地方税を引き上げるとともに、歳入に余剰が出ると紙幣を文字どおり焼却した。その結果、明治一四年に一・七を超えた紙幣と銀貨の交換比率が、一八年にはほぼ等価になり、一四年に一石《こく》一〇円を超えた米価も、一七年には半値になった。明治一八年に財産差し押さえ処分を受けた地租滞納者は全国で一〇万人を超えた。

ただし、このインフレ─デフレの激動は貨幣の量が原因だったから、実際の生産活動には見かけほどの変動はなく、実質国民所得もほとんど下落しなかった。逆に、公共事業費などは金額は同じでも物価が下がれば増額と同じ効果があり、南北戦争後の不況から抜け出したアメリカ向けの生糸・茶の輸出も増えたから、景気は急速に回復しはじめた。そこで松方は、明治一七年五月、銀貨兌換《だかん》の日本銀行券を発行した。政府からの独立性に乏しかったとはいえ、銀本位制に基づく中央銀行の確立は、通貨の安定と経済状況に応じた金融政策を可能にした。

　松方はまた、殖産興業政策を大きく転換させた。明治政府は外国資本の直接投資を認めず、殖産政策は政府の直営企業や補助金を使った民業育成が中心だった。最初に、鉄道の敷設や直営モデル事業（釜石《かまいし》鉄山、三池《みいけ》炭鉱、兵庫・長崎造船所、赤羽《あかばね》機械製作所など）が工部省によって推進された。大久保利通《おおくぼとしみち》が設立した内務省は、在来産業の改良・育成や軽工業のモデル事業（農事試験場・牧羊場・紡績所・精糖所など）、道路・堤防・港湾などの土木事業、士族授産《しぞくじゅさん》を兼ねた開墾に力を入れた。また、鉄道よりも国内外の水運を重視し、三菱会社に巨額の補助を与えて、上海《シャンハイ》航路からアメリカ・イギリス船を駆逐させた。

　これに対して松方は、技術の普及には役立ったものの、財政負担の大きかった直営企業の払い下げを加速するとともに、政商・大資本を育成して経済発展をはかる方針を打ち出した。実際、三井は三池《みいけ》炭鉱を入手してから経営が安定し、三菱も海運業以外のさまざまな分野に進出して、財閥としての基礎を固めることができた。また、明治一七年に上野—高崎間、同二四年に上野—青森間を開通させた日本鉄道会社は、政府の手厚い保護を受けて華族層が設立したものだった。他方、製糸業に対する金融支

●実質国民所得の推移
名目金額は大きく変動したが、銀貨換算の実質額は、デフレ期にもほとんど低下しなかった。（室山義正《むろやまよしまさ》『松方財政研究』より作成）

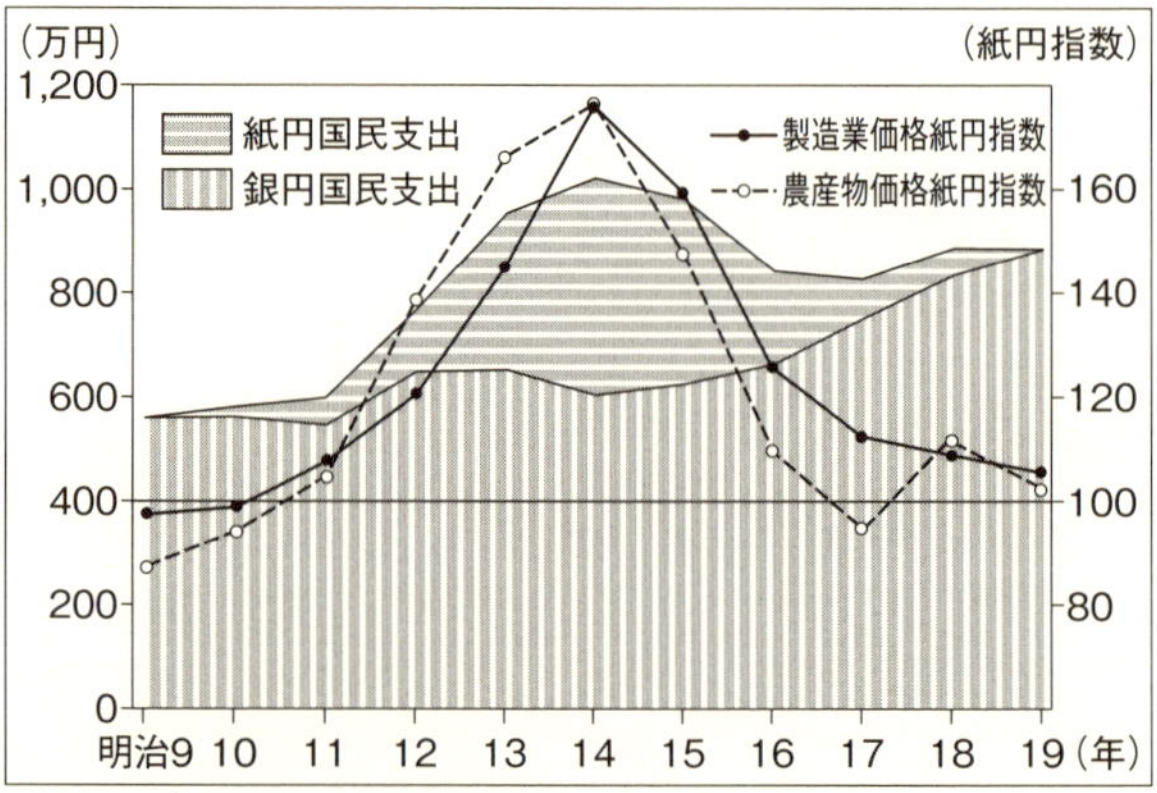

*指数はいずれも明治7年の価格を100とする

援が一時打ち切られるなど、在来産業や小企業は軽視された。そして庶民は、デフレ期の財産差し押さえや、秩父《ちちぶ》事件などの負債農民事件を通して、自分と家族の刻苦《こっく》勉励《べんれい》だけで困苦から脱け出すほかない時代になったことを、最終的に実感させられた。

それでも、日本鉄道会社の発展や明治二二年の東海道線の全通に刺激されて、甲武《こうぶ》鉄道・山陽《さんよう》鉄道・伊予《いよ》鉄道など、各地で鉄道会社を設立する動きが高まった。また、金融の安定とともに地方の経済活動も活発化し、紡績・鉱業など新しい企業を興《おこ》したり、株式・社債に投資する人びとが急速に増えはじめた。明治二〇年頃に約一〇万人だった工場労働者も、二三年には約三五万人に達した。日本資本主義の確立に向かう大きなステップが踏み出されたのだ。そして、デフレ期に拡大した近代地主制は、農村社会の秩序を地主中心に変えるとともに、小作農民の子どもを安い労働力として工場に提供し、小作料を株式・社債に投資することによって、資本主義を根底で支えていくことになる。

強制から放任へ

自由経済では、「金持ちになる自由」と「飢え死にする自由」が、ともに放任される。とすれば、盆踊りなどの解禁もたんなる旧習の復活ではなく、ある種の「放任」だったのではないか。明治一六年（一八八三）の愛媛県「衛生取調報告」の一節が示唆的である。

清潔摂生等の法を知らざるは…人類を以《もっ》て視《み》るべからずと云うも…如何《いかん》せん、多年の慣習は以て天性となり、その臭を臭とせず…他のこれを制止するを厭《いと》うの情あれば、あまねくその慣習を改むるは一朝一夕のよく及ぶ所にあらざるなり。故《ゆえ》に衛生事務の着手は人家輻湊《ふくそう》の地、即ち旧城市等を以て先《さ》きと（せざるべからず）…

（『愛媛県史』）

清潔・衛生の重要性を理解できぬ者は人間ともいえないが、長年の習慣で不潔を不潔とも思わず、注意されると逆に食ってかかる。慣習を改めるには時間がかかるから、衛生行政は市街地など重要な地域から始めたい。要するに、一律に強制するのはやめて、適応できない連中は切り捨てたいというわけである。

ここで衛生が問題になっているのは、明治一〇年以来コレラが大流行したからで、その対策は石炭酸（フェノール）による消毒と患者の隔離しかなかった。幕末に比べれば文明的になったが、消毒の概念はまだなじみがなく、県吏や警官が石炭酸を散布すると「毒を撒《ま》きに来た」と大騒ぎになり、「隔離するのは肝をとるためだ」といった例のうわさも流れて、各地でコレラ騒動が起きた。石炭酸はたしかに猛毒だから、誤ってこれで「消毒」された井戸水を飲めば死にかねない。また、バラックの隔離病舎から「生還」する者はほとんどおらず、畳の上で身内に看取《みと》られて往生するという、人生最期の望みもかなわなかった。衛生行政は治安の一環として警察が担当したから、巡査への反発もある。コレラ騒動は決して根拠のない空騒ぎではなかったが、大流行を阻止するために強権的な対応がとられた。さらに赤痢《せきり》も急増しており、衛生・清潔は地域行政の重要な課題になっていた。

　そうしたなかで、一種の選別の論理が登場してきたのだ。実際、安保則夫《あんぼのりお》の研究によれば、〈強《し》いて干渉〉すれば〈かえって自暴の念を起こすの恐れなきにあらず〉、むしろ住民の自治に任せたほうがよいと政府も〈大いに悟る〉に至ったと報じられ（『神戸又新《ゆうしん》日報』）、衛生行政は警察主体から、市町村の衛生組合による「衛生自治」に力点が置かれるようになる。

　とはいえ、衛生・清潔という規範を理解しない者、実行できない者が隣にいたのでは、「まともな者」は迷惑する。だから、東京では大火を機に、「コレラの巣窟《そうくつ》」と見なされた劣悪な木《き》賃宿《ちんやど》に住む〈一種異様の窮民〉が排除され（神田《かんだ》区長の上申書）、神戸・大阪・京都などでも「市区改正」（市街地改良）の名のもとに、〈上・中等人種に対し衛生上至大の関係を来《きた》す〉〈貧人の巣窟〉（『神戸又新日報』）は、しだいに市の周辺部に追いやられた。そして、衛生的＝文明的な地域・住民と、そうでない地域・住民との落差が広がり、その最底辺に位置づけられたスラムや被差別部落は、不潔ゆえに差別され、差別ゆえに不

◉コレラ軍と石炭酸軍の戦い　〈石炭酸で打ち払えば、予防（呼ぼう）と言っても、よも東京へは来られまい〉。（『団団珍聞《まるまるちんぶん》』明治一二年七月）

年	結　核 死者数	コレラ 死者数	赤　痢 死者数	腸チフス 死者数	天然痘 死者数
明治9			76	108	145
10		8,027	38	141	653
11		275	181	558	685
12		105,786	1,477	2,530	1,295
13		618	1,305	4,177	1,731
14		6,237	1,802	4,203	34
15		33,784	1,313	5,231	197
16	13,808	434	5,066	5,043	295
17	29,269	417	6,036	5,969	410
18		9,329	10,690	6,672	3,329
19	36,138	108,405	6,839	13,807	18,678
20	36,369	654	4,257	9,813	9,967
21	39,687	410	6,576	9,211	853
22	42,452	431	5,970	8,623	328
23	46,025	35,227	8,706	8,464	25
24	54,505	7,760	11,208	9,614	721
25	57,292	497	16,844	8,529	8,409
26	57,798	364	41,284	8,183	11,852
27	52,888	314	38,094	8,054	3,342
28	58,992	40,154	12,959	8,401	268
29	62,790	907	22,356	9,174	3,388
30		488	23,763	5,697	12,276
31		374	22,392	5,697	362
32	67,599	487	23,763	6,452	245

◉伝染病死者数の推移
明治時代前半にはコレラ・赤痢などの消化器系急性伝染病が猛威をふるうが、劣悪な労働環境の工場が増えるにつれて結核が増加し、明治末には年間の死者が一〇万人を超えるなど、大きな社会問題になっていく。

潔が放置されていく。

明治初年の開化政策は、四民平等を前提に、すべての民衆を一律に文明化しようとした。アジアを宿命的な停滞社会と見なす西洋的文明観を批判した福沢諭吉《ふくざわゆきち》『文明論之概略《ぶんめいろんのがいりやく》』も、一国の気風は習慣の産物だから改変できると強調した。だが、福沢は同時に、〈全国人民の気風を一変するが如きは…一朝一夕の偶然に由《よ》りて功を奏す〉ものではない、性急な強制やイデオロギーの注入ではなく、〈人類の性質と働き〉に基づく〈定則〉に従って推進すべきだと主張した。つまり、主体的に文明化できる者と、そうでない者との分別であり、これはまた、朝鮮・中国を主体的な文明化のできない〈悪友〉と見なした「脱亜論《だつあろん》」にも通底すると、松沢弘陽《まつざわひろあき》は指摘している。

のちに東京大学総長となる加藤弘之《かとうひろゆき》も、生物進化論における生存競争や自然淘汰の「法則」を人間社会に適用した社会ダーウィニズムをもとに、〈上等平民が社会全人民の勇者たる地位を有して、専《もっぱ》ら社会開明の率先者〉になるべきだと主張した(『人権新説《じんけんしんせつ》』)。

要するに、自由放任経済が確立した明治一〇年代は、不潔・怠惰・野蛮な生活から抜け出る気のない者を、社会の安全・発展に害のない限りは放置しながら、経済的・文明的強者が自己の利益を追求する——そういう時代の始まりであった。

学歴社会の形成

放任と選別の典型は学歴社会である。ただし、一八八〇年代の小学校は中途退学が多く、中・高等教育の整備も進まなかった。大学は東京大学だけで、工部大学校《こうぶだいがっこう》・駒場農学校《こまばのうがっこう》・陸軍士官学校などは、官庁や軍が業務の専門家を養成する官立学校だった。ほかには、小学校教師を養成する公立師範学校《しはんがっこう》、旧藩校から転じた中学校、そして慶應義塾《けいおうぎじゅく》・東京専門学校(現在の早稲田大学《わせだだいがく》)・東京物理学校(現在の東京理科大学)・同志社《どうししゃ》、中江兆民《なかえちょうみん》の仏学塾《ぶつがくじゅく》といった私立学校が併存していた。女子には少数の女子師範学校、女学校しかなかった。

中等教育の生徒は、大半が士族の子弟だった。農業・商業以外で生活するには、専門知識・技術を身につけて、官吏や教師・技師などになるほかなかったからだ。ただし、官立学校以外は「卒業」にたいした意味がなく、短期間に学校を渡り歩く者も少なくなかった。五日市町《いつかいちまち》(東京都)の学芸講談会のように、自由民権運動と結びつきながら政治学や経済学を学びあう人びとが大勢いたのも、この時期の特徴だった。

こうした、ある意味で自由な学校教育を一変させたのが、明治一九年（一八八六）の帝国学校令・師範学校令・中学校令・小学校令だった。尋常小学校—高等小学校—尋常中学校（のち中学校）—高等中学校（のち高等学校）—帝国大学という学校の体系が整備されるとともに、帝国大学は国家に不可欠な学術技芸を修得した人材、高校は社会上流の仲間に入るべき人物、中学は上流でも下流でもない程度の者を育成すると規定された。学校と社会的地位とが明確にリンクされたのだ。一八九〇年代には実業学校令・高等女学校令・専門学校令も出されて、第二次世界大戦以前の学校体系がほぼ完成する。

また、明治二〇年に官吏任用制度が定められ、コネではなく試験で官吏を採用することになった。明治二三年の議会開設を前に、近代的な官僚機構を整備する必要があったからだ。しかし、帝国大学や官公立学校が優遇されたうえに、私立学校は官立校と同等程度と文部大臣に認定されなければ、官吏任用試験や官立学校の受験資格、在学中の徴兵猶予が認められなくなった。自由な教育をしてきた私立学校も、官立に準じた教育課程にしなければ存続

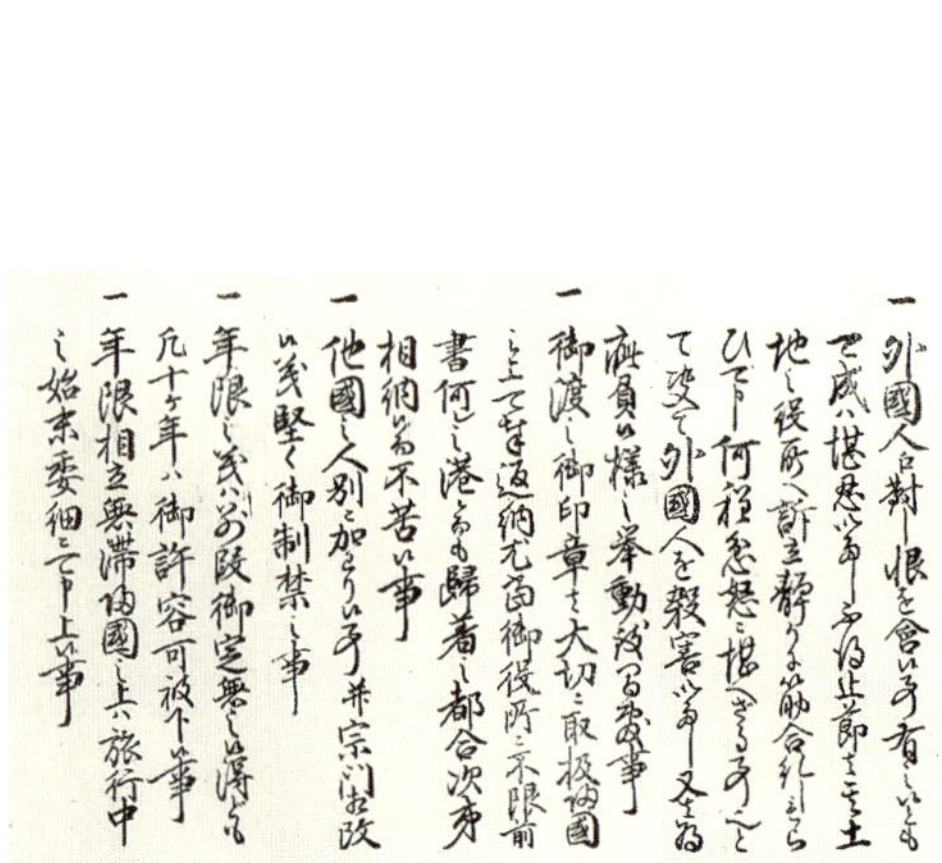

6

◉女子留学生心得
明治四年の岩倉使節団には、津田《つだ》梅子《うめこ》・山川捨松《やまかわすてまつ》ら少女五名の留学生が同行した。写真はその心得。他国の人別に加わること（国際結婚）、宗門改め（キリスト教への改宗）などを禁じた。だが、帰国後の彼女らの活躍の場は、ほとんどなかった。

できなくなったのである。また、江戸時代には誰でもなれた代言人《だいげんにん》（弁護士）や医師などの専門職にも資格試験制度が導入され、やがて一般の企業でも学歴で社内の地位に差がつくようになっていく。そのため、早くも日清《にっしん》戦争後には、〈日本の青年は人間として国民として…教育せらるるよりも、むしろ技師として、官吏として、書記として、番頭として教育〉されることを望んでいるのか、〈学校の階級を以《もっ》て官職の階級を定むるが如《ごと》き現今の制度〉は、〈天下の青年を精神的に毒殺する〉ものだ（『国民之友《こくみんのとも》』）と批判されるほどになる。

また、明治三三年には小学校の修業年限が四年に統一され、授業料が無料になるとともに、卒業試験が正式に廃止された。このころでも中途退学者は男子で二割、女子は三割から四割に達していたが、同一年齢＝同一学年という「(学年）学級制」の確立は、多様な年齢の子が混在したころよりも一斉授業の効率を高めると同時に、「できない子」もそのまま卒業させてしまうことになった。これも一種の放任といえるだろう。

学歴社会は平等と自発性を前提とする。上流階級が厳然と存在するイギリス、フランスなどに比べて、社会的流動性の大きかった日本では、貧民の子でもエリートになれる可能性だけは存在した。しかし、受験競争を勝ち抜く意欲や覚悟のない者に参加の義務はなく、挫折《ざせつ》したら自分の能力や努力が足りなかったと反省するほかない。学歴社会こそ機会の平等、優勝劣敗、自己責任という近代的価値観に基づく自由競争の典型であった。

祭りとしての学校行事

もっとも、地域社会に眼を据えてみれば、事態はもう少し複雑だった。旧慣復活の風潮のなかで、たとえば高橋敏《たかはしさとし》が紹介した静岡県豊浜《とよはま》小学校の学級日誌には、〈本日は旧暦端午《たんご》なりとて頑愚固陋《がんぐころう》の生徒極めて不参多ければ、数時にして閉校せり〉といった記述がたくさん出てくる。叱責《しっせき》を繰り返した師範学校出の士族教師は、校舎に脱糞《だっぷん》され、朱肉が全部なくなるといった嫌がらせも受けた。豊浜は遠州灘《えんしゅうなだ》に面した半農半漁の村だが、千葉県でも〈端午の節句にあたり生徒欠席多き故《ゆえ》、正午停業す〉などと報告されており（『千葉県教育百年史』）、どこも似たような状態だった。

しかし、豊浜の子が勉強しなかったわけではない。むしろ新嘗祭《にいなめさい》などの国家休日には試験の準備で登校しており、合同試験では〈生徒は自他共に殊《こと》の外《ほか》上出来なり、就中《なかんずく》上等生は満点を得て大いに当校の名誉を輝かせり〉と教師も感激している。その意味では子どもたちも、よく学びよく遊ぶ「文明人」だった。明治一三年の教育令改正で修身などが重視された半面、段階的な教育課程の編成や近代的な教授法を取り入れた教科書の編集が始まったことが、学習意欲を高めたのかもしれない。だが、重要なのは試験が個々の生徒の合否にとどまらず、「当校」の、ひいては村の「名誉」にかかわると見なされたことだろう。

たしかに、合同試験はしだいに近隣町村との他流試合の様相を見せはじめ、村人たちも盛装して参観に押しかけた。時には屋台も出たというから、これはもうお祭りである。村同士の対抗は昔からさまざまな形で繰り返されてきたし、競争心が点火されれば、もはや強制とは感じない。

一八九〇年代以降は運動会が盛んになった。運動会は兵式体操《へいしきたいそう》の一環として海軍兵学校・札幌農学校などで始まり、明治一八年に初代文部大臣になった森有礼《もりありのり》が学校教育に本格的に導入した。最初のうちは隊列を組んで寺社の境内や川原まで行進し、綱引き・旗奪い・球投げなどをする程度だったが、合同運動会では近隣学校との対抗戦で盛り上がった。成績の悪い子にも活躍の場ができた。村人たちは当然、弁当持参で見物するようになり、やがて地域の年中行事になっていった。

明治一九年の諸学校令や学歴制度も森文相が推進したもので、彼はまた師範学校を全寮制にして軍隊式集団主義を小学校教員に染み込ませるとともに、知識だけでなく体操・唱歌のような身体にかかわる科目を重視した。皆が歩調を合わせて行進する隊列行進や、声をそろえて歌う斉唱は、集団的な一体感を生み出す。それまで個々の成績を競うだけだった生徒に、集団意識をもたせようとしたのだ。ただし、森がめざしたのは、ナショナル・アイデンティティをもち自発的に活動する近代的国民であり、儒教的な服従を重視する国家主義とは異質の国民主義だった。

運動会が村ぐるみの行事になると、不就学の子は居場所がなくなる。一八九〇年代に入って就学率が上昇したのは、小学校

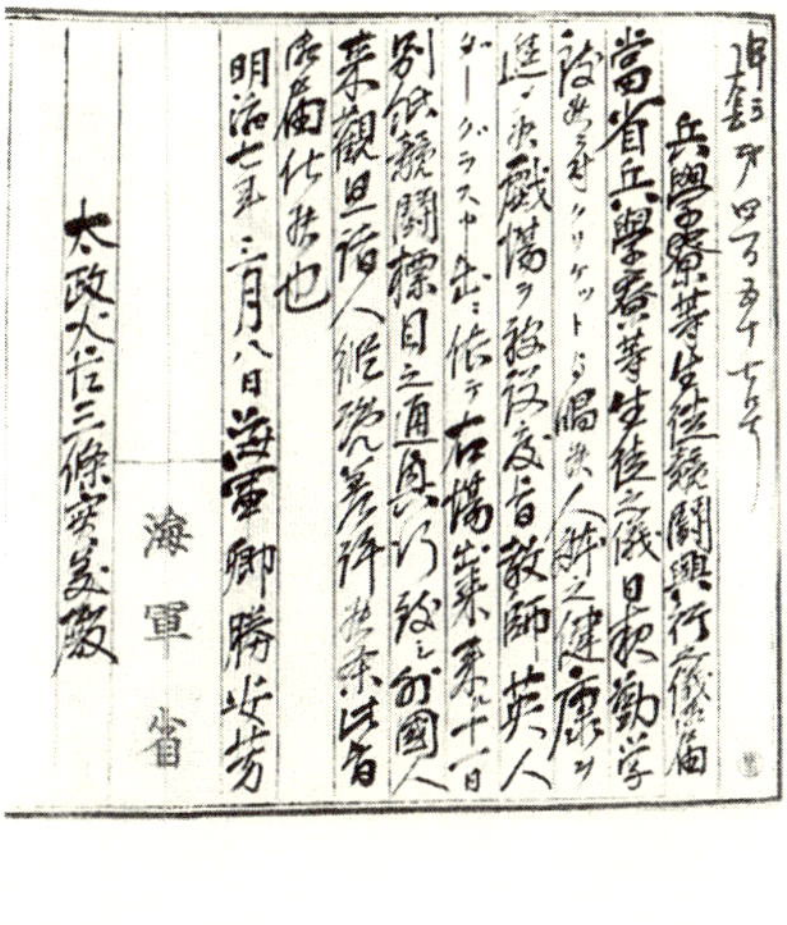

7

◉「兵学寮等生徒競闘遊戯興業之儀御届」要するに運動会の開催届である。明治七年、勝《かつ》安芳《やすよし》（海舟《かいしゅう》）海軍卿《かいぐんきょう》から太政大臣宛。競技種目には六〇〇ヤード走・二人三脚などがあった。

卒業が基礎的な資格と見なされはじめたことにあるが、地域社会に即してみれば、運動会・入学式・紀元節《きげんせつ》の式典などが村の行事化したことも無視できない。そして、村人は「学校の祭り」を楽しみながら、「君が代」や教育勅語に接することになる。

近代家族への囲い込み

大きな子ども・小さな大人

競争社会への転換は、家族のあり方にどのような影響を与えただろうか。この時期はまだ江戸時代との連続性のほうが強いが、変化の方向だけでもみておこう。

来日した外国人が庶民の生活をみて最初に驚くのは、女性の行水《ぎょうすい》と並んで子どもへの愛情だった。東北地方を旅行したイザベラ・バードも、「〈うるさい子供や聞き分けのない子供はひとりも見たことがありません〉。英国の母親のように〈脅したりおだてたりして子供にいやいやいうことを聞かせる方法は、ここにはないようです〉。たとえ貧しくても〈人びとは家庭生活を楽しんで〉おり、子どもが彼らを引きつけています」と書いている（『イザベラ・バードの日本紀行』）。

そのため、「日本は子どもの天国」という神話すら生まれたが、これは単婚小家族が一般的だったことと深く結びついていた。江戸時代後期の平均家族数は、おおむね四、五人であり、幕末の江戸麹町《こうじまち》・四谷《よつや》の家主も、夫婦に子ども二人の四人家族が大半だったといわれる。小家族だからこそ子どもが大切にされたのである。しかも、江戸末期の堕《だ》胎《たい》・間引《まび》きは貧しさや飢えのせいとは限らず、人口減少に悩む藩《はん》の出産奨励政策に抗して、少ない「子宝」を大事に育てたいと願う家族の決断の結果であり、また、下層武士を含めて父親が育児に積極的にかかわっていたことなどが、近年の研究で明らかになってきた。いや、子育てのレベルを超えて、大の男が子どもの遊びに夢中になっていた。こうした「大きな子ども」は、外国人が感嘆する庶民の機嫌のよさや親切心、何かあれば踊り出したり祭りにしてしまう心性とも重なっていただろう。

　玩具を売っている店には感嘆した。たかが子供を楽しませるのに、どうしてこんなに知恵や創意工夫、美的感覚、知

8

●**横浜の元日風景**
「ほかの国では庶民がこんなに心から楽しんでいるのを見たことがない」とワーグマンは感嘆した。（『ザ・イラストレイテッド・ロンドン・ニューズ』一八六五年七月）

識を費やすのだろう。…答えはごく簡単だった。この国では、暇なときはみんな子供のように遊んで楽しむのだという。私は祖父、父、息子の三世代が凧《たこ》を揚げるのに夢中になっているのを見た。

（ヒューブナー『オーストリア外交官の明治維新』）

大人と子どもの境がなければ、子どもを大人の世界から排除する発想も生まれにくい。子どもは家業の手伝いや子守をさせられただけでなく、芝居小屋などにも連れて行かれた。そうしたなかで、いつもと違う親の一面や世間のしきたりに接したわけだ。小学生が〈煙草を吹かし、或《あるい》は校舎の窓間より縷々《るる》として煙の舞出《まいい》づるなど、毎度見る所〉（『時事新報《じじしんぽう》』）であり、商家の女子は三味線・浄瑠璃《じょうるり》などの芸事が嫁入り前の「必修科目」になっていた。しかも、その歌詞は〈マア体《てい》のよい春画《ワライエ》の前文のようで〉、〈毎日稽古《けいこ》から帰れば…親兄弟の前で男を口説く言種《いいぐさ》〉をうたい、〈親はまじめくさって誉《ほ》めて〉ていた（『読売新聞』）。そもそも、長屋暮らしでは夫婦生活が子どもから隔てられていなかった。「子どもの天国」とは、小家族を基礎にした庶民のこのような生活文化の一端であった。

西欧でもかつては「子どもは小さな大人」だった。しかし、日本の〈子供たちには特別の服はありません。これは奇妙〉ですとバードがいうように、近代になると子どもは大人と異なる独自の存在と見なされ、愛情と保護の対象であると同時に、「一人前の人間」にするには厳しい教育が必要だと考えられるようになった。それゆえ、日本人に対する西欧人の好意的なまなざしに、「未開人のナイーブさ」を誉めそやす優越意識が潜在していたことは否定できない。

娼妓へのまなざし

〈春画の前文〉のような遊芸の容認は、遊女に対する寛容なまなざしにも通じていた。彼女らの「つとめ」が苛酷《かこく》だったのはいうまでもないが、幸いに年季が明ければ、積極的に妻に迎えられることも少なくなかった。売春が個人の責任とされた西欧と異なり、親・兄弟のために売られながら苦難を乗り越えたことが評価されたうえに、遊芸が女性の教養のように見なされたことも一因だろう。

芸娼妓《げいしょうぎ》は明治五年（一八七二）一〇月の人身売買禁止令によって「解放」された。だが、賤民制《せんみんせい》廃止令と同じく、生活のために売春に戻らざるをえない者が多かった。しかも今度は、納税と引き換えに営業鑑札が交付され、特定地域に集められた貸座敷業者と娼妓の「自由な契約」という形をとらされた。家の犠牲者ではなく、自発的な「営業」者としたところに近代公娼制のからくりがあった。そして、尊厳を無視した性病検査を強要され、警察の厳しい取り締まりのもとに置かれた。

なお、芸娼妓解放令はマリア・ルス号事件を機に公布されたといわれたが、実際には事件以前から司法省・大蔵省が検討していたことが、大日方純夫《おびなたすみお》によって明らかにされている。ルス号事件とは、明治五年六月、横浜に寄港したペルー船籍のルス号に乗せられていた清国人苦力《しんこくくーりー》（労働者）が逃亡して保護を求め、日本政府が彼ら二三一人を債務奴隷と認定して解放を命じた事件である。ルス号の船長が日本にも人身売買があるではないかと非難したため紛糾し、最後は国際仲裁裁判を引き受けたロシア皇帝が日本の措置を支持して落着した。

こうしたなかで、開化を推進する側は、娼妓を〈無智の小民〉を惑わし家産を失わせるばかりか、身体衰弱、精神錯乱を引き起こす梅毒をまき散らして〈我大日本帝国〉を危うくさせるものだなどと非難した（津田真道《つだまみち》「廃娼論《はいしょうろん》」）。また、明治一五年から群馬・高知・長野などの県議会で廃娼請願書が可決されたが、群馬県の請願書は〈人間百般の悪事、皆この娼妓・貸座敷に根源せざるはなし〉と主張した。むろん、廃娼論は娼妓の解放を求める善意に基づいており、だからこそ売春を厳しく非難するのだが、こうした論調が芸娼妓の人間性自体を蔑視《べっし》し、年季明け後の差別を助長させたことも否《いな》めない。実際、〈芸妓の如き賤業者が余輩良民《よはいりょうみん》と軒を接して住居するは不都合なり無礼なり〉、市外に放逐せよと高言する者も現われた（『東京日日《にちにち》新聞』）。窮民を市外に追い出す衛生の論理と同じである。

　しかしながら、この時期の芸妓のなかには、文化的素養と自負心をもつ者も少なくなかった。新聞への投書や民権運動が盛んになると、遠陽《えんよう》妓《ぎ》女《じょ》自《じ》由党《ゆうとう》（静岡県）、芸妓《げいぎ》自《じ》由講《ゆうこう》（京都府）などを設立したり、集団で演説会を傍聴し、客に〈主義〉を尋ねて〈曖昧《あいまい》な返答をなせば、檀那《だんな》は無主義でいけませんなど（と）笑う〉娼妓たちも現われた（『朝野《ちょうや》新聞』）。大きな祭りには依然として芸娼妓の手踊りが不可欠で、憲法発布や日清《にっしん》・日露《にちろ》戦争の祝勝会といった国家的祭典ですら、住民の仮装行列・提灯《ちょうちん》行列などと一緒に練り歩いている。

9

◉岩亀楼《がんきろう》　横浜開港と同時に幕府は遊廓をつくった。その代表的建物で、手前は日本人客、奥の洋館は外国人客用。横浜公園に灯籠が残る。

一家団欒と良妻賢母

このような庶民の積年の気風を変えるには、子どもの時期から教育するしかなく、そのためには母親にしっかりしてもらうほかない。学制実施に関する太政官《だじょうかん》指令は、〈人間の道、男女の差ある事なし〉と宣言し、女子教育こそ小学校設置の〈第一義〉だと力説したが、その理由は、〈子の才、不才〉が〈母の賢、不賢〉で決まるからというものだった。つまり、女子教育は女性自身のためではなく、「子どものため」なのである。〈普通の教育を受け、子を教育する〉ことが女性の人生で、〈婦人の性質と高学（歴）とは自《おの》ずから相容《あいい》れざるもの〉と福沢《ふくざわ》諭《ゆ》吉《きち》も強調した（「女子教育の利害を論ず」）。森有礼《もりありのり》ら明六社《めいろくしゃ》同人の一夫一婦制論や夫婦対等論も、「外は男、女は内」という性別役割分担を前提にした「同等」論にすぎないと、関口《せきぐち》すみ子は指摘している。

女に教育はいらない、それより裁縫・芸事をという通念や、服従を基本にした江戸時代の「婦徳」と異なり、役割分担論は女性に責任の自覚と主体性を求める。教育勅語が儒教的な「夫唱婦随」ではなく「夫婦相和し」と述べたのも同じである。だが、形式的に平等を認めたうえで差異を固定化する「同等」論が、近代的差別論の典型であることはいうまでもない。

しかも、母親は子どもを健全に育てるだけではすまなかった。福沢が〈普通の教育〉といったように、近代公教育は家督・家業の継承ではな

10

◉森有礼
妻の常《つね》と婚姻契約を結んだことでも知られるが、常の実兄藪重雄《やぶしげお》が大臣暗殺計画（静岡事件）で有罪になると離婚した。

く、国民育成の教育だったからだ。森有礼も、〈教育の根本は女子教育に在《あ》り、女子教育の挙否《きょひ》は国家の安危に関係す〉と強調し、〈女子教育の精神〉を表わす図として、〈子を養育する図〉とともに〈戦死の報告、母に達する図〉などを教室に掲げることを求めていた（「第三地方部学事巡視中演説」）。

　依然として女子の就学率は低く、中退も男子よりはるかに多かった。それでも、地方の中上流階級を含めて女学校に進学する者がしだいに増えはじめ、明治三二年（一八九九）の高等女学校令で女子中等教育が教育体系のなかに位置づけられるまでになる。

　また、一八八〇年代後半には、〈小児の洋服が大流行〉で〈追々愛らしい体裁を見ることならん〉（『高知日報』）といった記事が登場し、『女学雑誌』『家庭雑誌』など、女子教育や家庭をテーマにした雑誌が刊行されはじめる。とくに巌本善治《いわもとよしはる》が主宰した『女学雑誌』は、〈相思相愛の情〉に基づく〈親子団欒《だんらん》、夫婦和楽〉の「ホーム」を啓蒙《けいもう》するとともに、「家庭」に「ホーム」のふりがなをつけた若松賤子《わかまつしずこ》訳『小公子《しょうこうし》』の連載を通して、その具体的なイメージを広めた。

　ただし、〈日本現今の女子は特に困難なる地位に居る〉、それは舅《しゅうと》姑《しゅうとめ》との同居であり、〈嫁の受けたる教育は反《かえっ》て一家の風波を起〉こしかねないと森有礼は注意している（「第三地方部学

11

事巡視中演説」)。高等女学校が良妻賢母、つまり賢母とともに良妻を強調したのは、舅姑と「風波」を起こさない「嫁」であることが、夫にとってもっとも望ましいと考えたからだろう。

これに対して巌本は、夫にも家庭を築く責任があること強調し、職場で〈平身低頭すること蜘蛛《くも》の如《ごと》く〉でありながら、家に戻ると専制君主の如く君臨する夫、舅姑・小姑にいじめられ忍従を強《し》いられる妻、その影響を受けた子どもの横暴といった〈日本の家族〉の現実を厳しく批判した(『女学雑誌』)。折から、政治運動に飛び込む「壮士」よりも、文学・哲学などに関心をもつ「青年」が増えていたが、彼らにしても亭主関白予備軍であることに変わりはなかった。しかも、日本の「亭主」は、いまでも世間や会社からの自立心が弱く「家族を守れない家長」だといわれることがある。その原型はおそらく、藩命に抗する気概を失った江戸時代の武士にあるのだろうが、「家庭」の登場には、性別役割分担を前提にしながらも、当時の家族の通念を揺さぶる衝撃力が秘められていたのである。

12

◉理想化された家族像
右は天皇夫妻・皇太子一家の「家族写真」風石版画、『大日本帝国御尊影』(明治三五年)。明治一四年の『皇国高貴肖像』(左)と見比べると、皇后と並んで描かれていた皇太子の実母(柳原愛子《やなぎはらなるこ》・画面右)は、もはや登場しない。

家と家庭の複合

その影響は民法典《みんぽうてん》論争にも及んだ。条約改正には近代的な法体系の整備が不可欠だから、全国の慣行調査をふまえつつ、西欧にも通用する「家族のかたち」を模索する作業が、フランス人法学者ボアソナードを中心に進められた。そして、明治二三年に公布された民法は、戸主制を採用しながらも、財産は家産ではなく個人の所有と明記し、婚姻の自由、妻の離婚請求権なども認めた。そのため、慣行を重視する英米法学者や「古来の醇風《じゅんぷう》美俗」にこだわる保守派の非難が高まり、日本の商慣習との違いなどを批判された商法とともに、帝国議会で施行延期が議決された。

しかし、批判論の根底には、〈民法出でて忠孝亡ぶ〉（法学者穂積八束《ほづみやつか》の言葉）といったイデオロギーにもまして、老親の扶養や介護をめぐる不安があったと思われる。たとえば中西盾雄《なかにしたてお》検事の意見書は、もし婚姻の自由を認めれば、長男以外の子どもは父母を捨てて〈離離散散〉し、嫁の虐待を息子に告げれば〈別居するの外《ほか》なかるべし〉といわれるだろう、〈その悲歎如何《ひたんいかが》ぞや〉と訴えている。実際、天野《あまの》正子《まさこ》によれば、この時期の老人関係記事のうちもっとも多いのは「自殺」で、しかも家族への「気兼ね」が少なくなかった。もちろん、自殺の要因は虐待よりも、時代の急激な変化による家族の解体や疎外感にあっただろう。一八九〇年代の平均寿命は男性四三歳、女性四四歳だが（「厚生白書」）、死亡率の大きい乳幼児期・青少年期を生き延びた者の余命は、いまとそれほど変わらない。自由放任の社会では弱者ほど家族に頼るほかなく、「老後」は決して短くなかった。

結局、明治三一年に施行された民法（明治民法）は、家族成員の婚姻・分家に関する同意権、居所指定権など戸主の権限を強化し、妻の離婚請求権などに制約を加え、長男に家督相続・祭祀《さいし》権を与えた。財産の個人所有は変わらず、妻の家政参与権もある程度は認めたから、明治民法の「家」はかつての武家家族と同じではなかったが、これらの修正は中西盾雄の〈悲歎〉に対応し、親から自立したい青年・女性を拘束するものだった。とはいえ、西欧近代法の基本とされるナポレオン民法典にも、「夫は妻を保護する義務を負い、妻は夫に服従する義務を負う」という規定（二一三条）があり、妻の法的無能力や貞操義務・離婚請求権の不平等を認めている。なぜか。

金山直樹《かなやまなおき》によれば、ナポレオン法典起草者のひとりポリタリスは〈人は家族という小さな祖国を通じて大きな祖国に引きつけられる。良き父、良き夫、良き息子が、良き市民となる〉と述べている。近代国家は個人や私的所有を基礎にしながらも、個人が直接に社会とつながるのではなく、日常生活の基本単位と見なされた家族を介在させ、参政権をもたない「二級市民」の未成年者や女性を家長が統括し、社会的弱者を家族にかかえこませることによって、国家・社会の秩序を維持しているのだ。それゆえ、フランス革命の「人および市民の権利宣言」の「人」「市民」が「男」であることを暴露し、「女性および女性市民の権利宣言」を提起したオランプ・ドゥ・グージュは、ギロチンにかけられるほかなかったのである。

しかも、単婚核家族が基本の西欧と異なり、日本の近代家族は、「家庭」家族すなわち西欧とも共通する家長制と、日本に特徴的な「家」家族との複合として存在した。妻は夫との横の関係と同時に、夫の父母との縦の関係でも従属的な位置に置かれたわけである。

子どものために

それでも、結婚した女性が第一に求められたのは「子どもの教育」だった。とくに家業をもたない官吏・教師・会社員といったいわゆる新中間層は、経済的自立のためにも、子どもに学歴をつけさせるほかなかった。「愛情に満ちた家族」にもっとも共感したのは新中間層の一部であり、家庭イメージの広がりと学歴社会への歩みが時期的に重なるのも偶然ではなかった。明治三一年（一八九八）には、欧米で児童心理学や発達教育理論を学んだ学者らが雑誌『児童研究』を創刊した。子どもは小さな大人でないことが、アカデミズムの世界でも認知されたのだ。

それはまた、離婚率の低下とも重なった。〈幾度も夫の替えるを恥ともせず〉〈金銭の貯《たくわ》えさえあれば、女にても一家をなす〉と考えていると、弘化《こうか》二年（一八四五）に新潟奉行《ぶぎょう》を慨嘆《がいたん》させたように（『新潟市史』）、幕末・明治前期の離婚率の高さは、夫の一方的な離縁だけが原因ではなかった。庶民は共働きで、財産や地位に縛られることもない。好きな者同士が楽しく暮らせるのがいちばんである。無届けの結婚・離婚も多かった。民法の制定はそれに枠をはめ、女性からの離婚を困難にした。しかし、現実に離婚が減っていくのは、専業主婦化が経済的自立を難しく

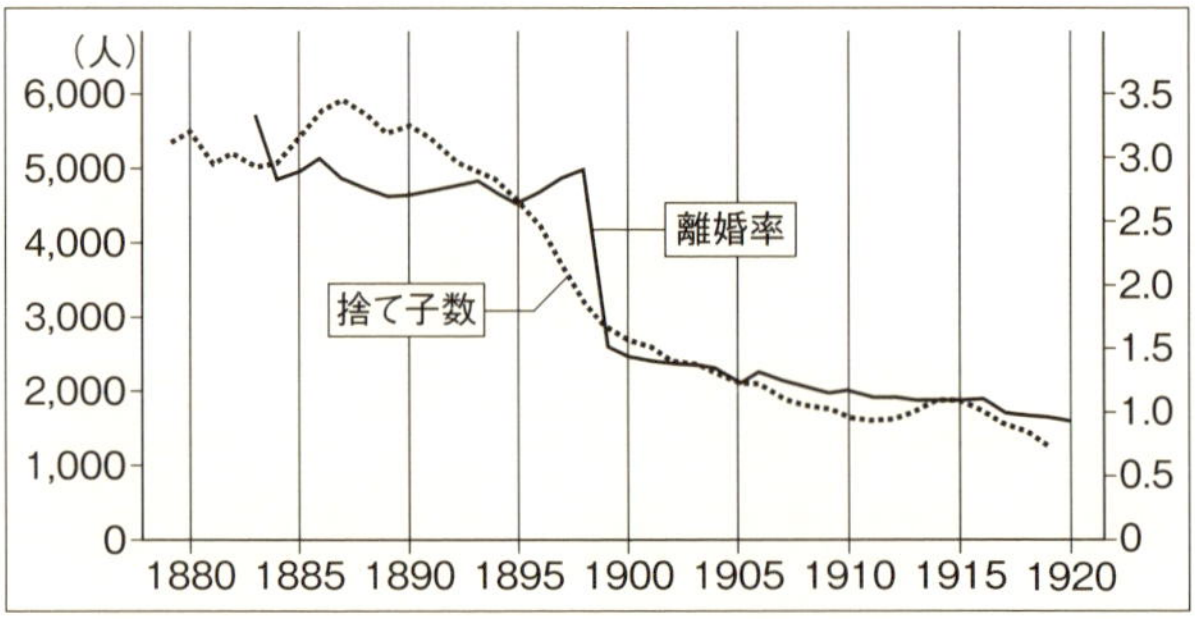

●離婚率と捨て子数の変化
離婚率（人口一〇〇〇人あたり）は明治三一年前後で統計方法が異なるが、基本的な傾向は明白。（沢山美果子『江戸の捨て子たち』より作成）

させるとともに、「子どもがかわいそう」という殺し文句が女性を縛ったからではなかろうか。「捨て子」数の低下もまたこの時期から始まった。沢村《さわむら》美果子《みかこ》によれば、江戸時代も捨て子は禁止されたが、富裕な家や寺院などの前に置かれれば、置かれた者が養育するか、かわりの者に扶養金を与えねばならなかった。捨て子をさらに捨てることは、実の親以上に厳しく罰せられた。これも富者の「徳義」なのだ。だから捨て子は、愛情の欠如というより、追いつめられた〈親と子の命を守るために他人に子の命を託す〉行為であった。

しかし、明治になると、捨て子は東京養育院のような公的機関に集められ、戸籍に「棄児」と記載された。そして、「保護されるべき、純粋な子ども」というイメージが強調されるにつれて、捨て子は倫理的にも許されないものにされていく。「家」制度が女性を外側から拘束したとすれば、「愛情あふれる家庭」という言説は、女性を内面から束縛した。学歴社会と「家庭」が登場した一八九〇年代は、そうした時代の始まりであった。

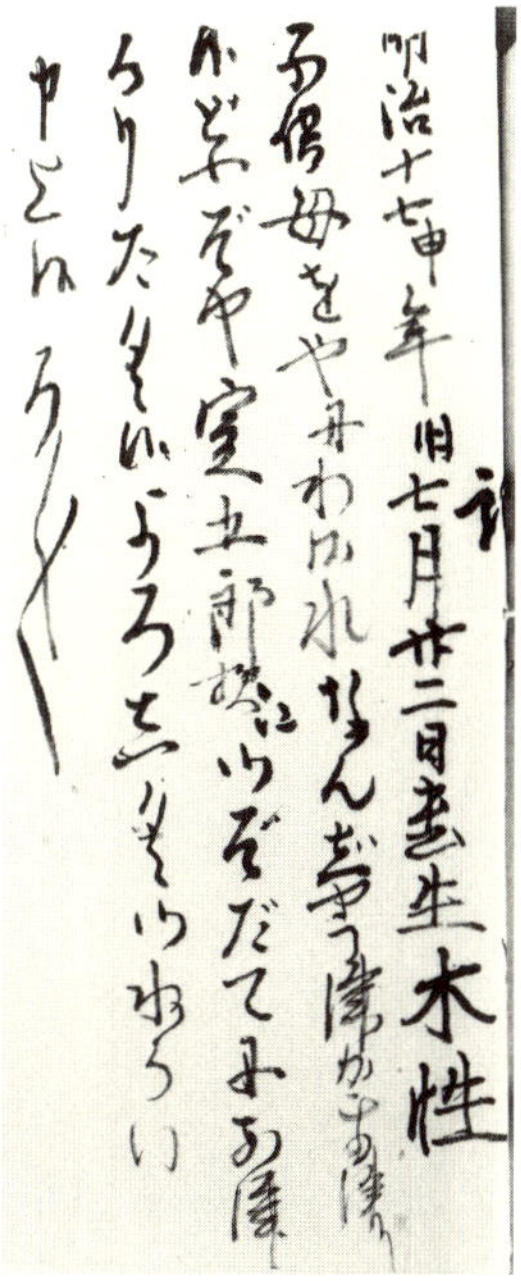

13

◉捨て子につけられた手紙（明治一七年）
「子供母をや（親）にわかれ、なんじやう（難渋）つかまつり候。どふぞ（どうぞ）や定五郎様え御そだて（育て）にあづかりたく候」と書かれている。

立憲制と近代天皇制

天皇の軍隊

明治十四年政変で大隈重信《おおくましげのぶ》追放の主役となった伊藤博文《いとうひろぶみ》は、しかし、〈大いに痛心の極みにて…毎晩不眠、酒一升呑《の》みてようやく寝に就く〉（『保古飛呂比《ほごひろい》』）といわれる状態に落ち込んでいた。原因のひとつは、井上毅《いのうえこわし》の台頭だった。大隈の憲法案に対抗するため、岩倉具視《いわくらともみ》の命令でバイエルン・プロイセンなどの制度をもとに「憲法大綱領《けんぽうだいこうりょう》」を作成した井上は、皇位継承を憲法に記載しない、大臣・参議は天皇にのみ責任を負うなど、のちの大日本帝国憲法と共通する構想を提示した。伊藤は、書記官ごときが憲法のような重大案件に口を出すなとはねつけたものの、ブレーンをもたない彼は対案を出せなかった。伊藤はまた、天皇の補佐を大臣に限定した太政官制《だじょうかんせい》や、遊惰《ゆうだ》の非難を浴びていた華族（旧公卿《くぎょう》・大名）制度の改革を主張していたが、これらも岩倉・井上の反対でつぶされた。急進派がいなければ穏健改革派は保守派に対抗できない。明治一五年（一八八二）三月、伊藤は憲法調査を理由にヨーロッパに出かけるほかなかった。

その間に力を蓄えたのは陸軍卿《りくぐんきょう》の山県有朋《やまがたありとも》だった。竹橋《たけばし》事件で窮地に立たされた山県は、「忠実・勇敢・服従の三約束」こそ軍人の精神であるという軍人訓戒を出すとともに、天皇直属の参謀本部を設置した。陸軍には、佐賀《さが》事件や西南《せいなん》戦争の総指揮権を文官の大久保利通《おおくぼとしみち》や有栖川宮《ありすがわのみや》が握ったことへの不満があり、竹橋事件や民権運動の高まりで、クーデターや政党が軍隊を動かす危険も意識された。軍隊の作戦・指揮にあたる軍令部門の独立は、国際的にもドイツに次ぐ早さだった。明治一五年一月には軍人勅諭《ちょくゆ》が出された。〈上官の命を承ること、実は直ちに朕《ちん》が命を承る義なりと心得よ〉の一節はのちに大きな威力を発揮するが、陸軍の内部文書にすぎない軍人訓戒《くんかい》に対して、これは天皇自身が署名し、太政大臣を介さず陸海軍卿に直接授けられた。「人権斉一《じんけんせいいつ》」を掲げた徴兵告諭が「国民の軍隊」を標榜《ひょうぼう》して兵役を受け入れさせようとしたとすれば、軍人勅諭は陸海軍が「天皇の軍隊」であることを明確に宣言したものだった。

山県はまた、外遊中の伊藤にかわって現役軍人のまま参事院《さんじいん》議長を兼任し、国政全体を見渡せる地位に就いた。明治一六年からは内務卿《ないむきょう》・内務大臣として自由民権運動を厳しく弾圧し、二一年には帝国憲法体制の一環である市制・町村制を策定した。山県は、軍隊だけでなく地方行政や治安など内政全般を主管する内務官僚とも緊密な関係をつくりあげ、やがて伊藤に対抗する官僚勢力の要《かなめ》になっていく。

だが、西南戦争後の陸軍は上層部を薩摩《さつま》士族が独占し、規律も乱れていた。これに反発した陸軍士官学校卒業生を中心に、能力本位の人材登用と近代的軍隊の形成を求める月曜会《げつようかい》が発足し、谷干城《たてき》・鳥尾小弥太《とりおこやた》・三浦梧楼《みうらごろう》・曾我祐準《そがすけのり》の反薩摩派「四将軍」が顧問になった。そして、陸軍主流が軍拡を要求し、鎮台制《ちんだいせい》を機動性に富んだ師団制に変えて海外派兵のできる軍隊に転換しようとしたのに対して、四将軍は専守防衛をとなえるなど、天皇を巻き込んだ対立になった。

この「陸軍紛議」は結局、薩長の権力維持を優先した伊藤の支持もあって、山県の勝利に終わった。将校の抜擢《ばってき》は上司の推薦が重視され、外国の兵書などを研究するのは〈陛下の命令を品評〉するに等しいとされた（乃木《のぎ》希典《まれすけ》・川上《かわかみ》操六《そうろく》「独逸《ドイツ》留学復命書」）。「天皇の軍隊」は、自主的に考えることすら許されないのだ。しかも陸軍大学校の教官メッケルは実務的な戦術家で、状況を総合的に判断する力を養うという視点はなかった。後年の日本陸軍の敗因として、情報の軽視や戦略的思考の欠落が指摘されるが、その原点はここにあった。

なお、明治二二年の徴兵令改正ですべての男子が徴兵検査を受け、四〇歳まで兵役の義務を負うことになった。また、徴兵事務の機構が整備されるとともに、郡や町村ごとに兵士の壮行会・慰労会が開かれるなど、地域の対応も少しずつ変化しはじめた。

内閣制度の創設

他方、明治一六年（一八八三）八月、一年半ぶりに帰国した伊藤博文《いとうひろぶみ》も自信に満ちていた。プロイセンを手本にすることは既定方針で、ベルリン大学のグナイストやモッセの講義も、それほど新味はなかった。だが、かつて鉄血宰相《さいしょう》とうたわれたビスマルクが議会の抵抗に苦しんでいる現実から、憲法の制度・条文にもまして、制度の運用や行政組織のあり方が重要であることを知らされた。そこで伊藤は、近代行政学の父といわれたウィーン大学のシュタインを訪ね、行政の自律性を確保することが国家建設の鍵《かぎ》であることや、内閣の権限、官僚制度のあり方などを具体的に学ぶことができた。しかも、伊藤が一目を置かざるをえない岩倉具視《いわくらともみ》は、帰国直前に死去していた。伊藤は参議のほか、制度取調局《せいどとりしらべきょく》長官・宮内卿《くないきょう》を兼任して制度改革に乗り出した。

明治一七年七月には、公・侯・伯・子・男の五爵位からなる華族令を公布し、士族・平民にも爵位を与えることにした。公卿《くぎょう》・旧領主と士族・平民との身分格差を最終的に解体し、保守派・軍人を取り込むとともに、衆議院に対抗する貴族院の基盤を強化するのがねらいだった。

ただし、天皇が最後の難関として残っていた。西南《せいなん》戦争後の天皇は、保守派の侍補《じほ》、元田《もとだ》永孚《ながざね》や佐佐木《ささき》高行《たかゆき》らの影響で、儒教による徳育を命じた「教学大旨《きょうがくだいし》」を出すなど、近代化政策に批判的な姿勢を強めた。元田らはまた、「天皇親政」を掲げて侍補の閣議臨席を要求した。これに対して伊藤は「教育議」を書いて反論し、岩倉と協力して侍補制度を廃止させた。そうした経緯もあって天皇は「西洋好き」の伊藤を避けていた。

天皇親政は維新の建て前だから、簡単には否定できない。だが、君主の個人的意思に頼ることの危険性は、孝明《こうめい》天皇が一転して徳川慶喜《とくがわよしのぶ》に乗り換えた事例からも明らかであり、君主が前面に出れば統治責任を厳しく追及される。王政復古以来、政府の正統性を天皇に求めつつ天皇の介入を排除し、いかに合理的で安定した国家運営を行なうかが政府首脳にとって最大の難問

14

◉どれがいいかな
日本坊やが各国の人形をいじった末にドイツ製を選んだ。日本の憲法や陸軍に関するフランス人画家ビゴーの風刺。(『トバエ』一八八七年)

であり、伊藤がシュタインに問うたことでもあった。結局、天皇がほかに頼れる政治家がいないと悟ったのは、伊藤の帰国から二年後だった。

こうして明治一八年一二月、伊藤は念願の内閣制を発足させた。総理大臣は行政全般を〈統督《とうとく》〉する権限をもち、法律・勅令は内閣が起草し、首相の副書《ふくしょ》がなければ発効しないとされた。むろん、天皇は政策決定に関与せず、責任も負わない。立憲制の前提が確立したのである。そして、井上《いのうえ》毅《こわし》・伊東巳代治《いとうみよじ》・金子堅太郎《かねこけんたろう》とともに憲法作成に着手し、二一年三月、ついに草案を完成させた。

議会開設の前に

この間、伊藤の盟友である井上馨《いのうえかおる》外務大臣は条約改正問題に取り組んだ。条約改正は明治政府の悲願だが、議会が開かれれば民権派の介入は避けられない。井上は関税自主権を棚上げし、外国人の国内旅行や商業活動を認め、外国人裁判官も採用するなど、大幅な譲歩をして明治二〇年四月、なんとか列国の同意を獲得した。ところが、法律顧問のボアソナード、谷干城《たにたてき》ら保守派、商工業者をはじめ各方面から激しい非難がわきあがり、井上は辞職を余儀なくされた。しかも、この機をとらえて旧自由党系民権派が運動を再開し、一二月には二府一八県の代表が東京に集まって建白書を提出するなど、規模ははるかに小さいものの、明治十四年政変と似たような状況になった。

しかし、伊藤は地方長官への訓示で、〈立憲王国〉で外交を〈人民の公議〉に任せることはできないと断言し、保安条例を公布して四五一名の民権家を一挙に東京から追放した。条約改正交渉はこのあと、伊藤内閣に続く黒田清隆《くろだきよたか》内閣で外務大臣になった大隈重信《おおくましげのぶ》が、外国人判事を元老院《げんろういん》に限定する修正案を提示し、アメリカなどと個別に条約を結んだ。だが、立憲改進党《りっけんかいしんとう》以外の支持を得られず、明治二二年一〇月、玄洋社《げんようしゃ》来島恒喜《くるしまつねき》の爆弾で大隈は片脚を失った。これで国会開設前の条約改正という政府の方針は最終的に挫折《ざせつ》し、列強も日本のナショナリズムの激しさを再認識させられた。

それでも、政府は市制・町村制をはじめ土地収用法、裁判所構成法、民事・刑事訴訟法などの重要な法律を議会開設前に公布してしまった。さらに、皇位継承などに関する皇室典範を、憲法から切り離して策定した。明治二一年設置の枢密院《すうみついん》では、女性天皇と側室が最大の論点になり、結局、女子の継承権は否定され、側室は容認された。明治初年の法制では「妾」と妻が同等に扱われたが、一夫一婦制を当然とする文明国から非難されつづけていた。しかし、明治天皇の場合、皇后には子がなく、側室五人が産んだ一五人（うち一〇人は夭折）のなかで、男子は柳原愛子《やなぎはらなるこ》の子、明宮《はるのみや》（のちの大正天皇）だけだった。しかも、享保期《きょうほう》（一七一六〜三六）の桜町《さくらまち》天皇から大正天皇までの九代は、すべて側室の子だった。一夫一婦制で男子のみの継承や「万世一系」を維持するのは不可能だったのである。

初期内閣の顔ぶれ

	第1次伊藤内閣	黒田内閣	第1次山県内閣
発足年（明治）	8年12月	21年4月	22年12月
総理	伊藤博文	黒田清隆	山県有朋
外務	井上馨	大隈重信	青木周蔵
内務	山県有朋	山県有朋	山県有朋(兼)
大蔵	松方正義	松方正義	松方正義
陸軍	大山巌	大山巌	大山巌
海軍	西郷従道	西郷従道	西郷従道
司法	山田顕義(兼)	山田顕義	山田顕義
文部	森有礼	森有礼	榎本武揚
農商務	谷干城	榎本武揚(臨兼)	岩村通俊
逓信	榎本武揚	榎本武揚	後藤象二郎

＊メンバーは内閣発足時のもの。(兼)は兼任、(臨兼)は臨時兼任の略

長州　薩摩　土佐　肥前　幕臣

伝統をつくる

一八八〇年代はまた、近代天皇制の基盤が整備された時期だった。天皇の存在をアピールする地方巡幸は、明治一八年（一八八五）の山陽道で終わった。経費は国が出すと政府は通達したが、県令・町村長は他地域に負けないだけの歓迎態勢を整えざるをえない。道路工事の割り当てや「日の丸」の購入など、さまざまな負担を強《し》いられた民衆の不満は少なくなかった。それでも、一生に一度あるかないかの大イベントであり、規制は相変わらず控えめだったから、行列の沿道や宿泊地には大勢の人びとが集まった。屋台や花火など、例によってお祭り騒ぎになったところもある。また、福島県安積《あさか》郡の開拓・疎水工事が国家事業に格上げされたように、天皇の視察は公共事業の強力な促進剤にもなった。地域社会の「歓迎」にはこうした多様な思惑《おもわく》や期待があったが、士族反乱、民権運動、民衆の反発などに直面していた地方の有力者層を取り込むうえで、巡幸が一定の成果をあげたことは確かだった。

また、議会から独立した経済的基盤を確立するために「皇室財産」が設定され、官有の山林原野約三五〇万町歩《ちょうぶ》や佐渡・生野《いくの》鉱山、政府保有の日本銀行・日本郵船会社の株券約一〇〇〇万円などが移管された。その結果、天皇は日本最大の財産所有者となり、さまざまな目的のために多額の「下賜金《かしきん》」を出すことも可能になった。

しかし、文明国と認められるには、西欧諸国に認知される君主制をつくらねばならない。まずは歴代天皇陵《りょう》の確定である。実在の疑わしい天皇をはじめ、陵墓が不明なもの、伝承の不確かなものが少なくなかった。そのため、幕末から陵墓の確定・修復作業に着手したが、この時期に一三陵が一挙に「確定」された。なかには学問的に疑わしいものもあるが、天皇の統治権の根拠が「万世一《ばんせいいっ》系《けい》」にある以上、それを「事実」で示さねばならなかった。

江戸時代には庶民の信仰と遊興の場であった「お伊勢《いせ》さん」も、古市遊廓《ふるいちゆうかく》・料理屋・芝居小屋などが排除され、皇祖天照大神《あまてらすおおみかみ》を祀《まつ》る宏大な聖域に「純化」された。また、明治二三年には神武《じんむ》天皇・皇后を祭神とする橿原神宮《かしはらじんぐう》、二八年には桓武《かんむ》天皇の平安神宮《へいあんじんぐう》などが創建された。これらは観光資源として地元の商工業者らが造営したものだが、いつのまにか荘厳さを感じる人びとが出てくる。明治六年に焼失し、赤坂離宮が仮御所になっていた皇居も、憲法発布の直前に和洋折衷の新宮殿が完成した。西の丸下一帯の建物が取り壊されて宮居前広場がつくられた。他方、一時は五〇〇〇円で売りに出されたり、博覧会場にされた京都御所も修復・整備され、皇室典範は重要な天皇儀礼である即位礼と大嘗祭《だいじょうさい》を京都で行なうと規定した。

また、廃仏政策などによる仏像・絵画などの売却、海外流出が続くなかで、岡倉天心《おかくらてんしん》やフェノロサらが古美術品の調査・保全に着手したほか、法隆寺《ほうりゅうじ》の四八体仏や東大寺正倉院《とうだいじしょうそういん》の宝物が博物館に収蔵された。博物館は当初、文部省の所管だったが、やがて宮内省に移管され、明治三三年には帝国博物館から帝室

◉東京招魂社の洋式礼拝
明治二年設立の東京招魂社では、「ヂヌワ、テール」の号令でフランス式の敬礼をした。一二年に靖国神社になると廃止された。

博物館になった。収蔵品は天皇家の私有物となり、正倉院の宝物などは「御物《ぎょぶつ》」として秘蔵された。博物館がどのような性格をもつかはその国の「文化のあり方」を端的に示すものだが、日本の文化は天皇のものであり、皇室が千数百年にわたって日本文化を保護してきた証拠とされたわけである。

こうした措置は、古風な儀礼や伝統によって権威を高めていたロシアやオーストリアの帝室から学んだもので、宮中儀礼も西欧を手本に整備された。御真影《ごしんえい》の「拝礼」も、神式の柏手《かしわで》ではなく、西洋風の最敬礼になった。開化（欧化）と復古は、ここでもセットになっていた。この点で興味深いのは、靖国神社《やすくにじんじゃ》と伊勢神宮の対比だろう。二〇年ごとに建て替えられる白木造りの社殿と神聖性を強調する伊勢神宮に対して、天皇のために戦死した「英霊」を顕彰する靖国神社は、青銅製の大鳥居、イタリア人が設計した石造りの戦争博物館（遊就館《ゆうしゅうかん》）といった半恒久的な建造物に囲まれ、競馬など遊興の場ともなったからだ。伝統・文化を代表する「古都」と、文明・政治を代表する「帝都」という二つの都と東西二つの神社が、対照的でありながらそれゆえに相互に補完しあって、近代天皇制と大日本帝国を支えたわけである。

16

◉遊就館
イタリア人建築家カッペレッティの設計で、明治一五年完成。戦死者の遺品・武器・戦利品などを収納・展示した。

文明から文化へ

一八九〇年前後にはまた、「日本固有の文化」を強調する三宅雪嶺《みやけせつれい》らの雑誌『日本人』や陸羯南《くがかつなん》の新聞『日本』が部数を伸ばし、普遍的な平民主義を掲げた徳富蘇峰《とくとみそほう》の雑誌『国民之友《こくみんのとも》』と言論界を二分するようになる。「はじめに」で述べたように、近代国家は文明＝世界標準に適合する国家システムを整備するとともに、独自の文化を誇示することで自国のアイデンティティを確保しようとする。彼らの主張は、復古的な排外主義・国家主義ではなく、「普遍的な文明」を前提にしていたが、鹿鳴館《ろくめいかん》的欧化主義への反発と同時に、産業の発展や議会開設によって日本も文明国の仲間入りを果たしたと自負できるようになったからこそ、こうした主張が登場したといえるだろう。

三上参次《みかみさんじ》・高津鍬三郎《たかつくわさぶろう》による『日本文学史』、志賀重昂《しがしげたか》『日本風景論』などが刊行され、帝国大学が国史科を新設し、岡倉《おかくら》天心《てんしん》が東京美術学校で「日本美術史」の講義を始めたのも、この時期である。文化の「通史」は、それまであった個別の作者・流派に関する伝記類と異なり、ある時期のさまざまな作品に共通する特徴を付与するとともに、ほかの時期との相違、連

17

◉知恩院の聖観音銅像
東京美術学校が京都の知恩院《ちおんいん》の依頼で制作した。観音像の向かって左隣が彫刻家高村光雲《たかむらこううん》、右側は奈良時代風の校服を着た鋳金家岡崎雪声《おかざきせっせい》。

続と断絶の「関係づけ」を行なうことによって、あたかも、はるか昔から「日本の文化」なるものが滔々《とうとう》とした流れとして実在し、それが「われわれ日本人」をつくってきたという歴史意識を生み出す。近代歴史学が国民統合のための学問といわれるのは、そのためである（むろん、本書もそれに加担している）。

さらに、明治二二年（一八八九）の江戸開府三〇〇年祭を皮切りに、藩祖三〇〇年祭などが各地で開かれはじめる。もはや幕府や藩の顕彰が政治的な「毒」にならなくなったのだ。それどころか、こうした行事や出版物を通して、当時は客分だったはずの民衆までが、「藩」に親近感をもつようになっていく。東京に出てきた人びとが、親睦《しんぼく》や相互扶助のために郷友会《きょうゆうかい》をつくるのも、このころからである。個人と国家の中間に故郷が位置づけられ、郷土愛が家族愛と並んで個人と国家や天皇を媒介するようになる。

そのほか、庶民の娯楽であり賤視《せんし》さえされていた歌舞伎《かぶき》を、西欧のような「演劇」に改良する試みもあった。これ自体は成功しなかったが、市井の事件や庶民の生活をいきいきと描いた生世話《きぜわ》の活力はしだいに失われ、歌舞伎は日本文化を代表する「古典」芸能としての性格を強めていく。

ただし、「日本固有の文化」論は天皇を無視できない。陸羯南が財産選挙制を厳しく批判する一方

18

◉四代目中村芝翫《なかむらしかん》
市川団十郎《いちかわだんじゅうろう》・尾上菊五郎《おのえきくごろう》・市川左団次《いちかわさだんじ》などとともに、明治時代の人気役者のひとりだった。

で、〈二国の歴史は一国民の族譜なり〉、〈建国二千五百年、一系不易の帝室は日本国民の一特性にあらずや〉(『日本』)と主張したのはその好例である。久米《くめ》邦武《くにたけ》が論文「神道は祭天の古俗」で帝国大学を追われたことは第五章で触れた。もとより、制度や文書がただちに人びとの意識を変えてしまうわけではない。そのことは、文明開化期にもいえることであり、本書はむしろ、その面を強調してきた。それでも、「歴史」の起点に「天皇」が据えられてしまったことが、その後の「日本人」の精神にとって大きな制約になったことは、やはり指摘しておかねばならない。

憲法祭と万歳

学校や工場が休みになって、町の角々に杉の葉を結びつけた緑門が立ち、表通りの商店に紅白の幔幕《まんまく》が引かれ、国旗と提灯《ちょうちん》がかかげられ…どうかすると芸者が行列する。夜になると提灯行列がある…これは明治の新時代が西洋から模倣して新たに作り出した現象の一である。東京市民が無邪気に江戸時代から伝承してきた氏神の祭礼や仏寺の開帳とは全くその外形と精神とを異にしたものである。氏神の祭礼には町内の若者がたらふく酒に酔い小僧や奉公人が赤飯の馳《ち》走《そう》にありつく。新しい形式の祭にはしばしば政治的策略が潜《ひそ》んでいる。(永井《ながい》荷風《かふう》『花火』)

大日本帝国憲法が発布された明治二二年(一八八九)二月一一日、新築の皇居大広間で明治天皇が黒田《くろだ》清隆《きよたか》総理大臣に憲法を手渡した午前一〇時三五分、近衛《このえ》砲兵隊の撃ち出す一〇一発の号砲を合図に烟火《はなび》が上がり、一〇〇を超える山車《だし》や踊屋台《おどりやたい》が繰り出して、荷風の描くような光景が出現した。

　これは庶民が自発的に始めたものではない。二月に入っても〈民間の景況意外に寂々たる〉ありさまで（『朝野《ちょうや》新聞』）、あわてた東京府が天下祭りのようにやってくれと頼んでも、住民は乗ってこなかった。お上《かみ》の命令で祭りをやるほど、江戸っ子も落ちぶれていなかった。ところが、神田《かんだ》の若者連が「憲法祭」と染め抜いた揃《そろ》いの半纏《はんてん》をしつらえたと聞くや、競争心が点火され、一気に爆発したのだった。しかし、「まるで神田と山王《さんのう》の祭りと盆と正月が一緒に来たようだ」といわれたこの祭りは、荷風が見抜いたように、たんなる空騒ぎではすまなかった。御真影《ごしんえい》・日の丸・君が代・万歳という国民統治の「四点セット」が勢ぞろいしたからである。

　とくに「天皇陛下万歳」は憲法祭が初登場だった。すでに民権運動でも「自由万歳」などと叫ばれてはいたが、天皇に向かって手を振り大声を出すことなど、ありえなかった。古文書《こもんじょ》に「万歳を称《たた》える」とあっても、天皇の御代《みよ》が永く続くことを祈

19

●憲法祭のにぎわい　式典を終えて青山練兵場に向かう天皇と皇后。二人が同じ馬車に乗ったのも、このときがはじめてだった。（歌川国利《うたがわくにとし》『憲法御発布式祝祭之景況幷ニ二重橋御成行列之図』明治二二年）

念するだけで、声は出さなかった。これでは民衆と天皇の関係はよそよそしい。しかし、沿道の群衆がいっせいに「天皇陛下万歳！」と叫ぶなかを、天皇が微笑しながら通ればどうなるか。天皇と民衆のあいだはもちろん、雑然とした民衆同士までが一瞬のうちに一体感に包まれるだろう。「万歳」には共属意識を生み出す力がある。ここに着目したのは、唱歌や体操による集団的アイデンティティの創出に努めた森有礼《もりありのり》文部大臣だった。

この一か月前、森文相は天皇が新宮殿に転居する際、沿道に整列した女生徒に「君が代」を歌わせた。この「君が代」は現在のものではなく、賛美歌のメロディを使った小学唱歌だが、驚いた天皇は馬車の窓を開け、生徒たちに会釈した。大人に唱歌は歌えないが、西欧には「フレー（hurray）」のような祝声がある。当初、森は「奉賀《ほうが》」を提案したが、連呼すると「ホーガーァ、ホーガ、ホーガー（阿呆が）」になるので「万歳」になった。ただ、万歳の漢音（バンゼイ）は音が汚いので、呉音（マンザイ）と折衷して「バンザイ」にした。そして、憲法発布の式典を終えた天皇・皇后の馬車が二重橋を渡りはじめるや、特訓を受けた帝国大学生や官立学校生がいっせいに叫んだ。「万歳」はまたたくまに市中に波及した。

さらに、各区役所などで開かれた記念式典では、「日の丸」とともに榊《さかき》や神酒《みき》を供えた「御真影」が掲げられた。式典のあいだ小学生が「君が代」を歌ったところもある。のちに高等小学校などに下付された御真影もご神体なみの扱いを受けたが、「万歳」にこたえることでようやく民衆と同一の空間に降り立った天皇は、ふたたび「神」になってしまったわけだ。しかし、皆が「万歳」を連呼すれば、写真であっても共属意識は生まれるし、むしろ生身の天皇より権威を感じることもあっただろう。ふつうの神仏に万歳を唱える人はいない。天皇は「神」でありながら、ただ拝礼される以上の共感をもって人びとの内面に存在できるようになったのである。

国民統合の象徴

それにしても、なぜ憲法発布とともに国家祭典が始まったのか。憲法を制定して議会ができた以上、〈我々人民はもはや前日の無権力・無責任なる国民〉ではない（『朝野《ちょうや》新聞』）、〈政治上固く結びて一体をなしたる〉〈日本国民〉は憲法発布の日に生まれた（『日本人』）と、新聞・雑誌は力説した。しかし、全人口三千数百万人のうち、衆議院議員選挙の有権者は、直接国税一五円以上を納める二五歳以上の男性約四五万人だけであり、前年に公布された市制・町村制では、地租か直接国税二円以上納入の男性のみを「公民」とし、その他はたんなる「住民」とされた。議会開設前は誰もが被治者＝客分だったが、いまや、男女や貧富の格差が政治的な格差にまで拡大され、圧倒的多数の人びとは「非―国民」になってしまったのだ。

もとより、制限選挙制は日本だけではなかった。自由経済が強者の自由を保障するシステムである以上、貧者に政治的権利を与えることはできないし、女性に男性と対等の権利を与えれば、家長の支配や性別役割分担がゆらぎかねないからである。実際、第一議会では、政府が提出した窮民救助法案すら、怠惰な人民の依頼心を増加させるとして否決され、女性の政社・政談集会への参加を禁止した集会及政社法も、植木枝盛《うえきえもり》が亡くなると誰も問題にしなかった。

だが、制度的に客分である民衆にもナショナル・アイデンティティ（国家との一体感）をもたせないかぎり近代国家は成り立たず、何より戦争ができない。そこで登場したのが「臣民《しんみん》」だった。江戸時代の「臣」は藩主と人格的に結びつき統治権の一端を担った家臣であり、「民」は客分の人民だった。だが、井《いの》上毅《うえこわし》が〈民権公権を失う者もまた帝国の臣民に非《あら》ざるはなし〉と述べたように（「国民身分及帰化法意見」）、臣と民を融合させてしまえば、すべての日本人を「天皇の赤子《せきし》」として一元化できる。「臣民」は制限選挙制で分断された「非―国民」を近代国民国家に統合するための概念であり、天皇は文字どおり国民統合の象徴であったのだ。

大規模な国家祭典もまた、国民的一体感を演出する場だった。しかし、集まった民衆が受け身の見物人でありつづければ、逆効果にもなりかねない。いっせいに手を挙げ大声を出すといった「主体的な」行為が加わってこそ、一体感を実感できる。国民を分断した憲法発布の日に万歳を連呼する憲法祭が出現したのは、だから、歴史の狡知《こうち》というほかないのかもしれない。ただし、その演出家ともいえる森有礼《もりありのり》は当日の朝、国家主義者に刺殺され、この光景を見ることはできなかった。

20

◉国母としての皇后
皇后は東京慈恵《じけい》病院などをたびたび訪れては、患者を直接励ました。皇后の洋装は明治一九年から。（小《こ》林《ばやし》清親《きよちか》画『野戦病院エ行幸之図』）

天皇・政府・議会

とはいえ、天皇制と立憲制をいかに接合するかは、明治政府にとって長年の難問であった。その一応の結末を最後にみておくことにしよう。

明治二一年（一八八八）四月に開設された枢密院《すうみついん》では、帝国憲法第四条の〈天皇は国の元首にして統治権を総攬《そうらん》し、この憲法の条規によりこれを行う〉という文言に対して、憲法を天皇の上に置くものだという批判が出された。しかし、〈憲法の条規により云々《うんぬん》の文字なき時は憲法政治にあらず〉と伊《い》藤博文《とうひろぶみ》は力説し、天皇や保守派も、憲法の条文で国民の権利・自由を保障し、天皇の大権に一定の制約を加えないかぎり、西洋諸国から近代的憲法と認定されず、国内の政治的安定も得られないということを認めるほかなかった。

その一方で、軍隊の統帥《とうすい》・編制、宣戦・講和、条約締結などが天皇大権と明記され、教育についても法律ではなく勅令で処理された。しかも、華族や勅任議員で構成される貴族院のほかに、諮問機関の枢密院や、憲法に規定のない参謀本部・元老《げんろう》などが天皇に直結していた。これは官僚・軍部などの相互牽制《けんせい》の結果であるとともに、天皇に政治責任を及ぼさないための安全装置でもあった。

ただし、内閣の独走を心配する井上毅《いのうえこわし》の主張で、議会に法案提出権や天皇への上奏権が与えられ

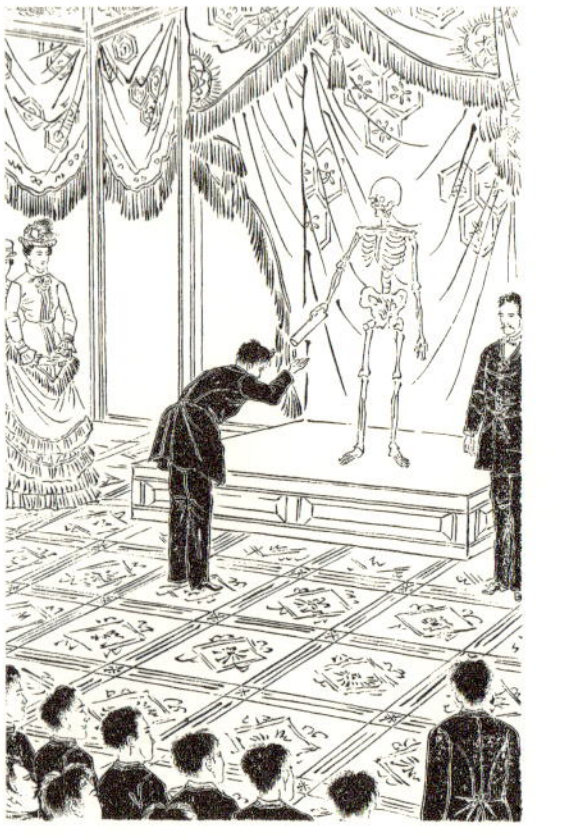

21

◉頓智研法の発布式
憲法発布式で、天皇が首相に憲法を授ける様子を描いた錦絵のパロディ。これを雑誌に載せた宮武外骨《みやたけがいこつ》は、不敬罪で処罰された。（『頓智《とんち》協会雑誌』明治二二年三月）

た。また、法律・予算は議会の協賛がなければ成立せず、緊急勅令もつぎの議会で承認されなければ失効した。「輔弼《ほひつ》」「協賛」といった表現にもかかわらず、基本的には天皇が政府を無視したり、政府が議会を無視したりできない仕組みになっていた。要するに帝国憲法は、天皇主権と立憲主義の複合体であった。

しかし、内閣に国政を統一的に運営する権限がなく、補佐機関が併存すれば、国政の混乱は避けがたい。通常は元老がその調整をしたわけだが、時には天皇が裁定しなければならなかった。天皇は「輔弼」に基づく受動的な君主であると同時に、独自の判断を下す能動的君主でもあった。こうした両面性は西欧の君主にもあるし、状況に応じた柔軟な対応を可能にもしたが、元老や天皇の権能が衰退した昭和期には、軍部や補佐機関が勝手な言動を繰り返し、天皇を含めて誰もその帰結に責任を負わないという、深刻な事態を招くことになる。

初期議会の攻防

実際、明治二三年（一八九〇）一一月に帝国議会が開かれると、さまざまな問題が続出した。どのような制度も運用の過程でその内実がつくられていくものだが、誰もが初体験で暗中模索の連続だった。

まず、衆議院で過半数を占めた民党（民権派の流れをくむ議員たち）は、「民力休養・政費節減」をとなえて予算案を毎年大幅に減額修正し、政府と衝突を繰り返した。予算案が否決されても政府は前年度予算を執行できるが、新規事業には取り組めない。また、勅令・法律などに基づく義務的経費の削減には、政府の同意が必要だった。だから、政府と議会はともに、なんらかの交渉なしに自分たちの「望ましい予算」をつくれなかった。第一議会ではいわゆる土佐《とさ》派の裏切りによって、土壇場《たんば》で妥協が成立した。買収工作と同時に、「アジア人に立憲制は無理だ」と西欧から嘲笑《ちようしよう》されたくないという「国際的世間体」を双方が気にしたからだった。だが、第二議会では政府の同意なしに海軍費などの削減を議決したため、ついに議会が解散された。

また、明治二四年五月、ロシア皇太子（のちの皇帝ニコライ二世）が巡査津田三蔵《つださんぞう》に斬りつけられた大津《おおつ》事件が起こると、ロシアの報復を恐れて国内は一時パニック状態になり、新聞雑誌の事前検閲を定めた緊急勅令が出された。翌年の議会で貴族院はその存続を決議したものの、衆議院の否決が優先されて失効した。さらに、貴族院の予算審議は交渉の難航から会期末になることが多く、実質的に衆議院の議決で予算が確定する慣行がつくられた。衆議院が対決姿勢を示したことで獲得した権限である。

ところが、明治二五年二月の選挙は、政府が警官・郡吏などを動員して民党の選挙運動を公然と妨害したため、死者二五人、負傷者三八八人を出す事態となった。

この仕掛け人は明治天皇だった。第一議会が終わると山県有朋《やまがたありとも》が首相を辞職し、伊藤博文《いとうひろぶみ》らもしり込みして、松方正義《まつかたまさよし》にお鉢《はち》がまわった。だが、指導力を発揮できず、天皇が指示・裁定することが多かった。内閣が非力で元老《げんろう》も協力しなければ、天皇が乗り出すほかなかった。そして、内閣機密費五〇万円のほか御手許金《おてもときん》一〇万円を下付して〈良民の議員〉を増やそうとしたのである（『伊藤博文伝』）。結果は、民党の勝利だった。

この間、事態を打開するには政府派の政党をつくるほかないと主張した伊藤は、政党を敵視する天皇の猛反対にあって、傍観的な態度をとっていた。しかし、明治二五年八月、ようやく伊藤首相のもと、山県・黒田清隆《くろだきよたか》・井上馨《いのうえかおる》・大山巌《おおやまいわお》ら有力者が勢ぞろいした「元勲《げんくん》内閣」が発足した。それだけに第四議会では民党も攻勢を強め、内閣弾劾上奏案を議決した。伊藤はやむなく、政府・議会の〈和衷協同《わちゅうきょうどう》〉を命じる詔勅《しょうちょく》を出して乗りきった。議会が軍艦建造を承認する見返りに、内廷費や官吏俸給などを減額し、建造費の一部にあてるという取り引きだった。詔勅には大臣の副書《ふくしょ》があり、責任の所在を明示してはいたが、立憲制の生みの親ともいうべき伊藤みずからが、議会制を否定したに等しかった。天皇が内閣の意のままになれば〈帝室を怨《うら》み奉る〉人情が生じかねないと佐佐木《ささき》高行《たかゆき》は日記に書いている。国民統合の象徴としての天皇の役割を考えれば、当然の批判だった。

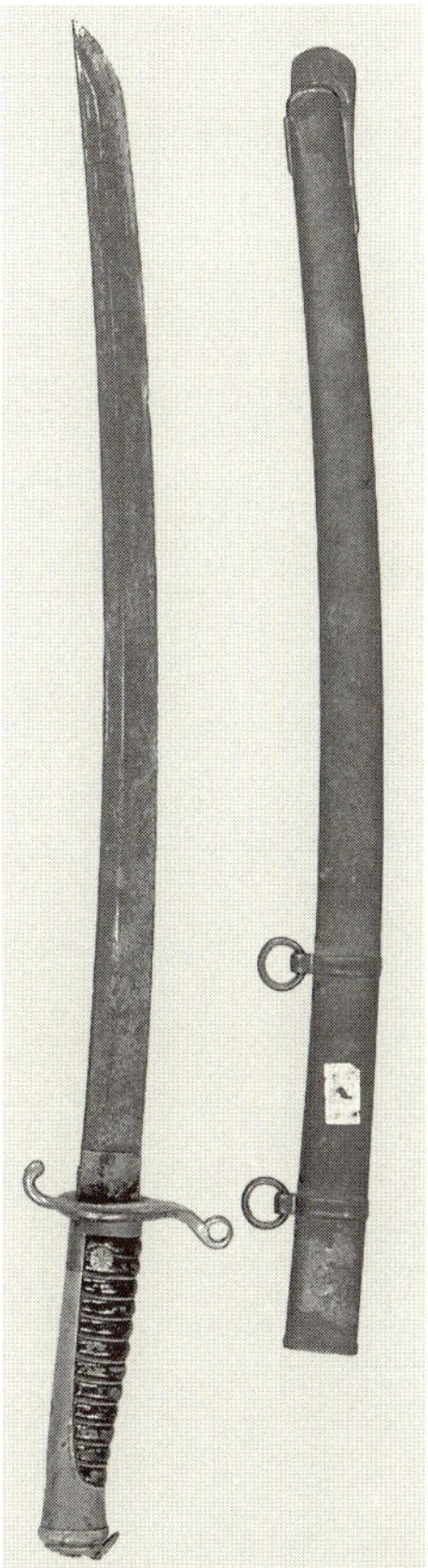
22

◉**大津事件のサーベル**
津田三蔵が使った凶器。日本刀の鞘《さや》や柄《つか》を洋風にしたもので、長さ約一m。巡査のサーベルは、こうした改造刀が一般的だったという。刃こぼれは襲撃の際にできたといわれる。

三すくみの打破

ただし、このころから、予算削減よりも鉄道建設など公共事業費の配分を求める声が地方からあがり始め、東京でも、不景気のなかで新規事業をすべて否定されたのでは、われわれ〈細民〉は餓《が》死《し》するほかないと、一五〇余名が連署して民党に申し入れるといった動きが出てくる（『時事新報《じじしんぽう》』）。また、板垣退助《いたがきたいすけ》・星亨《ほしとおる》ら自由党首脳は、条約改正や海軍拡張に賛成する方針を打ち出した。星は政権参加のためには妥協も辞さない現実主義者で、しかも伊藤博文《いとうひろぶみ》首相が天皇の反対を押しきって外相に据えた陸奥宗光《むつむねみつ》とは、親密な間柄だった。そして、陸奥はイギリスとの条約改正と、清国《しんこく》からの朝鮮「独立」（日本の支配）を最優先の課題にしていた。主要政党が完全野党として政府と全面対決する「初期議会」の構図が崩れはじめたのである。

ところが、第五議会では、これまで政府寄りだった国民協会など保守派・国権派が、外国人の国内居住などを認める「内地雑居」に反対をとなえて政府と対立し、伊藤と自由党の接近を知った立《りっ》憲改進党《けんかいしんとう》も、これに同調した。自由党も外交以外では政府に同調せず、伊藤は議会を解散した。だが、大勢《たいせい》は変わらず、政府はわずか半月後にふたたび議会を解散せざるをえなかった。

他方、憲法はドイツかぶれの伊藤がつくったと板垣らが演説していると知らされた天皇は、〈憲法は何処迄《どこまで》も朕《ちん》の欽定《きんてい》にして、伊藤が作りたりなど（と）云うべきに非《あら》ず〉（「伊東巳代治《いとうみよじ》の伊藤宛書簡」）と反発し、議会制を停止するほかないという保守派の進言を退けた。安田浩《やすだひろし》の指摘するように、欽定ゆえに憲法・議会を否定できないという〈君主の自己拘束〉が生じたのだ。こうして、帝国憲法体制を構成する天皇・政府・議会は、三すくみと自縄自縛《じじょうじばく》の複合状態に陥ってしまった。

窮地に追い込まれた伊藤や陸奥は、清国との戦争に持ち込む画策を推し進めた。その策謀が功を奏し、日清《にっしん》戦争の最中に開催された第七議会は、前議会とほぼ同じ議員が再選されたにもかかわらず、臨時軍事費予算とともに、天皇と軍隊に〈感謝〉する決議を満場一致で可決した。結局は戦争が政府と議会の関係を決定的に転換させたのである。

日清戦争はまた、銃後の民衆のなかにナショナリズムを一気に浸透させた。その様子はこの全集のつぎの巻で詳しく描かれるだろうが、ここでは、幕末の激動や文明開化政策にも負けずに流れつづけてきた庶民の「お祭り騒ぎ大好き」という〈桜花的〉心情がその根底にあり、そうした一見秩序逸脱的な〈情性〉が堤防を決壊させたときの危険を鋭く指摘した論説を紹介しておきたい。

> 我名誉なる桜花的の美質、すなわち、情性の上に働く特質が如何《いか》に澎湃《ほうはい》として我帝国の民衆の脳裡《のうり》に侵入し…万歳万々歳の調子よき声が口より口に伝唱せられ…児童走卒す

23

◉凱旋《がいせん》兵士の出迎え
日清戦争が終わり兵士が帰郷すると、幟《のぼり》や旗を掲げ、時にはラッパや太鼓を鳴らして住民が出迎えた。

ら、なお万死報国の四字の念慮は常に脳裡に充塞《じゅうそく》し…（李鴻章《りこうしょう》の人形の首を切って快哉《かいさい》を叫ぶような〈無邪気の挙動〉をなす者すら少なくなかった）…帝国を思うの真情、誠に感に堪えざるもの、余輩は元よりこれらの行動に否《いな》を唱うるものにあらず。ただ…これらの情性が将来決堤の勢力もて、我帝国内に狂働するの日あらば、果たして如何の現象をか呈すべき…

（『いはらき』明治二八年九月二八日）

おわりに

文明国をめざして

復古を媒介とした開化

幕末に日本の文明化を本格的に推進したいと考えていたのは、幕府のなかの改革派であった。もしも、尊王攘夷《じょうい》を掲げた薩長が権力を奪取できず、徳川慶喜《とくがわよしのぶ》がフランス公使に宣言したように、幕府がそのまま開化を主導し、天孫降臨・万世一系の天皇神話が国家の公定イデオロギーにならなかったならば、「日本の近代」は異なった姿を見せたかもしれない。歴史の可能性を考えるうえで、興味深い「もしも」ではある。

しかし、徳川幕府のアイヌ同化政策や朝鮮侵攻計画、あるいは、蝦夷地《えぞち》占領・琉球《りゅうきゅう》併合を正当化した万国公法の論理、幕臣でもあった福沢諭吉《ふくざわゆきち》の脱亜論などは、いずれも「復古」、すなわち天皇制イデオロギーと直接の関係はなかった。それゆえ、幕府を中心とした文明化であっても、対外政策が明治政府と本質的に異なるものになったとはいいきれない。また、幕府の改革派は、国内政策においても、仁政《じんせい》・徳義《とくぎ》の政治経済システムから自由放任・弱肉強食社会への転換を推進しただろう。「はじめに」でも述べたように、西洋近代文明は「野蛮に対する優越」と「国民国家」とを不可欠の前提にしているからである。復古神道や征韓論《せいかんろん》に同調することのなかった一般民衆が、朝鮮・中国に対して優越意識をもつようになったのも、みずからも文明国日本の一員と意識したからだった。もとよりこれは、「欧米のいうグローバル・スタンダードに追随するかぎり」という条件付きの話であり、明治政府の、信義を一貫して無視した対アジア政策や、強権的な政治姿勢を正当化するものでは、まったくない。

ただし、文明化を西欧への屈服と見なす勢力の拡大は後発国の近代化に共通するものであり、開国前における国学・水戸学の浸透をみれば、復古神道（神道原理主義《しんとう》）の登場は避けがたかっただろう。しかも、尊攘派が権力を握った日本では、復古はかならずしも開化と対立せず、むしろ近代国家の確立を促進する役割を果たした。王土王民論による領主権の廃棄、徴兵制などの導入における「開化＝復古」の論理、国民統合の象徴としての天皇の役割などがその好例である。

また、皇室の正装が洋服であり正餐《せいさん》がフランス料理だったように、近代天皇制は西欧の王室をつねに意識し、模範とした。明治維新から帝国憲法成立までの過程を主導したのは文明化の論理であり、復古はあくまでも介在（媒介）的機能にとどまった。とはいえ、近代天皇制が国民国家の形成を支えたがゆえに、国家神道は国民統合のための国教（市民宗教）としての機能をしだいに担いはじめ、「普遍的な文明」に対抗する「日本固有の文化」の基底ともなっていった。

「生活」のない近代

それでは、文明化は民衆にとって望ましいことだったたか。この問いはしかし、あまり意味をもたない。ものごとはつねに両義的であり、肯定と否定の連鎖としてしかとらえられないからだ。「ただし」や「同時に」といった物言いを本書が多用せざるをえなかったのもそのためだが、たとえば、文明開化政策に反発する庶民は、〈禁さん帰して徳さん呼んで　元の正月してみたい〉とうたったものの、武士が威張りちらす身分制の復活を望んではおらず、鉄道・ランプ・機械製品といった文明の利器に対する好奇心や利用意欲も、きわめて旺盛だった。しかし、平等や自由は半面で徴兵制や弱肉強食の競争社会をもたらし、社会的地位や経済的豊かさを追求するかぎり、「客分の気楽さ」や「祭りのために働く」心意気は、放棄せざるをえなくなる。近代国家は均質な国民を基盤としながら、封建的身分とは異質な差異と序列を生み出すのであり、それに順応することが近代国家の国民になるということであった。そうした近代的文明人の内面を、森鷗外《もりおうがい》『青年』の主人公小泉純一《こいずみじゅんいち》は、つぎのように日記に書きつけている。

いったい日本人は生きるということを知っているだろうか。小学校の門をくぐってからというものは、一しょう懸命にこの学校時代を駆け抜けようとする。その先には生活があると思うのである。学校というものを離れて職業にあり付くと、その職業をなし遂げてしまおうとする。その先には生活があると思うのである。そしてその先には生活はないのである。

現在は過去と未来との間に画した一線である。この線の上に生活がなくては、生活はどこにもないのである。

そこでおれは何をしている。

政治・経済システムの転換

文明国をめざした明治政府の念願が一応かなったのは、日清《にっしん》・日露《にちろ》戦争を戦い抜いて、欧米諸国と対等の条約を締結しなおした明治末だった。鷗外《おうがい》の『青年』も明治四三年から四四年（一九一〇〜一一）の連載小説である。純一《じゅんいち》青年の苦悩は、現代のわれわれ自身のものといえるだろう。

ただし、明治末と現在とがストレートにつながっているともいいきれない。この時代の政治・経済システムは、制限選挙制と自由放任経済を軸にしていた。これが近代国家と資本主義をもっとも効率よく発展させると見なされていたからだ。しかし、私見によれば、一九一〇年代の第一次世界大戦、ロシア革命、米騒動《こめそうどう》といった一連の大事件によって、このシステムは転換を余儀なくされる。社会主義革命を阻止しながら総力戦を戦える挙国一致体制をつくること、それが国家的課題となり、労働・小作争議の調停、借地借家法など私的契約への介入、米価調節、国民健康保険といった社会政策が導入され、男子普通選挙制が採用された。制限選挙制と自由放任経済の時代を近代前期とすれば、普通選挙制と社会政策の時代は近代後期ということになる。

さらに、一九四五年の敗戦と戦時動員体制の解体を機に、一時は極限にまで推し進められた国家神道体制＝近代天皇制は、再度「復古」を遂げて象徴天皇制となり、選挙権は女性にまで拡大され、社会政策の拡大、福祉国家がめざされた。ところが、近年は新たなグローバル・スタンダードの名のもとに、国家機能の縮減と自由放任経済の復活が進行し、独裁国家やテロとの戦いを名分とした「野蛮狩り」が推進された。この過程は、「時空間の均質化」と「強者の自由」を保証した文明開化政策の、いわば国際的再現であるように、わたしには思えた。それゆえ、幕末維新の転換期を生きた庶民の歴史的経験は、決して他人事《ひとごと》ではなく、また、日露戦争直後に西欧的「文明」を英文で批判した岡倉天心《おかくらてんしん》の、つぎの文章に共感を禁じえないのである。天心の言葉は、「はじめに」で紹介した「ソバージュ（野蛮・野生・未開）」をめぐるモンテーニュの発言とも呼応している。

西洋人は、日本が平和な文芸にふけっていた間は、野蛮国と見なしていたものである。しかるに満洲の戦場に大々的虐殺を行ない始めてから文明国と呼んでいる。近ごろ武士道——わが兵士に喜び勇んで身を捨てさせる死の術——について盛んに論評されてきた。しかし……もしわれわれが文明国たるためには、血なまぐさい戦争の名誉によらなければならないとするならば、むしろいつまでも野蛮国に甘んじよう。

（岡倉覚三《かくぞう》『茶の本』）

第八章

- 天野正子「老いの変容」佐口和郎・中川清編『講座・福祉社会 2』ミネルヴァ書房、2005
- 有地亨『近代日本の家族観 明治篇』弘文堂、1977
- 有山輝雄『「中立」新聞の形成』世界思想社、2008
- 安保則夫『ミナト神戸　コレラ・ペスト・スラム』学芸出版社、1989
- 石井寛治『日本の産業革命』朝日新聞社、1997
- 今西一『遊女の社会史』有志舎、2007
- 金山直樹「フランス民法という世界」石井三紀ほか編『近代法の再定位』創文社、2001
- 鹿野政直『戦前・「家」の思想』創文社、1983
- 鏑木清方『明治の東京』岩波書店、1989
- 倉田喜弘『芝居小屋と寄席の近代』岩波書店、2006
- 黒野耐『参謀本部と陸軍大学校』講談社、2004
- 小山静子『良妻賢母という規範』勁草書房、1991
- 佐々木隆『藩閥政府と立憲政治』吉川弘文館、1992
- 沢山美果子『性と生殖の近世』勁草書房、2005
- 沢山美果子『江戸の捨て子たち』吉川弘文館、2008
- 下橋敬長『幕末の宮廷』平凡社、1979
- 関秀夫『博物館の誕生』岩波書店、2005
- 関口すみ子「御一新とジェンダー』東京大学出版会、2005
- 瀧井一博『文明史のなかの明治憲法』講談社、2003
- 『千葉県教育百年史 3』千葉県教育委員会、1971
- 成田龍一『「故郷」という物語』吉川弘文館、1998
- 西川祐子『近代国家と家族モデル』吉川弘文館、2000
- 平田由美『女性表現の明治史』岩波書店、1999
- フジタニ, T、米山リサ訳『天皇のページェント』日本放送出版協会、1994
- ブラン, オリヴィエ、辻村みよ子訳『女の人権宣言』岩波書店、1995
- 松沢弘陽『近代日本の形成と西洋経験』岩波書店、1993
- 室山義正『松方財政研究』ミネルヴァ書房、2004
- 森本貞子『秋霖譜 森有礼とその妻』東京書籍、2003
- 安田浩『天皇の政治史』青木書店、1998
- 湯沢雍彦他『百年前の家庭生活』クレス出版、2006
- 吉見俊哉ほか『運動会と日本近代』青弓社、1999
- 渡辺京二『逝きし世の面影』葦書房、1998

おわりに

- 飛鳥井雅道『文明開化』岩波書店、1985
- 森鷗外『青年』岩波書店、1969
- 岡倉覚三、村岡博訳『茶の本』岩波書店、1961

全編にわたるもの

- 阿部昭・長谷川伸三編『明治維新期の民衆運動』岩田書店、2003
- 新井勝紘編『近代移行期の民衆像』青木書店、2000
- 有元正雄・甲斐英男ほか『明治期地方啓蒙思想家の研究』渓水社、1981
- 石井寛治『大系日本の歴史 12』小学館、1989
- 稲田雅洋『自由民権の文化史』筑摩書房、2000
- 井上勲『文明開化』教育社、1986
- 井上勝生『幕末・維新』岩波書店、2006
- 今西一『近代日本の差別と性文化』雄山閣出版、1998
- 今西一『文明開化と差別』吉川弘文館、2001
- 大日方純夫『日本近代国家の成立と警察』校倉書房、1992
- 鏡淵九六郎編『新潟古老雑話』新潟温故会、1932（復刻版、新潟県民俗学会、1990）
- 勝田政治『〈政治家〉大久保利通』講談社、2003
- 菊池邦作『徴兵忌避の研究』立風書房、1977
- グリフィス, W・E、山下英一訳『明治日本体験記』平凡社、1984
- 坂本一登『伊藤博文と明治国家形成』吉川弘文館、1991
- 佐藤誠朗『近江商人　幕末・維新見聞録』三省堂、1990
- 高木博志『近代天皇制の文化史的研究』校倉書房、1997
- 高木博志『近代天皇制と古都』岩波書店、2006
- 高橋敏『日本民衆教育史研究』未来社、1991
- 武田信明『三四郎の乗った汽車』教育出版、1999
- 鶴巻孝雄『近代化と伝統的民衆世界』東京大学出版会、1992
- バード, イザベラ、時岡敬子訳『イザベラ・バードの日本紀行』講談社、2008
- 萩原延寿『遠い崖』朝日新聞社、1999 ～ 2001
- 長谷川伸三『近世後期の社会と民衆』雄山閣出版、1999
- 土方苑子『東京の近代小学校』東京大学出版会、2002
- 廣吉壽彦・谷山正道編『大和国高瀬道常年代記』清文堂出版、1999
- ひろたまさき『文明開化と民衆意識』青木書店、1980
- ひろたまさき『差別の視線』吉川弘文館、1998
- ヒューブナー, アレクサンダー、市川慎一ほか訳『オーストリア外交官の明治維新』新人物往来社、1988
- 保谷徹『戊辰戦争』吉川弘文館、2007
- 牧原憲夫『明治七年の大論争』日本経済評論社、1990
- 牧原憲夫「文明開化論」『岩波講座日本通史 16』岩波書店、1994
- 牧原憲夫『客分と国民のあいだ』吉川弘文館、1998
- 牧原憲夫「巡幸と祝祭日」松尾正人編『明治維新と文明開化』吉川弘文館、2004
- 牧原憲夫『民権と憲法』岩波書店、2006
- 松尾正人『木戸孝允』吉川弘文館、2007
- 南和男『幕末江戸社会の研究』吉川弘文館、1978
- 宮地正人『幕末維新期の社会的政治史研究』岩波書店、1999
- 安丸良夫『文明化の経験』岩波書店、2007

史7』東京大学出版会、1985
• 成沢光『現代日本の社会秩序』岩波書店、1997
• 丹羽邦男『土地問題の起源』平凡社、1989
• 野村雅一『身ぶりとしぐさの人類学』中央公論社、1996
• 原田敬一『国民軍の神話』吉川弘文館、2001
• 原田純孝『近代土地賃貸借法の研究』東京大学出版会、1980
• 広田照幸『陸軍将校の教育社会史』世織書房、1997
• 深谷克己「日本近世の相剋と重層」『思想』726、1984
• 福島正夫『増訂版 地租改正の研究』有斐閣、1970
• 藤澤房俊『「クオーレ」の時代』筑摩書房、1993
• 北條浩『林野入会の史的研究』お茶の水書房、1977
• 牧原憲夫「『近代的土地所有』概念の再検討」『歴史学研究』502、1982
• 森山軍治郎『ヴァンデ戦争』筑摩書房、1996
• 矢野龍彦ほか『ナンバ走り』光文社、2003
• 吉田裕『日本の軍隊』岩波書店、2002
• 渡部浩二「『重城保日記』にみる幕末期の養豚業をめぐって」青木美智男・阿部恒久編『幕末維新と民衆社会』高志書院、1998

第五章

• 伊藤之雄『明治天皇』ミネルヴァ書房、2006
• 大谷渡『教派神道と近代日本』東方出版、1992
• 岡田芳朗『明治改暦』大修館書店、1994
• 奥武則『蓮門教衰亡史』現代企画室、1988
• 桂島宣弘『幕末民衆思想の研究』文理閣、2005
• キンモンス, E・H、広田照幸ほか訳『立身出世の社会史』玉川大学出版部、1995
• グリフィス, W・E、亀井俊介訳『ミカド』岩波書店、1995
• 島薗進「一九世紀日本の宗教構造の変容」『岩波講座近代日本の文化史2』、岩波書店、2001
• 角山栄『時間革命』新書館、1998
• クライトナー, G、小谷裕幸・森田明訳『東洋紀行』平凡社、1992
• 中野目徹「洋学者と明治天皇」、沼田哲編『明治天皇と政治家群像』吉川弘文館、2002
• 中山和芳『ミカドの外交儀礼』朝日新聞社、2007
• 橋本毅彦・栗山茂久編著『遅刻の誕生』三元社、2001
• バチコ, ブロニスラフ、森田伸子訳『革命とユートピア』新曜社、1990
• ブラック, J・R、ねずまさし・小池晴子訳『ヤング・ジャパン』平凡社、1970
• モンブラン, C、ほか、森本英夫訳『モンブランの日本見聞記』新人物往来社、1987
• 山田央子『明治政党論史』創文社、1999
• 安丸良夫『出口なお』朝日新聞社、1977
• 安丸良夫『近代天皇像の形成』岩波書店、1992

第六章

• 猪飼隆明『西南戦争』吉川弘文館、2008
• 石原俊『近代日本と小笠原諸島』平凡社、2007
• 石牟礼道子『西南役伝説』朝日新聞社、1980
• 井上勝生「アイヌ民族共有財産裁判『歴史研究者の意見書』」今西一編『世界システムと東アジア』日本経済評論社、2008
• 上村希美雄『宮崎兄弟伝　日本篇』上、葦書房、1984
• 榎森進『アイヌ民族の歴史』草風館、2007
• 小熊英二『〈日本人〉の境界』新曜社、1998
• 落合弘樹『西郷隆盛と士族』吉川弘文館、2005
• 姜徳相『錦絵の中の朝鮮と中国』岩波書店、2007
• 菊池勇夫編『蝦夷島と北方世界』吉川弘文館、2003
• 煙山専太郎『征韓論実相』早稲田大学出版局、1909
• 近藤健一郎『近代沖縄における教育と国民統合』北海道大学出版会、2006
• 小森陽一『ポスト・コロニアル』岩波書店、2001
• 佐々木克編『明治維新期の政治文化』思文閣出版、2005
• 鈴木鶴子『江藤新平と明治維新』朝日新聞社、1989
• 園部裕之「江華島事件と日本民衆」『史観』130、1994
• 田中弘之『幕末の小笠原』中央公論社、1997
• 田保橋潔『近代日鮮関係の研究』文化資料調査会、1963
• 沈箕載『幕末維新日朝外交史の研究』臨川書店、1997
• 土屋礼子「明治七年台湾出兵の報道について」『明治維新と文化』吉川弘文館、2005
• 豊見山和行編『琉球・沖縄史の世界』吉川弘文館、2003
• 中塚明『近代日本の朝鮮認識』研文出版、1993
• 藤澤健一『近代沖縄教育史の視角』社会評論社、2000
• 藤田みどり『アフリカ「発見」』岩波書店、2005
• ホイットニー, クララ、一又民子ほか訳『勝海舟の嫁クララの日記』中央公論社、1996
• 毛利利彦『台湾出兵』中央公論社、1996
• 山室信一『思想課題としてのアジア』岩波書店、2001
• 吉野誠『明治維新と征韓論』明石書店、2002

第七章

• 有泉貞夫『明治政治史の基礎過程』吉川弘文館、1980
• 新井勝紘編『自由民権と近代社会』吉川弘文館、2004
• 大阪事件研究会編『大阪事件の研究』柏書房、1982
• 坂野潤治『明治デモクラシー』岩波書店、2005
• 増川宏一『賭博の日本史』平凡社、1989
• 渡辺隆喜『明治国家形成と地方自治』吉川弘文館、2001
• 山室信一『近代日本の知と政治』木鐸社、1985

参考文献

はじめに

• エリアス，ノルベルト、赤井慧爾ほか訳『文明化の過程』法政大学出版局、1977
• 佐藤亨『幕末・明治初期漢語辞典』明治書院、2007
• スエンソン，エドゥアルド、長島要一訳『江戸幕末滞在記』講談社、2003
• デュル，ハンス、藤代幸一・三谷尚子訳『裸体とはじらいの文化史』法政大学出版局、1990
• ニコライ、中村健之介訳『ニコライの見た幕末日本』講談社、1979
• 西川長夫『国境の越え方 増補版』平凡社、2001
• モンテーニュ、荒木昭太郎訳『世界の名著 19　モンテーニュ』中央公論社、1967

第一章

• 井上勝生『開国と幕末変革』講談社、2002
• 石井寛治『経済発展と両替商金融』有斐閣、2007
• 伊藤忠士『「ええじゃないか」と近世社会』校倉書房、1995
• ウィリス，ウィリアムほか、中須賀哲朗訳『英国公使館員の維新戦争見聞記』校倉書房、1974
• 落合延孝『幕末民衆の情報世界』有志舎、2006
• 落合延孝「世直し」『講座一揆 2』東京大学出版会、1981
• 河合敦『箱館五稜郭物語』光人社、2006
• 高橋敏『幕末狂乱』朝日新聞社、2005
• 高橋裕文『幕末水戸藩と民衆運動』青史出版、2005
• 田村貞雄「『ええじゃないか』の東西南北」『国際関係研究』27-3、2006
• 奈倉哲三『幕末民衆文化異聞』吉川弘文館、1999
• 野口武彦『幕府歩兵隊』中央公論社、2002
• バラ，マーガレット、川久保とくお訳『古き日本の瞥見』有隣堂、1992
• ポンペ，M、沼田次郎・荒瀬進訳『日本滞在見聞記』雄松堂、1978
• 南和男『維新前夜の江戸庶民』教育社、1980
• 宮崎ふみ子「動乱の中の信仰」井上勲編『開国と幕末の動乱』吉川弘文館、2004

第二章

• 家近良樹『孝明天皇と「一会桑」』文藝春秋、2002
• 井上勲『王政復古』中央公論社、1991
• 金谷俊則『武一騒動』中央公論事業出版、2005
• 清水吉二『幕末維新期　動乱の高崎藩』上毛新聞社、2005
• 高橋秀直『幕末維新の政治と天皇』吉川弘文館、2007
• 田代音吉『三斗小屋誌』（復刻、黒磯郷土史研究会、2003）
• 田中秀和「明治初期の神仏分離と地域社会」『明治維新の地域と民衆』吉川弘文館、1996
• 谷山正道『近世民衆運動の展開』高科書店、1994
• 松尾正人『廃藩置県の研究』吉川弘文館、2001
• 松沢弘陽「福沢諭吉とヴィクトリア中期 Radicalism」『福澤諭吉年鑑』33、2006
• 溝口敏麿「維新変革と庄屋役入札」『幕末維新論集 5』吉川弘文館、2000
• 三谷博『明治維新とナショナリズム』山川出版社、1997
• 皆村武一『「ザ・タイムズ」にみる幕末維新』中央公論社、1998
• 安丸良夫『神々の明治維新』岩波書店、1979

第三章

• 天野郁夫『試験の社会史』東京大学出版会、1983
• 今西一『近代日本の差別と村落』雄山閣出版、1993
• 奥武則『文明開化と民衆』新評論、1993
• 川村邦光『幻視する近代空間』青弓社、1990
• 斉藤利彦『試験と競争の学校史』平凡社、1995
• シッドモア，エライザ、恩地光夫訳『日本・人力車旅情』有隣堂、1986
• 多田仁一『在村文化と近代学校教育』文芸社、2001
• 昼田源四郎『疫病と狐憑き』みすず書房、1985
• 藤木久志『刀狩り』岩波書店、2005
• 米原万里『パンツの面目ふんどしの沽券』筑摩書房、2005
• 渡辺公三『司法的同一性の誕生』言叢社、2003

第四章

• 石瀧豊美『筑前竹槍一揆の研究』イシタキ人権学研究所、2004
• 稲田耕一『かわた村は大騒ぎ』部落問題研究所、1991
• 浦本誉至史『江戸・東京の被差別部落の歴史』明石書店、2003
• 岡千賀松『国家及国民の体育指導』陸軍戸山学校将校集会所、1922
• 奥田晴樹『日本の近代的土地所有』弘文堂、2001
• 戒能通厚『イギリス土地所有権法研究』岩波書店、1980
• 加藤陽子『徴兵制と近代日本』吉川弘文館、1996
• 木下秀明『兵式体操からみた軍と教育』杏林書院、1982
• 北崎豊二編著『明治維新と被差別民』解放出版社、2007
• 黒川みどり『異化と同化の間』青木書店、1999
• 椎名重明『近代的土地所有』東京大学出版会、1973
• 柴田三千雄『近代世界と民衆運動』岩波書店、1983
• 中村哲「領主制の解体と土地改革」『講座日本歴

10・16国立国会図書館ホームページ／11川崎市市民ミュージアム／12・18黒船館／13大熊（正）家文書（埼玉県立文書館寄託）／14日本漫画資料館／15陸軍画報社『陸軍史談』より／17東京藝術大学／19神奈川県立歴史博物館／20早稲田大学図書館／21東京大学法学部附属明治新聞雑誌文庫／22滋賀県立琵琶湖文化館／23提供：日本近代史研究会

＊写真・図版掲載に際しましては、所蔵者ならびに撮影者の了解を求めましたが、古い史料のため、関係者を知ることができなかった場合がございます。ご理解ご容赦くださいますようお願いいたします。また、お心当たりがございましたら、編集部までご一報ください。

スタッフ一覧

校正	オフィス・タカエ
図版・地図作成	蓬生雄司
写真撮影	西村千春
索引制作	小学館クリエイティブ
編集長	清水芳郎
編集	宇南山知人
	阿部いづみ
	水上人江
	田澤泉
	一坪泰博
編集協力	青柳亮
	小西むつ子
	武井弘一
	林まりこ
月報編集協力	㈲ビー・シー
	関屋淳子
	藤井恵子
制作	大木由紀夫
	山崎法一
資材	横山肇
宣伝	中沢裕行
	後藤昌弘
販売	永井真士
	奥村浩一
協力	株式会社モリサワ

所蔵先一覧

所蔵先と写真提供者、撮影者が異なる場合は、（　）内にその旨を明記した。

カバー・表紙

佐賀県立美術館

口絵

1翔奉庵／2個人蔵／3鍋島報效会／4博物館明治村／5内閣府賞勲局／6信善光寺

はじめに

1若宮八幡宮／2天理大学附属天理図書館／3川崎市市民ミュージアム／4リッケンコレクション（国書刊行会『文明開化の錦絵新聞』より）

第一章

1如意輪寺／2・8埼玉県立歴史と民俗の博物館／3長崎大学附属図書館／4東京国立博物館（提供：TMN Image Archives）／5国立国会図書館ホームページ／6神奈川県立図書館（提供：横須賀市）／7内藤記念くすりの博物館／9東京都公文書館／10個人蔵（提供：藤沢市文書館）／11個人蔵（福島県歴史資料館寄託）／12下諏訪町立博物館／13横浜開港資料館／14霞会館（『鹿鳴館秘蔵写真帖』より）／15京都大学法学部／（コラム）藤沢市教育委員会

第二章

1町田市立博物館／2宮内庁／3国立公文書館／4中央区立京橋図書館／5京都市歴史資料館／6アメリカ国立公文書館／7・8早稲田大学図書館／9・10日本銀行金融研究所貨幣博物館／11鍋島報效会／12横浜美術館（『ザ・ファー・イースト』より）／13国立国会図書館／14アマナ・イメージズ／15聖運寺／（コラム）東京大学史料編纂所

第三章

1・2大阪人権博物館／3尚古集成館／4個人蔵／5・7東京大学大学院情報学環／6東京大学法学部附属明治新聞雑誌文庫／8国立国会図書館／9大阪毎日新聞社『廿一大先覚記者伝』より／10若宮八幡宮（『ザ・ファー・イースト』より）／11重要文化財旧開智学校管理事務所

第四章

1本邦書籍『団団珍聞（復刻版）』5巻より／2みどり市大間々博物館／3・7国立公文書館／4・5博物館明治村／6放送大学附属図書館／8『城郭古写真資料集成—東国編』（西ケ谷恭弘編著）より／9国立国会図書館ホームページ／10徳川林政史研究所／11天理大学附属天理図書館／12個人蔵（提供：町田市立自由民権資料館）／13・15大阪人権博物館／14東京皮革青年会『皮革産業沿革史（上）』より

第五章

1横浜開港資料館／2・4神奈川県立歴史博物館／3提供：日本近代史研究会／5柏書房『驥尾団子（復刻版）』3巻より／6東京都たてもの園（提供：東京都歴史文化財団イメージアーカイブ）／7・8・9国立国会図書館／10久米美術館

第六章

1産経新聞社／2文化資料調査会『近代日鮮関係の研究』より／3提供：日本近代史研究会／4逓信総合博物館／5鹿児島県立図書館／6・9国立国会図書館／7国立公文書館／8早稲田大学演劇博物館／10本邦書籍『団団珍聞（復刻版）』4巻より／11沖縄県立博物館・美術館／12国立国会図書館ホームページ／13日本図書センター『琉球沖縄写真絵画集成』2巻より／14・16外務省外交史料館／15東京国立博物館（提供：TNM Image Archives）／17神奈川県立歴史博物館／18日本銀行金融研究所アーカイブ保管資料／19熊本市立熊本博物館

第七章

1日本銀行金融研究所貨幣博物館／2横浜開港資料館／3・12国立国会図書館／4広島県立歴史博物館／5本邦書籍『団団珍聞（復刻版）』6巻より／6本邦書籍『団団珍聞（複刻版）』10巻より／7国立公文書館／8本邦書籍『団団珍聞（復刻版）』1巻より／9個人蔵（提供：あきる野市教育委員会）／10柏書房『驥尾団子（復刻版）』9巻より／11ビショップ博物館

第八章

1日本建築学会図書館／2国立国会図書館／3ギャルリー小林／4本邦書籍『団団珍聞（復刻版）』5巻より／5本邦書籍『団団珍聞（復刻版）』4巻より／6津田塾大学津田梅子資料室／7国立公文書館／8神奈川県立歴史博物館／9横浜市中央図書館（『横浜史料』より）／

西暦	年号 干支	天皇	内閣	日本	世界
1886	19 丙戌	明治	博文内閣	1 北海道庁を設置。政府、紙幣の兌換・償却を開始。3 帝国大学令を公布。5 井上馨外相、各国公使と第 1 回条約改正会議を開く。6 静岡事件起こる。8 長崎で清国の水兵、暴行により逮捕。10 星亨・中江兆民ら、大同団結運動を開始。ノルマントン号事件起こる。	イギリス下院、アイルランド自治法案否決。イギリス・清国、ビルマ条約に調印。アメリカ労働総同盟(AFL)結成。
1887	20 丁亥			2 徳富蘇峰、民友社を結成(『国民之友』創刊)。6 伊藤博文ら、憲法草案の検討開始。司法省法律顧問ボアソナード、条約改正案反対の意見書を提出。7 井上馨外相、各国公使に条約改正会議の無期延期を通告。9 井上馨、外相を辞任。10 後藤象二郎、大同団結を説く。東京美術学校・東京音楽学校開校。高知県の代表、「三大事件建白書」を提出。12 保安条例を公布・施行。新聞紙条例を改正。	ロンドンで第 1 回植民地会議開催。ドイツ・ロシア、秘密再保障条約に調印。フランス領インドシナ連邦成立。
1888	21 戊子		黒田清隆内閣	2 大隈重信、外相に就任。4 市制・町村制を公布。枢密院を設置、議長に伊藤博文が就任。黒田清隆内閣成立。5 鎮台を師団に改編。6 東京天文台設置。枢密院で憲法草案の審議開始。11 大隈外相、条約改正の交渉を開始。メキシコと修好通商条約に調印(最初の対等条約)。12 愛媛県から香川県を分離設置(1 道 3 府 43 県となる)。	ドイツ・イタリア、対仏軍事協定を締結。ブラジル、奴隷解放法案成立。スエズ運河条約調印される。
1889	22 己丑		第1次山県有朋内閣	2 大日本帝国憲法発布。皇室典範・衆議院議員選挙法・貴族院令などを公布。森有礼文相、暗殺される。黒田清隆首相、超然主義を発表。7 東海道線(新橋—神戸間)全通。10 大隈外相、襲撃される。12 閣議、条約改正交渉延期を決定。	パリ万国博覧会開催。第 2 インターナショナル結成。ワシントンで第 1 回汎米会議開催。
1890	23 庚寅			1 大井憲太郎・中江兆民ら、自由党を結成。4 琵琶湖疏水開通式。民事訴訟法・商法を公布。5 府県制・郡制を公布。7 第 1 回衆議院議員総選挙。集会および政社法を公布。9 立憲自由党、結成(総裁板垣退助)。10 刑事訴訟法を公布。元老院を廃止。教育勅語を発布。11 第 1 回帝国議会開会。12 東京・横浜市内と両市間で電話交換が開始。	イギリス・清国、シッキム・チベット条約に調印。ドイツのビスマルク引退。欧米各地で初のメーデー。アメリカ、フロンティアの消滅を発表。
1891	24 辛卯		第1次松方正義内閣	3 立憲自由党を自由党に改称(総理板垣退助)。5 ロシア皇太子、大津で巡査津田三蔵に襲われる(大津事件)。9 日本鉄道、上野—青森間全通。10 岐阜・愛知県一帯に大地震(濃尾大地震)。11 第 2 通常議会召集。12 田中正造、足尾鉱毒事件について議会に質問書を提出。樺山資紀海相、蛮勇演説を行なう。衆議院、予算大幅削減案を可決し、解散。大隈重信、立憲改進党に再入党。	イランでイギリス資本タバコのボイコット運動。ロシア、シベリア鉄道建設開始。汎ドイツ連盟成立。ロシア・フランス、8 月協定を締結。
1892	25 壬辰		第2次伊藤博文内閣	2 第 2 回臨時総選挙。品川弥二郎内相の選挙干渉で、各地に騒擾発生。5 第 3 特別議会召集。衆議院、選挙干渉弾劾決議案可決。貴族院、民法・商法施行延期法案を審議。6 西郷従道・品川ら、国民協会を結成。11 大井憲太郎ら、東洋自由党を結成。第 4 通常議会召集。千島艦事件起こる。この年、関東を中心に天然痘が流行。	ミラノでイタリア労働者党結成。ロシア・フランス、軍事協定を締結。ディーゼル、ディーゼル・エンジンを発明。
1893	26 癸巳			2 製艦費補助のため 6 年間内廷費毎年 30 万円下付・文武官俸給 1 割納付を命じる詔書を発布。4 上野—直江津間全通。5 防穀令賠償問題、朝鮮政府との間で妥結。7 臨時閣議、条約改正案・交渉方針を決定(内地雑居承認・領事裁判権廃棄・関税率改正など)。10 文官任用令・文官試験規則を公布。11 第 5 通常議会召集。12 衆議院解散。	ハワイ、王政廃され、アメリカの保護領になる。ニューヨークで株大暴落、経済恐慌勃発。イギリス上院、第 2 次アイルランド自治法案を否決。

西暦	年号 干支	天皇	大臣・内閣	日本	世界
1877	10 丁丑	明治	三条実美（太政大臣）	2 陸軍大将西郷隆盛、鹿児島で挙兵し、熊本城を包囲（西南戦争始まる）。3 田原坂の戦い。4 東京開成学校と東京医学校、合併して東京大学と改称。政府軍、熊本城入城。6 政府、立志社の国会開設建白書を却下。8 第 1 回内国勧業博覧会、東京上野公園で開場。9 西郷隆盛ら、城山で自害（西南戦争終結）。	インド帝国成立。露土戦争勃発。ルーマニア独立。フランス下院選挙で共和党圧勝。エジソン、蓄音機を発明。
1878	11 戊寅			4 植木枝盛ら、愛国社を再興。5 パリ万国博覧会に参加。大久保利通、暗殺される。7 郡区町村編制法・府県会規制・地方税規則（三新法）を制定。8 竹橋事件起こる。陸軍卿山県有朋、軍人訓戒を発表。9 大阪で愛国社再興第 1 回大会開催。12 参謀本部を設置。	サン・ステファノ条約調印（露土戦争終結）。フランス、パナマ運河建設権獲得。ベルリン会議開催。
1879	12 己卯			3 東京府会開会（府県会の始め）。4 琉球藩を廃し、沖縄県を置く。5 清国、日本の琉球処分に抗議。7 アメリカ前大統領グラント来日。10 徴兵令を改正（免役範囲縮小）。11 愛国社第 3 回大会、国会開設の署名運動を決議。	ロシア・清国、イリ返還条約調印。ドイツ、保護関税法成立。ドイツ・オーストリア同盟成立。
1880				3 愛国社、第 4 回大会で国会期成同盟と改称。4 集会条例を制定。片岡健吉・河野広中、国会開設の請願書を提出するが、受理されず。7 外務卿井上馨、条約改正案をアメリカ・清国を除く各国公使に布告。刑法・治罪法を公布。11 工場払下概則を公布（官営工場の払い下げが始まる）。12 元老院、日本国憲按を天皇に提出。	アフガニスタン、イギリスの保護領となる。清国・アメリカ、移民・通商に関する条約に調印。アメリカで鉄道建設が盛んになる。
1881	14 辛巳			1 大隈重信・伊藤博文・井上馨ら、熱海で国会開設問題などを協議（熱海会議）。3 大隈重信、国会開設の意見書を左大臣有栖川宮熾仁親王に提出。4 農商務省を設置。7 北海道開拓使官有物払い下げ事件起こる。10 御前会議、開拓使官有物払い下げの中止、参議大隈重信の罷免を決議（明治 14 年の政変）。国会開設の詔勅が出される。自由党が結成され、板垣退助、総理となる。11 日本鉄道会社設立。この年、民権結社設立・憲法案起草が盛んとなる。	レセップス、パナマ運河建設開始。フランス、チュニジアを保護領とする。ドイツ・オーストリア・ロシア 3 帝国同盟成立。イギリス、第 2 次アイルランド土地法成立。
1882	15 壬午			1 軍人勅諭を発布。2 開拓使を廃し、札幌・函館・根室の 3 県を置く。3 伊藤博文ら、憲法調査のため渡欧。立憲改進党（総理大隈重信）結成。立憲帝政党結成。4 板垣退助、岐阜で襲われ負傷。6 集会条例改正。東京馬車鉄道、新橋—日本橋間に開通。7 壬午事変起こる。8 戒厳令・徴発令を制定。朝鮮と済物浦条約に調印。10 東京専門学校開校（のち早稲田大学）。11 板垣・後藤象二郎、渡欧。福島事件起こる。	アメリカのロックフェラー、スタンダード石油トラストを組織。ドイツ・オーストリア・イタリアの 3 国同盟成立。イギリス、エジプトを支配。
1883	16 癸未			3 内乱陰謀容疑で自由党員ら逮捕（高田事件）。4 新聞紙条例を改正。9 立憲帝政党解散。高島炭鉱で坑夫ら暴動。11 東京麹町に鹿鳴館開館。12 徴兵令を改正（代人料・免役を廃止）。	清国・ロシア、コブド境界協定に調印。フランス・ベトナム、ユエ条約に調印。
1884	17 甲申			3 宮中に制度取調局を設置、伊藤博文を長官に任じる。5 群馬県の自由党員、農民数百人を集め、高利貸・警察署などを襲撃（群馬事件）。7 華族令を定める。9 加波山事件起こる。10 自由党解散。埼玉秩父地方の農民数千人、郡役所・高利貸などを襲撃（秩父事件）。12 甲申政変起こる。立憲改進党総理の大隈重信、脱党。	朝鮮・ロシア、修好通商条約に調印。清仏戦争勃発。アフリカのコンゴ分割に関するベルリン会議開催。
1885	18 乙酉		第1次伊藤	1 漢城条約に調印（甲申政変の賠償）。第 1 回ハワイ移民出発。4 清国との 天津条約に調印。5 屯田兵条例を制定。9 坪内逍遙『小説神髄』刊行。10 日本郵船会社開業。11 大井憲太郎ら、大阪で逮捕（大阪事件）。12 内閣制度を創設。第 1 次伊藤博文内閣成立。	清国・フランス、天津講和条約に調印。インド、第 1 回国民会議開催。

西暦	年号 干支	天皇	総裁・大臣	日本	世界
1868	明治 1 戊辰	明治	有栖川宮熾仁	1 鳥羽・伏見の戦い（戊辰戦争開始）。徳川慶喜征討令。新政府、王政復古を各国公使に通達。新政府、外国との和親を国内に布告。2 天皇、3 職 8 局の制を定める。3 勝海舟、西郷隆盛と会談し、江戸開城に合意。五箇条の誓文。五榜の掲示。4 江戸城開城。閏 4 政体書を公布。5 奥羽列藩同盟成立。7 江戸を東京と改称。8 会津藩、官軍に降伏。9 明治と改元。一世一元の制を定める。11 東京開市。	フランス、出版法成立。アメリカ、公民権成立。キューバ、スペインからの独立運動始まる。（～1878 年）。イギリス、第 1 次グラッドストン内閣。
1869	2 己巳		三条実美（右大臣）	1 薩長土肥の 4 藩主、版籍奉還を上奏。3 公議所開設。5 榎本武揚ら、箱館五稜郭で降伏（戊辰戦争終結）。6 公卿・諸侯を廃し、華族とする。諸藩主の版籍奉還を許し、藩知事に任命。2 官 6 省を置き集議院・開拓使などを設置。8 蝦夷地を北海道と改称。12 藩札製造を禁止。	アメリカで初の大陸横断鉄道完成。スエズ運河開通。
1870	3 庚午			1 長州で諸脱退兵士、藩庁を包囲。2 樺太開拓使を設置。5 集議院開院。8 山県有朋、軍制改革に着手。10 常備兵員の制を定め、海軍はイギリス式、陸軍はフランス式を採用。閏 10 工部省を設置。12 新律綱領を発布。	普仏戦争勃発。フランス、第 3 共和政始まる。イタリア統一完成。
1871	4 辛未		三条実美（太政大臣）	1 寺社領を没収し、府・藩・県の管轄とする。東京・京都・大阪間に郵便の開設を決定。2 御親兵を編成。4 戸籍法制定。5 新貨条例を制定。7 廃藩置県の詔書。正院・左院・右院を設置。日清修好条規締結。8 東京・大阪・鎮西（熊本）・東北（仙台）に 4 鎮台を置く。11 全国の県を改廃、3 府 72 県とし、府知事・県令を設置。米欧派遣特命全権大使岩倉具視らの使節団、横浜を出港。	ウィルヘルム 1 世即位し、ドイツ帝国成立。フランス、ドイツに降伏。パリ・コミューン成立。ドイツ、帝国憲法発布。
1872	5 壬申			1 政府、初めて全国に戸籍調査を実施（壬申戸籍）。2 土地永代売買を解禁。陸軍省・海軍省を設置。3 親兵を廃し、近衛兵を置く。7 マリア・ルス号事件。全国の土地に地券を交付（壬申地券）。9 新橋―横浜間鉄道開業式。10 官営富岡製糸場開業。11 徴兵詔書・太政官告諭。	フランス、国民皆兵制施行。ロシア・ドイツ・フランスの 3 皇帝、近東情勢を協議する。
1873	6 癸酉			1 名古屋・広島に鎮台を設置。徴兵令を制定。6 第一国立銀行設立。改正律例公布。集議院を廃止。7 地租改正条例を公布。10 朝鮮遣使を無期延期。西郷隆盛・板垣退助・江藤新平・後藤象二郎ら、参議を辞職（明治 6 年政変）。11 内務省を設置。12 秩禄奉還の法を制定。	スペイン、共和制宣言。ドイツ・オーストリア・ロシア 3 帝協商成立。フランス、ベトナムのハノイを占領。
1874	7 甲戌			1 板垣退助ら、愛国公党を結成。赤坂喰違の変。東京警視庁設置。板垣退助・江藤新平・後藤象二郎ら 8 名、民撰議院設立建白書を左院に提出。2 佐賀の乱起こる。政府、台湾征討を決定。4 板垣退助・片岡健吉ら、立志社を結成。5 台湾出兵。6 北海道屯田兵制度を定める。10 日清互換条款に調印。	ロシア、徴兵制施行。フランス、ベトナムを保護国とする。万国郵便連合条約調印。スペイン、王政復古。
1875	8 乙亥			2 大久保利通・木戸孝允・板垣退助、大阪で会談（大阪会議）。片岡健吉ら、大阪で愛国社を結成。4 漸次立憲政体樹立の詔書発布。元老院・大審院・地方官会議を置く。5 樺太・千島交換条約に調印。6 讒謗律・新聞紙条例を制定。9 江華島事件起こる。	フランス、第 3 共和国憲法成立。ドイツ社会主義労働者党結成。イギリス、スエズ運河の株式を買収。
1876	9 丙子			2 日朝修好条規に調印。3 廃刀令を発布。8 金禄公債証書発行条例を制定。10 各国公使に小笠原諸島の領有を通告。神風連の乱（熊本）・秋月の乱（福岡）・萩の乱（山口）起こる。	アメリカの万国博覧会に日本が出品。アメリカでスー族蜂起。トルコ帝国憲法公布。

年表

西暦	年号 干支	天皇	将軍・総裁	日本	世界
	嘉永6癸丑	孝明	徳川家定（将軍）	6 アメリカ東インド艦隊司令長官ペリー、浦賀に来航。7 ロシア使節プチャーチン、長崎に来航。	クリミア戦争（～1856年）。
1854	安政1甲寅			1 ペリー、浦賀に再来航。3 幕府、日米和親条約を調印し、下田・箱館を開港。8 幕府、日英和親条約調印。12 幕府、日露和親条約を調印し、下田・箱館・長崎を開港。	上海にアメリカ租界成立。アメリカ、カンザス・ネブラスカ法成立。
1855	2乙卯			10 安政の大地震。12 幕府、日蘭和親条約調印。	パリ万国博覧会。
1856	3丙辰			7 アメリカ駐日総領事ハリス、伊豆下田に来航、会見を要求。	パリ条約締結。
1857	4丁巳			4 幕府、軍艦教授所開設。閏5 鹿児島藩主島津斉彬、洋式工場群を集成館と命名。	インド、セポイの反乱。
1858	5戊午		徳川家茂（将軍）	6 幕府、日米修好通商条約を無勅許調印。7 日蘭・日露・日英修好通商条約を調印。9 日仏修好条約を調印。安政の大獄始まる。	ロシアと清国、愛琿条約調印。清国、天津条約調印。
1859	6己未			5 イギリス駐日総領事オールコック来日。6 幕府、神奈川（のち横浜）・長崎・箱館で、米・英・仏・露・蘭と自由貿易開始。	イタリア統一戦争（～1860年）。
1860	万延1庚申			1 幕府遣米使節新見正興ら、アメリカ軍艦で出航。幕府軍艦咸臨丸、アメリカ渡航に出発。3 井伊直弼暗殺（桜田門外の変）。	北京条約調印。リンカーン、第16代アメリカ大統領に選出。
1861	文久1辛酉			5 イギリス仮公使館襲撃（第1次東禅寺事件）。12 幕府遣欧使節竹内保徳・松平康直ら、イギリス軍艦で出航。	アメリカ、南北戦争勃発（～1865年）。
1862	2壬戌			1 坂下門外の変。7 一橋慶喜、将軍後見職に、松平慶永、政事総裁職に就任。8 鹿児島藩士、イギリス人4人を東海道生麦村で殺害（生麦事件）。	サイゴン条約。プロイセン、ビスマルク執政（～1890年）。
1863	3癸亥			4 徳川家茂、5月10日の攘夷期限を孝明天皇に奏上。5 萩藩、米・仏・蘭の船舶を砲撃（下関事件）。6 米・仏の軍艦、萩藩に報復攻撃。7 鹿児島藩、イギリス艦隊と交戦（薩英戦争）。8 天誅組の乱。8月18日の政変。10 生野の変。	アメリカ、奴隷解放宣言。ポーランドで1月蜂起。カンボジア・フランス保護条約調印。
1864	元治1甲子			3 フランス公使ロッシュ着任。6 池田屋事件起こる。7 禁門の変。幕府、長州追討の勅命を発する（第1次長州戦争）。8 英・米・蘭・仏の四国連合艦隊、下関を砲撃。10 萩藩、幕府に謝罪。12 高杉晋作ら下関を襲撃。	メキシコ帝政開始。洪秀全自殺し、太平天国滅亡。第1インターナショナル結成。
1865	慶応1乙丑			閏5 イギリス公使パークス、横浜に着任。9 英・仏・蘭・米の4か国、条約勅許・兵庫開港を要求。徳川家茂、長州再征の勅許を受ける。10 兵庫開港を除き、安政の諸条約勅許。11 家茂、第2次長州戦争の出兵を命じる。	リンカーン、暗殺される。メンデル、遺伝の法則を発見。
1866	2丙寅		徳川慶喜（将軍）	1 西郷隆盛、坂本龍馬の斡旋により、薩長盟約を結ぶ。5 幕府、英・仏・蘭・米と改税約書に調印。6 幕府、周防国大島を砲撃し、戦闘開始（第2次長州戦争）。12 徳川慶喜、第15代将軍となる。福沢諭吉『西洋事情』初編刊行。	普墺戦争勃発。アメリカで公民権法成立。ドストエフスキー『罪と罰』刊行。
1867	3丁卯	明治	有栖川宮熾仁（総裁）	5 兵庫開港勅許。6 大政奉還の薩土盟約。8 遠江・三河・尾張で「ええじゃないか」の大乱舞発生（のち江戸以西の本州・四国にも発生）。9 鹿児島藩、萩藩と挙兵討幕を約束（のち広島藩も賛同）。10 後藤象二郎、山内豊信の大政奉還建白書を幕府に提出。徳川慶喜、大政奉還の上表文を朝廷に提出。岩倉具視、鹿児島藩に討幕の密勅を下す。12 兵庫開港、大坂開市。朝廷、王政復古の大号令を発す。小御所会議、幕府廃止。	アメリカ、ロシアからアラスカを購入。北ドイツ連邦成立。オーストリア＝ハンガリー二重帝国成立。パリ万国博覧会開催。マルクス『資本論』第1巻刊行。

や行

ら行

わ行

は行

ま行

な行

た行

さ行

か行

索引

000 一詳しい説明のあるページを示す。
000*一写真・図版のあるページを示す。

あ行

全集　日本の歴史　第13巻　文明国をめざして

2008年12月30日　初版第1刷発行

著者　牧原憲夫
発行者　蔵　敏則
発行所　株式会社小学館
〒101-8001 東京都千代田区一ツ橋2-3-1
電話　編集　03(3230)5118
　　　販売　03(5281)3555
印刷所　凸版印刷株式会社
製本所　株式会社若林製本工場

Printed in Japan ISBN978-4-09-622113-6

小学館創立八五周年企画

全集 日本の歴史 全十六巻

編集委員 平川 南／五味文彦／倉地克直／ロナルド・トビ／大門正克

一
旧石器・縄文・弥生・古墳時代
列島創世記
出土物が語る列島4万年の歩み

文字が発達する前の社会は、「モノ」が文字の代わりだった。「モノ」と人との関係から描く、斬新な列島文化史。

松木武彦 岡山大学准教授

二
新視点古代史
日本の原像
稲作や特産物から探る古代の生活

二一〇〇年前、日本の稲作技術はすでにほぼ現代のレベルに達していた。出土文字資料から読み解く古代社会の実像。

平川 南 国立歴史民俗博物館館長／山梨県立博物館館長

三
飛鳥・奈良時代
律令国家と万葉びと
国家の成り立ちと万葉びとの生活誌

時の支配や文字の普及から、「日本」誕生のシステムを明らかにし、国家のもとで生きる人びとの暮らしを描く。

鐘江宏之 学習院大学准教授

四
平安時代
揺れ動く貴族社会
古代国家の変容と都市民の誕生

自然災害などで変質を迫られる政治体制のなか、激動する時代像を、文学資料を駆使して鮮やかにたどる。

川尻秋生 早稲田大学准教授

五

新視点中世史

躍動する中世

人びとのエネルギーが殻を破る

武家王権の誕生と展開、そして都市に群れ集う人びと。激動する社会を支えたエネルギーの源は何だったのか？

五味文彦　放送大学教授／東京大学名誉教授

六

院政から鎌倉時代

京・鎌倉　ふたつの王権

武家はなぜ朝廷を滅ぼさなかったか

武家政権はなぜ朝廷を滅ぼさなかったのか。日本独自の二重権力構造を通じて、武家政権誕生の背景を問う。

本郷恵子　東京大学准教授

七

南北朝・室町時代

走る悪党、蜂起する土民

南北朝の争乱と足利将軍

鎌倉幕府崩壊から応仁の乱まで。悪党・土民たちは徒党を組み、守護・地頭は国盗り合戦を始める、群雄割拠の時代。

安田次郎　お茶の水女子大学教授

八

戦国時代

戦国の活力

戦乱を生き抜く大名・足軽の実像

将軍・大名と兵士・民衆の両面から、戦乱の世を生き抜く人びとの実像に迫り、躍動する時代を活写する。

山田邦明　愛知大学教授

九

新視点近世史

「鎖国」という外交

従来の「鎖国」史観を覆す新たな視点

徳川幕府の外交政策はけっして「鎖国」ではなかった。外からの視点で見出された、開かれた江戸時代像。

ロナルド・トビ　イリノイ大学教授

十

江戸時代（一七世紀）

徳川の国家デザイン

幕府の国づくりと町・村の自治

天下人の国づくり、町人・百姓の町づくり・村づくりから探る、現代に連なる徳川幕府のグランドデザイン。

水本邦彦　京都府立大学教授

十一 徳川社会のゆらぎ
江戸時代(一八世紀)
幕府の改革と「いのち」を守る民間の力

五代綱吉から、老中田沼の時代。幕政の安定とともに産業振興策が採られ、江戸・大坂などの都市が繁栄する。

倉地克直　岡山大学教授

十二 開国への道
江戸時代(一九世紀)
変革のエネルギーと新たな国家意識

開国へ向かう変革のエネルギーを生み出した背景を解明し、「新たな日本」をめざす時代のうねりを描く。

平川 新　東北大学教授

十三 文明国をめざして
幕末から明治時代前期
民衆はどのように"文明化"されたか

大衆はいかにして"文明化"されたか。天皇はいかにして大衆に"認知"されたか。文明国を目指した日本の苦闘。

牧原憲夫　東京経済大学講師

十四 「いのち」と帝国日本
明治時代中期から一九二〇年代
日清・日露と大正デモクラシー

帝国日本の発展の陰で、懸命に生きる市井の人々の声に耳を傾け、地に足の着いた新たな近代史を掘り起こす。

小松 裕　熊本大学教授

十五 戦争と戦後を生きる
一九三〇年代から一九五五年
敗北体験と復興へのみちのり

戦争という大きな運命に否が応でも「参加」させられることを、日々の暮らしを生きるという視点から捉える。

大門正克　横浜国立大学教授

十六 豊かさへの渇望
一九五五年から現在
高度経済成長、バブル、小泉・安倍・福田政権へ

物は溢れているのになぜか満たされない。「豊かさ」というキーワードから見えてくる、欲望の現代社会史。

荒川章二　静岡大学教授

http://sgkn.jp/nrekishi/